D0982697

Tous Continents

Collection dirigée par
Anne-Marie Villeneuve

De la même auteure

Adulte
Une jeune femme en guerre, Tome 2, printemps 1944 – été 1945, Québec Amérique, 2008.
Une jeune femme en guerre, Tome 1, été 1943 – printemps 1944, Québec Amérique, 2007.
FINALISTE AU GRAND PRIX LITTÉRAIRE ARCHAMBAULT
Les Jardins d'Auralie, Québec Amérique, 2005.
Mary l'Irlandaise, Québec Amérique, 2001, compact, 2004.
Au Nom de Compostelle, Québec Amérique, 2003.
PRIX SAINT-PACÔME DU ROMAN POLICIER
Azalaïs ou la Vie courtoise, Québec Amérique, 1995, compact, 2002.
Les Bourgeois de Minerve, Québec Amérique, 1999.
Guilhèm ou les Enfances d'un chevalier, Québec Amérique, 1997.

Jeunesse
Le Chevalier Jordan, Hurtubise HMH, 2006.
La Funambule, Hurtubise HMH, 2006.
Le Triomphe de Jordan, Hurtubise HMH, 2005.
L'Insolite Coureur des bois, Hurtubise HMH, 2003.
La Chèvre de bois, Hurtubise HMH, 2002.
Jordan et la Forteresse assiégée, Hurtubise HMH, 2001.
Prisonniers dans l'espace, Québec Amérique Jeunesse, 2000.
La Revanche de Jordan, Hurtubise HMH, 2000.
Jordan apprenti chevalier, Hurtubise HMH, 1999.
Une terrifiante Halloween, Québec Amérique Jeunesse, 1997.

$24.95 RB
2009/05

Une
jeune femme
en guerre

Tome 3

Jacques ou Les Échos d'une voix

roman

REJETE
DISCARD

BEACONSFIELD
BIBLIOTHÈQUE · LIBRARY

303 Boul. Beaconsfield Blvd., Beaconsfield, PQ
H9W 4A7

Catalogage avant publication de Bibliothèque et Archives nationales du Québec et Bibliothèque et Archives Canada

Rouy, Maryse,
Une jeune femme en guerre : roman
(Tous continents)
Sommaire: t. 1. Été 1943-printemps 1944 -- t. 2. Printemps 1944-été 1945 --
t. 3. Jacques, ou, Les échos d'une voix.

ISBN 978-2-7644-0560-4 (v. 1)
ISBN 978-2-7644-0630-4 (v. 2)
ISBN 978-2-7644-0676-2 (v. 3)

I. Titre. II. Titre: Été 1943-printemps 1944. III. Titre: Printemps 1944-été 1945. IV. Titre: Jacques, ou, Les échos d'une voix. V. Collection.

PS8585.O892J48 2007   C843'.54   C2007-941286-6
PS9585.O892J48 2007

L'auteure remercie le Conseil des Arts du Canada pour son aide financière.

Conseil des Arts du Canada   **Canada Council for the Arts**

Nous reconnaissons l'aide financière du gouvernement du Canada par l'entremise du Programme d'aide au développement de l'industrie de l'édition (PADIÉ) pour nos activités d'édition.

Gouvernement du Québec – Programme de crédit d'impôt pour l'édition de livres – Gestion SODEC.

Les Éditions Québec Amérique bénéficient du programme de subvention globale du Conseil des Arts du Canada. Elles tiennent également à remercier la SODEC pour son appui financier.

Québec Amérique
329, rue de la Commune Ouest, 3e étage
Montréal (Québec) Canada H2Y 2E1
Téléphone: 514 499-3000, télécopieur: 514 499-3010

Dépôt légal: 1er trimestre 2009
Bibliothèque nationale du Québec
Bibliothèque nationale du Canada

Révision linguistique: Claude Frappier et Diane-Monique Daviau
Mise en pages: Andréa Joseph [pagexpress@videotron.ca]
En couverture: Denis Nolet, *L'Attente*, 14 x 20 pouces, 2009.
Conception graphique: Célia Provencher-Galarneau

Tous droits de traduction, de reproduction et d'adaptation réservés

©2009 **Éditions Québec Amérique inc.**
www.quebec-amerique.com

Imprimé au Canada

Maryse Rouy

Une jeune femme en guerre

Tome 3
Jacques ou Les Échos d'une voix
roman

QUÉBEC AMÉRIQUE

À Odette

Prologue

Dans la vie de Lucie Bélanger, une personne occupe une place bien particulière : Jacques, son frère. Avant la guerre, ce frère aîné, elle le connaissait peu, en raison de leurs cinq ans de différence et de centres d'intérêt qui, forcément, n'étaient pas les mêmes. Mais lorsqu'elle s'est tournée vers lui dans une période où elle avait besoin de support, il l'a soutenue inconditionnellement. Au fil des lettres, leurs liens sont devenus très forts et quand Lucie a cessé d'avoir de ses nouvelles à la fin du printemps 1944, ce silence l'a beaucoup inquiétée. Le soulagement d'apprendre qu'il était sauf, l'automne suivant, s'est nuancé de tristesse, parce qu'elle a su en même temps qu'il avait traversé une épreuve douloureuse dont il refusait de parler. Elle ignore tout de cet événement, à part qu'il a eu lieu au moment du Débarquement de Normandie, quand Jacques, détaché de l'armée de l'air pour être intégré au service spécial, a été parachuté dans le sud de la France pour entraîner un groupe de maquisards au maniement des armes.

Après la guerre, alors qu'ils séjournent seuls à Saint-Donat pour panser leurs blessures, Jacques dit à sa sœur qui l'interroge : *J'ai ma cicatrice, moi aussi, que je ne suis pas encore prêt à montrer.* Mais bientôt, la présence aimante et attentive de Lucie l'aide à surmonter cette incapacité d'évoquer le passé. C'est ainsi qu'une nuit, protégé par l'obscurité, Jacques, pour la première fois, traduit en mots ce qui hante ses insomnies. Il le fait comme il raconterait l'histoire d'un autre, comme si ce Jacques Bélanger parachuté en Comminges n'avait pas été lui. Parfois, sa voix se casse et le récit s'interrompt. Alors, sans un mot, Lucie prend sa main et la garde, le temps que l'émotion se résorbe et qu'il trouve la force de continuer.

PREMIÈRE PARTIE

I

Jacques Bélanger avait l'impression d'avoir été projeté sur une autre planète. Lorsque son supérieur, à Londres, lui avait annoncé qu'il avait été choisi pour enseigner à des maquisards du sud de Toulouse le maniement des armes qu'on allait parachuter en même temps que lui, il avait précisé :

— Avec votre accent, si les Allemands vous arrêtent, ils n'y verront que du feu : ils vous prendront pour un autochtone.

Maintenant qu'il était sur place, Jacques soupçonnait son chef de ne jamais avoir entendu parler des Commingeois. Peut-être même ignorait-il le français ; à bien y penser, leur entretien s'était déroulé en anglais. Lorsque les trois jeunes hommes qui l'attendaient l'avaient repéré au sommet du cyprès où son parachute s'était accroché, Jacques n'avait rien compris à ce qu'ils disaient, et il avait ressenti un début de panique. Dans quelle langue s'exprimaient-ils ? Cela ressemblait à de l'italien ou de l'espagnol, deux idiomes qu'il ne connaissait pas, mais avait déjà entendus. Se pourrait-il qu'en raison d'une erreur de navigation il n'ait pas été largué en France ? Ce serait terrible. Mais il ne pouvait pas être en Italie : c'était trop loin de leur but, le pilote ne se serait pas trompé à ce point. L'Espagne par contre était proche. Cependant, il était difficile d'imaginer qu'il ait été possible de passer au-dessus des Pyrénées sans s'en rendre compte. Jacques avait pensé à tout cela très vite en détachant les sangles de son parachute qu'il ne parvint malheureusement pas à décrocher de l'arbre malgré ses efforts. Ceux qui étaient venus le réceptionner devraient trouver un moyen de l'enlever. Il réussit à descendre par lui-même sans pouvoir éviter de s'abraser les mains et les poignets sur l'écorce du cyprès. Bien que les branches minces et cassantes aient cédé sous ses pieds à plusieurs reprises, il toucha le sol sans encombre, mais non sans douleur : il pouvait à peine poser le pied droit. Occupé par les manœuvres à effectuer, il n'avait pas eu conscience de la rudesse de son contact avec l'arbre.

Le clair de lune lui fit découvrir que le hasard l'avait fait tomber dans le lieu le plus discret du village : le cimetière. Quant aux hommes qui étaient au pied du cyprès, ils ne se souciaient guère de discrétion et ne prirent même pas la peine de baisser la voix pour s'adresser à lui, ce qu'ils firent en français, à son grand soulagement. Leurs inflexions rocailleuses n'avaient rien de commun avec son propre accent montréalais, mais au moins, la langue était la même : il était en France. Mieux : il était à Fontsavès, comme prévu.

Quand il voulut marcher, il dut se rendre à l'évidence : il ne pourrait pas les suivre. Après un bref conciliabule, ils le conduisirent, en le soutenant, chez une veuve qui tenait pension et l'informèrent qu'ils le recontacteraient le lendemain : là, ils devaient aider leurs collègues à mettre en lieu sûr le matériel malencontreusement parachuté ailleurs que dans le champ préparé à cette fin. Quant au parachute, malgré l'insistance de Jacques, ils dirent en haussant les épaules qu'ils s'en occuperaient le jour suivant.

Bien que réveillée en pleine nuit, la veuve lui apporta de bonne grâce un seau d'eau froide pour faire tremper sa cheville et lui prépara une chambre. Après le bain de pieds, qui avait soulagé la douleur, Jacques alla se coucher. Se tournant et se retournant dans son lit haut perché, au matelas trop mou sentant vaguement l'humidité, il pensait à la formation donnée par les services spéciaux. Il venait à peine d'atterrir en France que le précepte le plus important qui lui avait été inculqué se révélait caduc : la qualité primordiale d'un combattant clandestin, lui avait-on répété à satiété, est la discrétion. Ici, ce n'était pas à l'ordre du jour. Pouvait-on en conclure que toute la population était favorable à la résistance? Difficile à croire. Il lui faudrait avoir, le lendemain, une conversation sérieuse avec un responsable.

Depuis cinq ans qu'il s'était engagé, Jacques, qui avait dormi dans bien des lieux différents, se trouvait pour la première fois dans une maison familiale : au camp d'où il venait, c'était le dortoir, et tant qu'il avait été aviateur, des chambres particulières, mais dont l'ameublement banal et sommaire empêchait de les considérer comme un chez-soi. Dans cette pièce où il n'arrivait pas à dormir à cause du stress des dernières heures, tout avait un passé : la patine des meubles, leur assemblage hétéroclite, la literie de production domestique. Cela le troubla et le rendit nostalgique, alors même que rien n'était plus différent de la demeure bourgeoise de ses parents que cette très modeste chambre. Mais dans cette maison vivait une famille, avec une femme attentive aux autres, qui s'était occupée de lui comme sa mère l'aurait fait. Cela le fit sourire de penser à Julienne Bélanger, toujours si belle et si élégante, à propos de cette Commingeoise qui n'avait jamais dû être bien vêtue de toute son existence. Qu'avaient-elles en commun? Rien sans doute, à part la faculté de donner le sentiment que, chez elles, on était le bienvenu.

Au réveil, sa logeuse lui servit un café. Il était infect, mais pas plus qu'à Londres. Jacques était en train de le boire quand ils entendirent grincer le portail rouillé de la courette. Il se leva de table aussitôt et boitilla jusqu'à la fenêtre. Tout en se dissimulant, il jeta un coup d'œil par la croisée. Tranquillisé, il se rassit : il venait de reconnaître Roger, un des gars qui l'avaient accueilli la veille.

— Ça y est, dit celui-ci après lui avoir serré la main, on a enlevé le parachute. C'était pas commode : il est haut le cyprès !

— Est-ce que tout le village était là pour vous regarder faire ? demanda Jacques, agacé.

— Hé hé, rigola-t-il, il y en avait quelques-uns.

— Ne croyez-vous pas que c'est dangereux ?

— Puisqu'ils ne vous ont pas vu au bout du parachute, ça ne risque rien.

— Vous les prenez pour des idiots ?

— Non, pour des gens qui veulent avoir la paix.

— Tu boiras bien un verre de vin, proposa madame Fourment qui avait déjà la bouteille en main.

— C'est pas de refus. Merci, Adèle.

Il s'adressa de nouveau à Jacques.

— Bon, moi, il faut que je m'en aille. Le chef passera vous voir. Pour le moment, vous restez ici.

Malgré les assertions du jeune homme, Jacques était inquiet. Madame Fourment, la logeuse, lui dit pour le rassurer qu'avec l'aide d'un résistant qui habitait la maison, elle avait inventé une histoire pour expliquer sa présence chez elle. Ils en avaient parlé quand l'homme était rentré à la fin de la nuit après avoir aidé au transport des caisses. Jacques croyait préférable de se cacher et de quitter la maison nuitamment dès qu'il marcherait sans difficulté. D'ailleurs, il allait déjà mieux.

— Pour vous, il n'y aurait pas de problème, mais pour moi…

— Je ne comprends pas : puisque je suis arrivé en pleine nuit, personne n'a pu me voir.

— Détrompez-vous : les gens passent beaucoup de temps à espionner leurs voisins. Je suis sûre que la nouvelle de votre présence chez moi est en train de se répandre, et avec cette histoire de parachute, ils feront vite un lien. D'ici à ce que je sois accusée d'abriter des terroristes, il n'y a pas loin. Tenez, ajouta-t-elle en lui servant une tranche de pain tartinée de confiture de prunes. C'est pas une raison pour se laisser mourir de faim.

Quand il mordit dans la tartine, Jacques se sentit provisoirement réconcilié avec l'existence.

— Il y a des années que je n'ai rien mangé d'aussi bon.

— C'est pour me faire plaisir que vous dites ça. C'est juste les reines-claudes du jardin.

— Avec tous nos tickets de sucre de l'année, bougonna un adolescent renfrogné qui venait d'apparaître.

— José, sois poli !

— … jour.

— Si on te le demande, ce monsieur s'appelle Jacques Duprat et c'est un cousin de Marseille.

Il ricana. Elle reprit sur un ton fâché :

— C'est important, José. On pourrait avoir de gros ennuis.

— C'est bon, je dirai ça.

Tout en lisant d'un œil distrait l'édition de l'avant-veille du journal local, *La Dépêche du Midi*, Jacques, installé près de la fenêtre pour mieux y voir, pensait avec amertume aux membres du maquis dont il avait fait la connaissance. C'était pour ces hommes-là, qui pratiquaient la guerre clandestine comme un jeu, que le pilote et lui-même s'étaient mis en danger. Au lieu de gaspiller pour eux les précieuses caisses de munitions, ils auraient pu les parachuter à un des groupes sérieux qui ne manquaient pas dans le secteur. Il allait en dire deux mots à leur chef et le mentionner dans son rapport à Londres dès qu'il obtiendrait une liaison radio.

De temps à autre, il levait les yeux et regardait sa logeuse vaquer à ses occupations. Le manque de confort de l'habitation l'étonnait. Il ne pouvait s'empêcher de la comparer avec celle des paysans de Saint-Donat d'où venait leur bonne. Il se souvenait bien de la cuisine claire et accueillante, de la pompe sur l'évier, du poêle qui chauffait la maison et permettait de cuisiner. Ici, rien de tel : pas de fourneau, pas de pompe sur l'évier. Pour cuisiner, il n'y avait que la cheminée, et il fallait aller chercher l'eau dehors, au puits. L'évier était une simple pierre creusée, et les murs sombres, noircis de fumée, n'étaient égayés que par une ribambelle de calendriers des postes courant sur plus d'une décennie : chaque année, le nouveau était ajouté à côté de l'ancien. La seule intrusion de la modernité venait de l'ampoule électrique qui pendait du plafond. Néanmoins, comme il avait pu le constater la veille, elle n'apportait qu'une faible clarté incapable d'éclairer les recoins éloignés de la pièce ; c'était en réalité à peine plus qu'une chandelle. Quant à la salle de bains, il n'y fallait pas songer. Lorsqu'il avait émis le désir de se laver, madame Fourment avait ranimé le feu pour faire chauffer une casserole d'eau. Elle l'avait ensuite versée dans une bassine qu'elle avait déposée sur une table, à l'arrière de la cuisine, dans une souillarde au sol en terre battue. Cette pièce servait à toutes sortes d'activités, entre autres à écorcher les lapins comme en témoignaient les peaux en train de sécher dans le fond.

Lorsqu'il vit madame Fourment déverser sur la table le contenu de son tablier, une montagne de petits pois, il approcha sa chaise pour l'aider. Elle protesta qu'elle pouvait le faire seule. Elle en avait l'habitude, et en plus ce n'était pas un travail d'homme ; d'ailleurs, il allait se faire mal avec ses mains écorchées. Mais Jacques l'assura que ses mains allaient bien et que cela lui ferait passer le temps.

Il l'avait d'abord prise pour une vieille femme, mais elle ne devait guère dépasser la quarantaine. Son visage, agréable au demeurant, était encore lisse, et on ne distinguait que de rares fils d'argent dans le chignon torsadé porté bas sur la nuque. Jacques avait été induit en erreur par les vêtements noirs et informes qui ne laissaient rien deviner de son corps ainsi que par les savates alourdissant sa démarche. À la demande de son pensionnaire, elle lui donna un aperçu du village.

— Fontsavès, ce n'est pas grand, mais on a quand même tout ce qu'il faut : le moulin, la boulangerie, la forge, l'épicerie, le bureau de tabac et la poste. Pour le reste, on va au marché à Meilhaurat le samedi.

— Les gars qui sont venus récupérer le parachute n'ont fait aucun effort pour se cacher. Pourtant, je ne peux pas croire que tout le village soutienne la résistance.

Elle soupira.

— Ils sont jeunes. Ils ne se rendent pas compte qu'ils devraient faire plus attention.

— Pour ça, il suffit de lire le journal : les résistants sont appelés terroristes, bandits ou communistes, et s'ils se font prendre, les peines encourues sont sévères. Il en est question aujourd'hui, et je suppose que ce n'est pas la première fois.

Il se leva, alla chercher le quotidien et lui désigna un entrefilet qui annonçait : *Un chef communiste est condamné à mort par un tribunal allemand et exécuté.*

— C'est vrai, mais ils se disent qu'à Fontsavès ça ne risque rien, et ils ont sans doute raison.

— Il n'y a aucun pétainiste ?

— Oh que si ! Mais à mon avis, ils ne broncheront pas. Ils voient bien comment ça tourne et ils ne veulent pas avoir d'ennuis.

— Et les miliciens ?

— Pas ici. Mais à Meilhaurat, ils en ont. De temps en temps, ils viennent en voiture et font le tour de la place à toute vitesse en klaxonnant.

Elle haussa les épaules.

— Ça fait aboyer les chiens et ils sont contents, même si personne ne s'intéresse à eux.

Comme la conversation languissait, il lui demanda ce que faisait son fils.

— Pas grand-chose de valable. Il trafique dans ses fils toute la journée. Il ferait mieux d'aller à l'école.

— Ses fils ? Quels fils ?

— La radio et que sais-je moi ? Il n'y a que ça qui l'intéresse. Il veut devenir électricien et réparateur de postes. Si son père n'était pas mort, il lui aurait montré, mais là… Je n'ai pas envie qu'il parte tout de suite en apprentissage. Il est trop jeune pour quitter la maison : il a juste quatorze ans.

Après avoir écossé les pois, Jacques reprit le journal. *La Dépêche* se conformait servilement aux directives du Maréchal Pétain et de son gouvernement, qui relayaient, depuis Vichy, les volontés de l'occupant. La une du 27 mai 1944 titrait *L'aviation anglo-américaine s'acharne sur les villes françaises*, citant avec respect l'opinion du Dr Goebbels, ministre de la Propagande du Reich. Selon ce membre éminent du gouvernement hitlérien, *L'Angleterre sera contrainte par des nécessités politiques de se lancer dans une aventure militaire pour laquelle elle devra mettre en jeu son existence nationale.* Ils savent que le débarquement allié est proche, se dit-il, et ils veulent faire croire que l'Angleterre y est obligée par ses alliances, mais que son armée n'est pas de taille à affronter l'armée allemande. Pour avoir vu les préparatifs incessants des deux dernières années et les récentes concentrations de troupes, il était sûr que l'ennemi n'allait pas tarder à changer d'avis. Il y avait aussi un texte sur le front italien, toujours du point de vue du Reich.

La pensée de Jacques s'égara vers Lucie, sa jeune sœur, dont il avait reçu avant de partir une lettre pour le moins inattendue. Il la croyait secrétaire dans un dispensaire à Montréal, et voilà qu'elle s'en allait en Italie, où d'ailleurs elle devait déjà être arrivée, pour couvrir la guerre à titre de photographe de presse. Lucie ne cessait de l'étonner : celle qu'il avait prise pour une jeune fille soumise et sans ambition personnelle se révélait audacieuse et déterminée. Il n'en restait pas moins inquiet : elle allait se trouver plongée dans les dangers de la guerre sans avoir reçu la moindre formation préalable et il ne pouvait rien faire pour elle, même pas lui écrire pour lui prodiguer quelques conseils, puisqu'il était en mission secrète.

Une bataille entre deux merles qui se disputaient un ver le ramena au présent et il se replongea dans la lecture du quotidien. Il relut le bref article qu'il avait signalé à l'attention de sa logeuse. Intitulé *Le terrorisme et sa répression*, il était visiblement destiné à décourager ceux qui seraient tentés par la résistance. Si les renseignements détenus à Londres étaient bons, et Jacques croyait à leur véracité, cette propagande était sans effet ou peut-être même avait-elle un effet inverse : les résistants étaient de plus en plus nombreux et ils se préparaient à l'arrivée des Alliés pour les soutenir. Il restait à espérer qu'ils aient un peu plus de bon sens que ceux de Fontsavès.

À la fin de la journée, un personnage coloré fit son apparition : Henri Lasbordes, le facteur. Il avait été nommé à la poste du village deux ans auparavant et vivait depuis lors chez la veuve Fourment.

Elle avait parlé de lui à Jacques dans l'après-midi et l'avait décrit comme un homme serviable et toujours de bonne humeur, mais elle n'avait rien dit de sa volubilité.

— Enfin, la vedette du jour en chair et en os! s'exclama-t-il en serrant la main de Jacques. Appelez-moi Henri. Vous savez, tout le monde m'a posé des questions sur vous.

— Au moins, tu lui as raconté ce qui était convenu? s'inquiéta madame Fourment.

— Bien sûr, ne t'en fais pas. Il y en a qui se sont étonnés qu'il y ait des Duprat dans ta famille, mais j'ai dit que c'était le fils de la sœur de ton défunt, celle qui est partie de Fontsavès toute jeune et n'a jamais donné de nouvelles.

Il s'esclaffa avant d'ajouter:

— Évidemment, certains ont trouvé bizarre qu'il soit arrivé en parachute mais je leur ai affirmé que c'était une invention: il n'y avait personne au bout du parachute, et le neveu est venu par le train, comme tout le monde. Bon, ajouta-t-il en quittant la cuisine, moi, j'enlève mon uniforme et je m'en vais boire un canon chez Amagat.

Il reparut avec un costume de toile bleue semblable à celui des gars qui avaient réceptionné Jacques. Cela finit de le rassurer quant à sa propre tenue. Lorsqu'on lui avait remis le même, à Londres, en lui disant que les hommes du peuple, en France, étaient habillés ainsi, il avait été sceptique, mais il devait admettre qu'ils avaient eu raison. Quant au béret, qui lui avait paru encore plus étrange et que Lasbordes venait de coiffer à la place de son képi d'uniforme, il semblait obligatoire.

Le facteur lui proposa de l'accompagner, mais il refusa et l'autre n'insista pas. *Ainsi*, pensa Jacques, irrité, *ce sera lui la vedette au café. Il pourra pérorer à mon sujet et ne s'en privera pas.*

Le chef du groupe de résistants, présenté par madame Fourment comme le capitaine Fournier, frappa à la porte alors qu'ils étaient attablés devant la soupe de pois. C'était un homme dans la cinquantaine, à la forte carrure et la poignée de main virile, chez qui l'ancien militaire se devinait à la raideur du maintien. Il faisait contraste avec Lasbordes dont on remarquait plus encore la minceur, la taille inférieure à la moyenne et l'agitation continuelle. Madame Fourment fit asseoir le nouveau venu et lui servit une assiette. Le facteur commenta avec un clin d'œil :

— Vous voyez pourquoi je reste ici : il n'y a pas mieux que la soupe d'Adèle.

Elle protesta qu'il exagérait toujours, mais elle avait rosi de plaisir. À la stupéfaction de Jacques, quand les deux hommes n'eurent plus qu'un fond de liquide dans l'assiette, ils versèrent du vin dans le reste de soupe. Lasbordes tendit la bouteille à Jacques pendant que le capitaine prenait l'assiette à deux mains et buvait son contenu.

— Vous voulez faire chabrot avec nous ? proposa-t-il.

Jacques refusa. Il insista :

— Vous n'avez jamais essayé ? Vous devriez.

— Une autre fois.

Il haussa les épaules.

— Les gens des villes, ils ne savent pas ce qui est bon.

La logeuse s'interposa :

— Laisse-le tranquille. Chacun fait comme il veut.

À la fin du repas, les deux hommes sortirent de leur poche un paquet de tabac gris et roulèrent une cigarette.

— Vous ne fumez pas ? s'étonna Lasbordes.

— J'ai cessé il y a trois mois. J'ai trouvé plus facile de m'en passer que de m'habituer au goût de votre tabac.

— Ça vous fait un souci de moins. Si vous saviez ce qu'on est obligés de fumer quand on a fini les quatre misérables paquets mensuels de notre ration ! Des feuilles séchées de noyer, de haricots, *de pè de la mula…* Sans compter les vieux mégots, mais ça, c'est presque bon à côté du reste.

Le capitaine se leva.

— Venez, dit-il à Jacques, allons parler dans votre chambre.

Le facteur parut un peu vexé de ne pas être invité à les suivre, mais il s'abstint de protester.

— Pouvez-vous me dire où je suis tombé? demanda Jacques dès que la porte fut refermée. Tout le monde a l'air d'être au courant de tout. Le parachute est resté accroché au cyprès du cimetière jusqu'au milieu de la matinée, de manière que tous puissent le voir. Pendant sa tournée, le facteur a parlé de moi à tort et à travers, et après, il a remis ça au café. Autant que j'aille me livrer tout droit à la Gestapo, ça leur fera gagner un jour ou deux.

— Ne vous énervez pas. Je sais, ce sont des bavards pas très malins, mais ils ne sont pas méchants.

— Il doit bien y en avoir quelques-uns qui le sont.

— Bien sûr, mais je parle des nôtres. Le facteur en fait partie et il est très utile: il va partout et peut porter des messages sans attirer l'attention. En plus, il est au courant de tout parce que personne ne s'en méfie: il est toujours en train de plaisanter et on ne le prend pas au sérieux.

— On a peut-être raison.

— Non. Il surveille ceux qui pourraient nous nuire. J'ai confiance en lui. Je l'ai connu au stalag, quand on était prisonniers des Allemands.

— Au stalag? Pourtant, ils mettent les officiers dans des oflags.

— C'est que je ne suis pas officier. Les gens m'appellent capitaine, mais dans l'armée, j'étais sous-off.

— Vous vous êtes évadés?

— Non. On a été libérés: Lasbordes parce qu'il appartenait à un grand service public, et moi au titre d'ancien combattant de 14-18. On n'a pas été nombreux à avoir cette chance. Après le débarquement en Afrique, en novembre 1942, les Allemands n'ont plus relâché personne. Je suis rentré chez moi, dans les Pyrénées, mais je voulais continuer le combat. Alors, quand la résistance s'est organisée ici et qu'Henri m'a contacté, je suis venu. Je vous assure qu'il n'a rien de commun avec les rigolos qui vous ont réceptionné. Et croyez-moi, à ceux-là, je leur ai passé un savon de première. La prochaine fois, ils réfléchiront.

— S'il y a une prochaine fois. Vous comprenez que je vais devoir faire un rapport à Londres. Je serais surpris qu'après ça, ils aient envie de vous parachuter d'autre matériel.

— Vous ne voulez pas attendre un peu qu'on ait le temps de vous montrer comment fonctionne le camp? Je pourrais vous prouver que mes hommes sont organisés et efficaces. Et pour Londres, ça ne presse pas: ils savent que vous êtes arrivé et le matériel aussi: on a envoyé un message tout de suite.

— Bon, concéda-t-il, je vous donne quelques jours.

— Merci. Je vais voir avec le maire, monsieur Maupas, comment réparer les dégâts. Il est de notre côté et c'est quelqu'un d'important. Il a une grosse maison bourgeoise avec une tourelle; ici, on l'appelle le château. Les gens du village le respectent. Quand vous marcherez comme il faut, ça vous dérangerait de travailler comme ouvrier agricole, le temps de voir venir?

— Pas du tout, mais je vous avertis que je n'y connais rien.

— Peu importe: ce n'est pas bien difficile. Demain, je dois aller à Toulouse rencontrer quelqu'un. J'y resterai deux ou trois jours. Après, on avisera.

II

A lors, *l'orchestre attaqua un morceau plein d'entrain et de gaieté. Scarlett eut l'impression qu'elle allait hurler. Elle voulait danser. Elle mourait d'envie de danser. Son pied battit la mesure, ses yeux verts étincelèrent.*

Pauline, le livre posé sur les genoux, laissa flotter son regard sur la chaîne des Pyrénées qui hachurait l'horizon, loin au-delà du troupeau. Elle s'identifiait sans peine à l'héroïne : depuis combien de temps n'y avait-il pas eu de bal à cause de cette maudite guerre ? Le dernier remontait au moins à l'été 39, époque lointaine où elle était trop jeune pour y assister. Pas de soirées récréatives et le couvre-feu dès la nuit tombée. À Fontsavès, la nécessité de ces précautions n'apparaissait pas clairement. Il n'y avait pas d'Allemands dans les environs. Les plus proches étaient cantonnés à Lannemezan, à une cinquantaine de kilomètres du village, et on ne les avait pas revus après le défilé de leur convoi de camions et de leurs colonnes de motocyclistes, sur la route départementale, le jour où ils étaient allés rejoindre leur base. Il ne se passait jamais rien à Fontsavès. Enfin, il ne s'était jamais rien passé avant la nuit de dimanche où un bruit de moteur d'avion avait fait sursauter les insomniaques. Au matin, Élie Pradet avait retrouvé son champ de luzerne saccagé.

Il en imputait la faute à un parachutage de caisses au contenu mysté-
rieux qui avaient non moins mystérieusement disparu avant qu'il
arrive sur les lieux du désastre. Son hypothèse était corroborée par
le fait qu'un parachute s'était retrouvé sur le faîte d'un cyprès du
cimetière où l'absence de vent le faisait ressembler à un drapeau en
berne. Depuis, les rumeurs concernant un éventuel parachutiste ne
manquaient pas : ce serait un émissaire du général de Gaulle ou un
Anglais, il aurait une jambe cassée ou un bras. Pour en apprendre
davantage, les villageois se promettaient d'interroger le facteur qui
logeait à la pension d'Adèle Fourment où un jeune homme, soupçonné par les bavards d'être le parachutiste, venait de s'installer. À
part quelques initiés dont Pauline faisait partie, personne ne savait
rien de précis, mais les imaginations galopaient. Les plaintes de
Pradet, qu'il avait faites officiellement auprès du maire et répétées
en tous lieux où il avait quelque chance de trouver un public,
avaient attiré dans son champ une légion de curieux, ce qui n'avait
pas peu contribué à la mauvaise humeur du vieil acariâtre. Appuyé
à la branche de houx qui lui servait de canne, il les avait surveillés
afin d'éviter qu'ils n'aggravent les dommages tout en maugréant :

— Huit jours avant de faucher ! Vous vous rendez compte ?

Pauline bondit sur ses pieds :
— Misa ! Va chercher la Poulido !
La chienne s'élança et ramena une fugueuse qui se dirigeait
sans en avoir l'air vers le champ de blé d'Élie Pradet. Il ne manque-
rait plus que les vaches de la métairie du château ravagent son blé !
On n'aurait pas fini de l'entendre.
Bien qu'il restât encore trois semaines d'ici là, Pauline craignait
que cette intrusion de la guerre ne fasse échouer le projet de soirée
clandestine prévu pour la Saint-Antoine, le saint patron du village.
Le bal aurait lieu dans la maison abandonnée depuis la mort de la
vieille Monge. En calfeutrant les fenêtres, la lumière des lampes ne
filtrerait pas et la baraque était trop isolée pour que l'accordéon soit
audible de la route et les dénonce à un improbable passant.

Avec Mariette et Marie-Pierre, elles ne parlaient plus que de cela. Malgré l'opposition de sa belle-mère, Pauline avait obtenu de son père l'autorisation d'y aller, parce qu'elle serait chaperonnée par Justin, mais Mariette, qui était sûre du refus de son grand-père, et Marie-Pierre, qui aurait provoqué une commotion chez ses parents, avaient l'intention de se passer de permission. Elles retrouveraient Pauline et Justin au bas de l'allée du château et ils se joindraient à Germain et Juliette au coin du maïs de la métairie pour s'y rendre tous ensemble. Participer clandestinement à un bal clandestin! Elles étaient excitées comme des guêpes au-dessus du fouloir. Pauline, qui avait soigneusement caché à ses amies son attirance pour Germain, espérait qu'il découvrirait à cette occasion qu'elle pouvait être autre chose que la sœur de Justin.

Résolue à être optimiste, la jeune fille se dit qu'au lieu de remettre en question le divertissement attendu, la présence du parachutiste pourrait y apporter du piquant. S'il était jeune, il aurait envie de s'amuser. Henri Lasbordes, le facteur, l'emmènerait. À condition qu'il n'ait pas une jambe cassée, sinon il ne pourrait pas marcher trois kilomètres sur des chemins de terre. Mais si c'était le bras, les filles de Fontsavès disposeraient d'un danseur supplémentaire. Cet inconnu tombé du ciel serait autrement intéressant que les garçons avec lesquels elles avaient grandi.

Pauline s'apprêtait à s'élancer sur la piste avec Scarlett O'Hara, que Rhett Butler venait d'inviter à conduire le quadrille, lorsque Mariette arriva, annoncée par la rengaine dont elle ne connaissait que les premières mesures, mais qu'elle rabâchait depuis des semaines. *Qu'est-ce qu'on attend pour être heureux? Qu'est-ce qu'on attend pour faire la fête…* Vive, maigre et noiraude, elle surgit au tournant du sentier. Parvenue sous le chêne auquel son amie était adossée, elle se laissa tomber sur l'herbe.

— Tu es allée au village? demanda Pauline.

— J'en viens.

— Tu l'as vu?

— Non. Pourtant, j'ai essayé. J'ai traîné à l'épicerie. Par malchance, il y avait Pradet. Il n'en avait que pour sa luzerne. Après, je suis allée chez le forgeron. Je lui ai dit que les freins de mon vélo grinçaient. Mais tu sais comment est Daguzan : il ne les a même pas regardés et il m'a répondu d'y mettre de la graisse. Je n'avais plus qu'à partir.

— Et tu n'as rien appris ?

— Si, quand même. Il paraît qu'il n'a rien à voir avec le parachutage : ce serait un parent des Fourment qui vient de Marseille. C'est José qui l'a dit à l'épicerie.

— Tu crois que c'est vrai ? demanda Pauline, qui savait la vérité mais n'avait pas le droit de la partager avec son amie.

Mariette haussa les épaules.

— Le facteur dit la même chose. D'après lui, il n'y avait pas un homme au bout du parachute, mais une caisse, et personne ne sait qui est venu la chercher. L'arrivée du fameux cousin chez les Fourment serait un hasard. Mais j'y crois pas trop. Pour moi, ils disent ça à cause des gendarmes.

— On finira bien par le savoir. J'espère qu'il ne va pas repartir sans qu'on le voie.

Comme Mariette approuvait avec conviction, on entendit un appel.

— … Yette !

La traversée de la châtaigneraie avait amputé son nom de la première syllabe, mais l'ordre n'en était pas moins impératif. L'adolescente détala. Pauline, malgré l'éloignement, l'entendit hurler à son grand-père sourd l'excuse habituelle :

— J'étais au jardin.

Afin d'étayer ses dires, elle avait dû arracher au passage une poignée d'herbe pour les lapins.

Après un coup d'œil aux vaches, qui ne semblaient pas ruminer de projets d'évasion, Pauline replongea dans sa lecture. Mais elle fut de nouveau interrompue par un craquement de branche qui la fit sursauter : madame Maupas était tout près. Perdue du côté d'Atlanta, elle ne l'avait pas entendue venir. Elle allait se faire prendre le livre à la main alors que Marie-Pierre lui avait instamment recommandé de faire attention. Si sa mère, qui ne lui autorisait que la littérature pieuse, découvrait qu'elle possédait *Autant en emporte le vent*, elle ferait un drame. Peut-être en profiterait-elle pour l'empêcher de fréquenter la donatrice, Gabrielle, chez qui elle passait quelques jours ? Madame Maupas appréciait peu cette nièce un peu plus âgée que sa fille à cause de ses allures affranchies. Marie-Pierre l'adorait, pour les mêmes raisons.

Pauline ne pouvait pas prétendre que le livre lui appartenait : madame Maupas savait que ses métayers n'en achetaient pas. La jeune fille pensa un instant en attribuer la propriété à Mariette. À l'insu de son grand-père, qui ne s'expliquait pas la paresse de leurs poules, elle vendait des œufs à son profit pour acquérir des romans. Mais c'était une édition de luxe que Pauline avait en mains. Mariette n'aurait jamais pu se procurer au marché un livre aussi beau. Alors que Pauline cherchait en vain un moyen de se tirer de là, madame Maupas s'arrêta providentiellement sous un châtaignier. Pendant qu'elle scrutait les hautes branches, la jeune fille, qui avait instinctivement dissimulé le livre dans son dos en la voyant, le glissa sous ses fesses. Faute d'une meilleure idée, elle s'assit dessus.

Quand madame Maupas s'approcha de la bergère, celle-ci inventa une torsion de la cheville pour expliquer qu'elle restait assise. Elle dut subir un examen qui aboutit à un diagnostic prévisible.

— Ce n'est rien : tu n'es pas enflée et ce n'est même pas rouge.

Pauline, qui avait espéré que madame Maupas s'en irait vite, se résigna à la voir s'incruster lorsqu'elle déplia un mouchoir sur lequel elle s'assit. Elle ne voulait pas risquer de salir sa robe taillée dans un brocard qui aurait mieux convenu dans un salon élégant que dans une châtaigneraie. Ce n'était pas par ostentation qu'elle la portait, mais à cause de la pénurie de textiles qui l'obligeait à user au quotidien les robes de réception récupérées dans les penderies où elles étaient reléguées, et qu'elle avait retaillées pour les mettre à la mode.

La châtelaine semblait avoir le temps. Elle venait d'admirer un écureuil et s'extasia longuement sur la grâce de l'animal. Pauline se promit de le signaler à son frère : l'écureuil était très bon en civet et cela changerait de l'éternel confit d'oie qui, en plus, devenait rance avec les chaleurs. Le panier de madame Maupas contenait deux beaux cèpes, preuve qu'il y en avait beaucoup : selon Marie-Pierre, sa mère ne voyait les champignons que lorsqu'ils traversaient le chemin devant elle. Dès qu'elle serait partie, Pauline irait à la garenne où elle connaissait une bonne place.

Madame Maupas ne faisait pas mine de s'en aller. Si au moins elle avait parlé du pensionnaire de madame Fourment… Elle devait savoir par son mari s'il était réellement blessé. Mais Pauline n'osait pas l'interroger. Vivement que Marie-Pierre rentre de Toulouse !

Avec une impatience grandissante, la jeune bergère se trémoussait sur le siège improvisé qu'elle allait devoir quitter si madame Maupas ne se décidait pas à partir. En effet, comme sa maîtresse restait assise, la chienne répondait de plus en plus mollement à ses ordres, et les vaches, qui le sentaient, se déplaçaient insidieusement vers le blé interdit. Le moment approchait où Pauline serait obligée de se lever pour les faire obéir quand elle fut sauvée par l'apparition du facteur qui s'engagea dans l'allée du château.

— Il est déjà si tard ! s'exclama madame Maupas, à qui Lasbordes servait d'horloge, comme à tout le monde.

Pendant que la châtelaine se levait avec un manque de souplesse évident, Pauline tendait l'oreille, mais il n'y eut pas de signal : Lasbordes n'avait rien pour elle aujourd'hui. Dans le cas contraire, parvenu au niveau de la charmille, il actionnait deux fois son timbre. Pauline s'y rendait aussitôt et trouvait derrière un arbre la pile de tracts à distribuer. Cette activité clandestine, quoique modeste, était dangereuse, on l'en avait avertie : les gens à qui elle livrait la feuille ronéotypée résumant les émissions de radio Londres étaient favorables à la résistance, mais il suffirait que l'un d'eux feigne la sympathie et la dénonce pour qu'il lui arrive des choses terribles. Heureusement, de ces choses terribles, elle ignorait tout et imaginait candidement qu'elle serait juste emprisonnée quelques jours, ce qui ne lui paraissait pas insurmontable. Son père n'était pas au courant, sa belle-mère non plus. Seul son frère le savait, pour la bonne raison qu'il était à l'origine de son implication. Justin avait exigé qu'elle garde le secret vis-à-vis de Mariette et de Marie-Pierre, ses meilleures amies, sous prétexte qu'elles étaient trop bavardes pour leur sécurité. Elle avait accepté de s'y conformer, même si elle était convaincue qu'il se trompait à leur sujet.

Madame Maupas avait à peine disparu que Pauline courait vers le troupeau. Elle le rassembla à grands cris avant de vérifier si le livre avait souffert de la position qu'il venait d'occuper. Rassurée sur ce point – la couverture était robuste, et elle légère –, elle hésita entre la poursuite de sa lecture et la quête des champignons. Malgré son désir de savoir comment Scarlett s'était tirée de l'affrontement avec tante Pittypatt, elle avait encore plus envie de bouger. Laissant Misa en sentinelle, elle s'éloigna sous les châtaigniers.

Elle alla droit vers une ravine où elle était à peu près sûre de trouver des cèpes. Une légère odeur de charogne se mêlait à celles des mousses, des feuilles pourrissantes et du lierre qui avait envahi de vieilles souches. Quelque bête morte, pensa-t-elle. À mesure qu'elle approchait, l'odeur devenait plus forte et elle faillit renoncer. Mais elle avait trop envie des champignons : elle se pinça le nez et continua. Lorsqu'elle vit, en contrebas, de quoi remplir son tablier, elle se félicita d'avoir persisté. Ils étaient sous un gros châtaignier, à côté d'un amas de feuilles qu'elle remarquait pour la première fois. Malgré l'odeur, devenue presque insoutenable, elle descendit jusqu'aux cèpes qui excitaient sa convoitise, mais elle ne les cueillit pas. Les yeux exorbités, elle fixa un instant le pied chaussé d'un sabot de bois qui dépassait du tas de feuilles. Puis elle s'enfuit en hurlant comme une possédée.

III

À la pension d'Adèle Fourment, le portail rouillé annonça une visite. Cette fois, ce n'était pas un maquisard, mais deux gendarmes en uniforme à la vue desquels l'estomac de Jacques se contracta. Il amorça un mouvement vers la porte du fond, mais sa logeuse le retint en disant :

— Restez là, c'est Isidore Deumier et Félicien Puntous, ça ne risque rien.

Puis elle alla les accueillir à la porte d'entrée où elle les reçut avec une giclée de paroles dans cette langue incompréhensible qu'ils utilisaient entre eux, ce qui ne les empêchait pas de passer sans effort au français lorsqu'ils s'adressaient à lui.

Elle les précéda dans la cuisine où le plus vieux des gendarmes demanda à Jacques :

— Alors, comme ça, vous êtes un parent des Fourment ? Le fils de Joséphine, nous a dit Adèle.

Le ton était bonasse. Jacques respira mieux.

— Et vous êtes arrivé dimanche par le train de cinq heures ?

— C'est ça.

— Vous restez longtemps ?

— Ça dépend si je trouve à m'employer dans une ferme.

— Il vous faudra aller voir le maire. Les foins commencent bientôt et il n'y a jamais assez de bras. Vous pouvez nous montrer vos papiers ?

— Bien sûr. Je les ai dans la chambre, je vais les chercher.

Quand il revint, madame Fourment remplissait à ras bord deux verres de vin. Avec une pointe d'appréhension, Jacques tendit les faux documents fournis à Londres : le permis de séjour de l'État français, prétendument délivré par le ministère de l'Intérieur de Vichy, et la carte d'identité. Ils étaient établis au nom de Jacques Duprat. Le lieu de naissance indiqué était Marseille, qui figurait également en tant que domicile actuel, et la rubrique métier le donnait pour étudiant.

— Qu'est-ce que vous étudiez ?

— Le droit, pour être notaire.

Comme sa logeuse lui avait fait remarquer que l'année universitaire n'étant pas terminée, il allait paraître bizarre qu'il s'installe à la campagne un mois avant les examens, il ajouta :

— En réalité, il ne me manque qu'un stage, mais l'étude qui m'a accepté pour le faire ne me prendra qu'en septembre.

— Notaire, c'est pas pareil qu'ouvrier agricole.

— Non, mais ça me permettra de mieux manger qu'à Marseille.

Le gendarme, compréhensif, hocha la tête. Il savait comme tout le monde que le ravitaillement en ville était un problème aigu et ne s'étonnait pas qu'on ait envie de se nourrir correctement. À en juger par son profil, lui-même devait avoir un appétit robuste.

— Demain, vous passerez vous enregistrer à la mairie, reprit le gendarme en lui rendant ses papiers. Elle ouvre tous les mercredis, après l'école.

D'un même mouvement, les pandores s'essuyèrent la moustache du revers de la main après avoir bu leur verre cul sec, puis ils se dirigèrent vers la porte. En sortant, celui qui avait fait tous les frais de la conversation ajouta d'un ton rigolard :

— Ça fait rien, ils ont quand même un drôle d'accent les Marseillais.

L'autre éclata d'un rire gras tandis que madame Fourment répliquait :

— Eh, on le sait bien, Isidore. Vous vous souvenez du film *Marius* qu'ils ont passé à la salle des fêtes avant la guerre ? On avait tellement ri !

— Vous pouvez le dire. Allez, on y va. *Adieusiàtz.*

— *Adieusiàtz.*

Après leur départ, Jacques Bélanger s'étonna :

— Je ne savais pas qu'il y avait une gendarmerie à Fontsavès.

— Il n'y en a pas. Ils viennent de Meilhaurat et font le tour du canton une fois par semaine.

Un bruit de voix les attira à la fenêtre. Un jeune homme racontait avec force gestes à la maréchaussée ahurie une histoire qui n'était pas audible depuis l'intérieur. Madame Fourment ouvrit la fenêtre et ils entendirent :

— On te suit, Justin.

Il avait franchi le portail lorsqu'il se ravisa :

— Et si on emmenait le neveu d'Adèle puisqu'on se rend chez Maupas ? Va le chercher, Félicien.

Pendant que le plus jeune des gendarmes revenait vers la maison, la logeuse chuchota à son pensionnaire :

— Vous pensez être capable de faire du vélo ?

— Ça ira. Je ne ressens presque plus rien.

Parlant pour la première fois, le gendarme, qui s'était encadré dans la porte, proposa :

— Puisqu'il faut qu'on aille chez le maire, votre neveu n'a qu'à venir avec nous.

— Qu'est-ce qui se passe là-bas ? essaya-t-elle de savoir. J'ai vu Justin, il a l'air tout énervé.

— Des drôles de choses, mais je ne peux pas le dire.

Puis, se tournant vers Jacques :

— Vous venez ?

— À pied, intervint Adèle, il ne peut pas : il y a deux bons kilomètres.

Elle se dirigea vers l'escalier qui partait du fond du corridor et cria vers le haut :

— José ! Viens prêter ta bicyclette à ton cousin, il en a besoin.

La réponse claqua, brève et nette :

— Non !

Du dehors, Deumier s'impatienta :

— Alors, vous arrivez ? On n'a pas que ça à faire.

— José, descends tout de suite ! Je t'avertis…

Elle n'eut pas besoin de préciser : l'adolescent dévala les marches, salua le gendarme d'un grognement et se dirigea vers une remise d'où il revint avec un vélo flambant neuf qu'il tendit à Jacques avec réticence.

— Ne t'inquiète pas, dit celui-ci d'un ton rassurant, je vais en prendre soin.

Après avoir traversé le village et franchi le Savès, qui coulait chichement sous un petit pont romain formant un dos d'âne très prononcé, ils empruntèrent un chemin bordé de platanes, où l'absence de circulation permit aux cyclistes de rouler de front par deux. Le plus vieux des gendarmes, que madame Fourment avait appelé Isidore, pédala à côté de Justin à qui il demanda de répéter son histoire.

— Comme je vous l'ai dit, moi, je n'ai rien vu, répondit le garçon. Ma sœur est arrivée comme une folle en criant qu'il y avait un homme enterré sous des feuilles à la garenne. Mon père y est allé, puis il a parlé avec monsieur Maupas, et après ils m'ont envoyé vous chercher. Le facteur avait dit que vous étiez au village ce matin. Si je ne vous avais pas trouvés, j'aurais poussé jusqu'à Meilhaurat.

Devant l'évidente inutilité d'insister, Deumier se porta aux côtés de Jacques afin d'en apprendre un peu plus sur sa famille.

— Ma mère est morte à ma naissance, lui fut-il répondu.

Il prit une mine de circonstance et compatit :

— C'est bien triste. Alors, c'est votre père qui vous a élevé ?

— Lui non plus, je ne l'ai pas connu. J'ai été adopté par un couple dont je porte le nom. Ils sont morts l'an dernier dans un accident de voiture. Je n'ai appris qu'à ce moment-là qui était ma vraie famille.

Cette accumulation de malheurs eut raison de la curiosité de l'homme qui cessa de l'interroger. Le chemin croisa une route plus importante longée par le chemin de fer. Sur la gauche se dressait une gare, vraisemblablement celle où Jacques était censé être arrivé deux jours plus tôt. Les gendarmes n'ayant pas eu l'air de mettre en doute sa prétendue identité, il se sentait un peu plus confiant que la veille. Néanmoins, il y avait cette histoire de mort qui l'inquiétait. S'il s'agissait d'un décès dû à des causes naturelles, tout irait bien, sinon, il y aurait une enquête et il était à craindre qu'elle ne soit confiée à de plus malins que ces deux lourdauds. Dans ce cas, il aurait peut-être intérêt à disparaître.

— Je me demande qui est ce type enterré sous les feuilles, s'interrogea Deumier à haute voix.

— On va bientôt le savoir, répondit placidement Puntous.

Au sommet d'un raidillon, une demeure imposante venait d'apparaître. Jacques devina que c'était leur destination, ce qui lui fut confirmé par le gendarme.

— C'est le château du maire. Il a aussi une des plus importantes fermes du village et Justin est le fils de son métayer.

IV

Les gendarmes trouvèrent le maire sur le perron du château. Quoique de taille moyenne, le magistrat dégageait une sorte d'autorité naturelle qui en imposait. Il portait un complet, comme un citadin, alors que le jeune Casalès et les quelques hommes croisés en chemin étaient vêtus de bleus de travail fatigués semblables à celui que Jacques avait reçu dans sa panoplie de Français.

— On est venu tout de suite, dit Isidore Deumier en lui serrant la main. Qu'est-ce qui se passe ?

— Je ne le sais pas vraiment. On va le découvrir ensemble. J'ai renvoyé Casalès là-bas, mais je lui ai recommandé de ne toucher à rien. Quant à moi, je n'y suis même pas allé : je vous attendais pour que tout se déroule selon les règles. Qui est ce jeune homme ?

— C'est le neveu d'Adèle Fourment. Il vient de Marseille et il veut travailler dans une ferme. C'est pour ça qu'on vous l'a amené.

— Vous avez bien fait.

Tout en suivant sans trop de mal le groupe qui se dirigeait vers la garenne, Jacques Bélanger pensait que sa première impression du maire était satisfaisante. Tout d'abord, il s'était abstenu de lui adresser un signe de reconnaissance que les autres auraient pu intercepter. C'était un minimum, bien sûr, mais après le cafouillage de son arrivée, il n'en espérait pas autant. Ensuite, sa façon de réagir à la découverte d'un cadavre sur ses terres prouvait qu'il avait du bon sens et qu'il réfléchissait avant d'agir, qualité que tous les résistants du village ne possédaient pas, loin de là. L'attitude des gendarmes envers le maire montrait qu'ils le respectaient, ce qui était aussi un point positif : ils ne devaient pas surveiller ses agissements ni se mêler de ses affaires. De plus, le château était en dehors du bourg. À l'exception de la ferme, presque attenante, il n'y avait pas de maisons visibles aux environs.

Comme ils atteignaient l'orée du bois surgit un furieux. C'était Élie Pradet, un homme dans la cinquantaine, à la mise négligée. Ayant trouvé les vaches dans son blé, il venait demander des comptes, le bâton brandi et l'écume à la bouche. Au prix de quelques efforts de diplomatie et d'une promesse de compensation, monsieur Maupas réussit à le neutraliser. Pauline, qui n'avait pas osé approcher tant qu'elle était seule face à lui, profita du fait qu'il parlait avec le châtelain pour rassembler le troupeau et le pousser vers la ferme. Pradet la regarda s'éloigner d'un œil mauvais, mais lui-même ne s'en alla pas : clopinant sur sa patte folle, il suivit le groupe en maugréant.

— Après la luzerne, le blé. Non seulement il va falloir me les rembourser, tous ces dégâts, mais il faut que ça s'arrête. La propriété et le travail, ça se respecte.

La jeune fille tremblait de nervosité en regardant les hommes gagner la garenne où rien au monde ne pourrait la convaincre de retourner. Frottant machinalement sa joue, elle rappela Misa qui voulait suivre Justin.

Pour conjurer la crise de nerfs imminente, son père l'avait giflée. Le traitement avait été efficace : sidérée, elle s'était calmée. Casalès avait regardé sa main avec dégoût. Il n'avait jamais frappé Pauline. Il n'avait d'ailleurs jamais frappé personne. Sa stature massive et ses larges mains l'en avaient toujours dispensé. Il savait qu'il avait eu raison d'agir ainsi, puisqu'elle avait cessé de crier des mots incohérents, mais il le regrettait quand même. Il avait esquissé un geste de tendresse vers sa fille, mais Maria était sur le seuil, qui les observait, et il avait baissé le bras. À la place, il lui avait demandé avec rudesse :

— Qu'est-ce qui t'a mise dans cet état ?

Elle lui avait raconté sa découverte, mais il ne l'avait pas crue. Le sabot, d'après lui, devait appartenir à un braconnier qui l'avait perdu, et l'odeur de pourriture, à la dépouille d'un lapin ou d'un rat.

— C'est tous ces livres qui te tournent la tête. Tu ferais mieux de tricoter. Au moins, ce serait utile.

Malgré ses protestations, il l'avait renvoyée à son poste, lui reprochant de l'avoir abandonné. L'indignation de ne pas être crue la faisait pleurer de rage tandis qu'elle repartait. Là, elle avait constaté que les choses avaient empiré : Pradet, fou de colère, tenait en respect le troupeau par ses vociférations et les moulinets de son bâton. N'osant pas l'affronter, elle s'était cachée derrière un buisson où, sans même s'en apercevoir, elle s'était rongé les ongles au sang, habitude qu'elle avait perdue depuis des mois, mais reprise la nuit du parachutage. Elle se demandait comment s'en tirer lorsqu'elle vit son père se diriger vers la garenne. Il saurait bientôt qu'elle n'avait rien inventé et il viendrait la défendre contre Pradet.

Troublé malgré lui par la réaction excessive de sa fille qui, d'ordinaire, se comportait avec bon sens, Jules Casalès était allé vérifier s'il y avait réellement quelque chose d'anormal dans la ravine. Mais il ne voulait pas paraître accorder trop d'importance à une histoire aussi invraisemblable. Ayant retenu que Pauline avait vu des champignons qu'elle n'avait pas cueillis, il avait pris son panier afin de se donner un prétexte pour s'y rendre. Il n'avait pas tardé à en revenir, pâle et le panier vide. Traversant la cour de la ferme sans s'arrêter, il avait lancé à sa femme :

— Il y a un mort à la garenne. Je vais avertir Monsieur.

Pauline ramena ses bêtes à l'étable tambour battant, pressée de retrouver la sécurité de la maison. Sa belle-mère l'attendait sur le pas de la porte, les mains croisées sur le tablier. Pauline regarda la silhouette courtaude avec une rancune mêlée d'appréhension.

— Qui c'est, ce mort?

— Je ne sais pas: il était couvert de feuilles. Il y a sûrement plusieurs jours qu'il est là: ça sent très mauvais.

— Et les vaches? Je suppose qu'elles étaient dans le blé de Pradet?

— Monsieur lui a dit qu'il le rembourserait.

— Monsieur est généreux. Mais il oubliera, et c'est nous qui paierons. Combien de fois on t'a recommandé de ne pas les quitter des yeux? C'est pourtant pas difficile: tu n'as que ça à faire.

Des reproches. Comme toujours. Pauline serra les dents et suivit les vaches sans répondre.

— Quand tu auras fini à l'étable, va tirer du vin. Ils auront soif en revenant.

Une hésitation retint les hommes au-dessus de la ravine, comme s'ils voulaient continuer d'ignorer auquel de leurs concitoyens avait appartenu le corps qui puait si fort. Jules Casalès ne l'avait pas entièrement dégagé. Il s'était contenté de repousser avec son bâton les feuilles qui recouvraient les jambes pour être tout à fait sûr qu'il s'agissait d'un cadavre et non d'un vieux sabot égaré par hasard à proximité d'une quelconque charogne.

Les cèpes étaient toujours là. Le cadavre aussi. Le mouchoir sur le nez, les hommes s'arrêtèrent à distance respectueuse du tas de feuilles. Ils regardaient, fascinés, le pied qui dépassait et ne disaient rien. Même Pradet s'était tu. Le maire se ressaisit le premier.

— Dégagez-le, commanda-t-il à Casalès.

Le métayer enleva les feuilles avec la fourche dont il s'était muni, faisant apparaître le corps d'un homme vêtu d'habits de travail. Au moment de découvrir la tête, la fourche demeura un instant en suspens.

— Allez-y, Casalès, qu'on en finisse!

Instinctivement, ils avancèrent, pour mieux voir. L'odeur, qui dépassait déjà tout ce qu'ils croyaient supportable, s'amplifia encore

quand apparut ce qui restait du visage. À la place de la bouche et
du nez, il y avait un trou noirâtre grouillant d'asticots, mais il était
parfaitement reconnaissable.

— Exupère Souquet! s'exclama Casalès. Ça alors! Qu'est-ce
qu'il fait là, le garde champêtre?

Aucun ne releva l'incongruité de la question. Ils étaient trop
occupés à s'empêcher d'imiter Justin qui n'avait eu que le temps de
s'écarter pour se délester de son petit-déjeuner. Ils ruisselaient de
sueur et s'épongeaient avec leurs grands mouchoirs à carreaux
qu'ils remettaient vite sous leur nez dans la vaine tentative de faire
barrage à la pestilence.

Jacques était catastrophé. De toute évidence, l'homme avait été
assassiné. Cette affaire n'aurait pas pu tomber plus mal. Pour le
moment, avec la découverte du cadavre, personne ne s'intéressait
à lui, mais cela ne durerait pas. Comment imaginer qu'il n'éveillerait
pas la curiosité des autorités avec une couverture aussi vague que
celle fournie par madame Fourment? Il espérait que le maire trouverait le moyen de leur ménager un aparté afin d'établir un plan pour
lui faire quitter ce lieu à haut risque. Heureusement, c'était un
homme qui ne semblait pas manquer de sang-froid.

En attendant les gendarmes, Maupas avait eu le temps de s'habituer à l'idée qu'il y avait un cadavre, non seulement dans la
commune dont il était le maire, mais dans son propre bois, et il
avait réfléchi à la situation. Pour la forme, sans supposer un instant
qu'il pourrait recevoir une réponse appropriée, il demanda à
Deumier quelle était la procédure à suivre.

Le gendarme souleva son képi et se gratta la tête avant
d'avouer:

— J'en sais rien. Et toi, Félicien?

L'interpellé haussa les épaules en signe d'ignorance.

— Il va falloir aller à Meilhaurat le demander au chef, reprit-il.
Peut-être que lui, il le sait. Sinon, il s'adressera à Toulouse. Ça va
prendre du temps.

Le maire, persuadé qu'il n'y avait aucune initiative à attendre
ni de l'un ni de l'autre, prit les choses en main:

— On ne va pas le laisser là. Casalès, où pourrait-on le mettre ?

— Dans le hangar ? hasarda le métayer.

— Il vaudrait mieux un endroit qui a des portes. Au chai, peut-être, c'est la place la plus fraîche.

— Ah ça, non ! Il pue tellement qu'il va me faire tourner le vin.

— Dans l'atelier, alors ?

— Dans l'atelier, si vous voulez.

Visiblement, lui n'y tenait pas. L'atelier était son domaine. Il y réparait les outils, mais aussi, il y fabriquait des meubles pendant les mois creux de l'hiver. Sa passion. Il n'avait pas appris à façonner le bois, si ce n'est en regardant un ébéniste taciturne qui lui lâchait un conseil de temps à autre, mais il travaillait bien, ses meubles étaient solides. L'atelier, tout le monde à la ferme le respectait, et voilà qu'on allait y entreposer cette charogne. En plus, il faudrait la mettre sur l'établi puisque c'était la seule surface plane.

Avec un soupir, il commanda à son fils :

— Va atteler une paire de vaches. On le ramènera avec le tombereau.

Avant de quitter la garenne, monsieur Maupas dit à Deumier :

— Il faut qu'un représentant des forces de l'ordre reste ici pour le garder.

Le gendarme se tourna vers son compagnon :

— Tu n'as qu'à t'en charger, toi. Pendant ce temps, j'irai à la gendarmerie.

— Pourquoi moi ? Il n'y a pas de raison. On a le même grade.

— Je suis le plus ancien, c'est moi qui commande.

— Personne n'a jamais dit ça. Et moi, je ne veux pas rester là.

— Pourquoi ? Tu as peur qu'il t'attaque ?

Le maire intervint :

— Un peu de décence, Deumier.

Pour clore la discussion, il dit à Puntous :

— L'attente ne sera pas longue. On va envoyer le tombereau le plus vite possible. Et après, vous pourrez vous mettre hors de l'atelier, devant la porte.

Le gendarme les regarda s'éloigner, ce qu'ils faisaient avec une hâte manifeste tandis que lui était obligé de rester là, dans cette puanteur. Au moins, puisqu'il était seul, il n'avait plus besoin de retenir sa nausée. Comme Justin, il abandonna son dernier repas et en ressentit quelque soulagement. Ensuite, il quitta le creux de la ravine : depuis le haut, il verrait tout aussi bien et l'odeur serait moins forte.

Avant d'y parvenir, il n'avait pas remarqué que Pradet était resté.

— Si vous voulez me remplacer, proposa-t-il en le découvrant, ne vous privez pas.

— Je m'en vais, je vous le laisse.

Avant de se détourner, l'homme désigna le cadavre de son bâton et dit dans un rictus :

— Le Souquet, ç'a toujours été une charogne. La différence, c'est que maintenant il pue même de loin.

V

Pauline se dirigea vers le chai. Elle détestait aller tirer le vin. C'était pourtant elle que l'on y envoyait toujours. Il fallait traverser l'étable jusqu'au mur opposé à la porte qui était la seule ouverture. Contre ce mur étaient entassés des quantités de vieux jougs, cordes et autres licous réunis par des toiles d'araignées épaissies d'années de poussière. L'arrivée de Pauline provoquait des fuites qu'elle aurait souhaitées plus légères : ce n'était pas des souris qu'elle délogeait, mais de gros rats qui parfois se sauvaient à peine. Ils se contentaient de se mettre hors de portée du bâton avec lequel elle frappait le sol et, à l'abri au milieu des rebuts, ils la fixaient de leurs yeux durs. La porte franchie, c'était pire. Il fallait la refermer avant d'allumer la lampe accrochée à un clou parce que dans l'étable, avec la paille, c'était trop dangereux. L'obscurité effaçait les repères et l'humidité la pénétrait. L'odeur de terre mélangée à celle du vin, dont les gouttes qui tombaient chaque jour sur le sol moisissaient, la prenait à la gorge. Elle n'avait qu'une idée : ressortir au plus tôt. Aujourd'hui, surtout. Les relents de terre humide lui faisaient penser à la tombe et au cadavre que l'on y mettrait bientôt. Elle avait déjà vu des morts, mais propres et apprêtés, et qui avaient, entre leurs doigts croisés, le chapelet et le laurier bénit. Celui-ci, dont elle n'avait aperçu que le pied, s'apparentait redoutablement par son odeur aux charognes que l'on trouvait parfois, blaireau ou renard, de mauvaises bêtes venues crever dans l'abri dérisoire d'un trou de haie. La barrique, presque vide, déversait son contenu goutte à goutte et elle eut du mal à rester jusqu'au bout. Pour y parvenir, il lui fallut penser à sa belle-mère, qui la forcerait à y retourner si ses bouteilles n'étaient pas pleines.

Les hommes pénétraient dans la cour lorsqu'elle sortit de l'étable. D'abord, elle ne les vit pas, éblouie par le soleil. Elle s'arrêta un instant, le temps de s'habituer à la lumière. Ils s'arrêtèrent aussi, pour le plaisir de substituer à l'image du mort, dont ils ne parvenaient pas à se défaire, celle de la jeune fille qui clignait des yeux dans le soleil, une bouteille de vin dans chaque main. La robe de cotonnade usée à l'extrême laissait voir par transparence la forme de son corps, les seins menus, la taille fine, les cuisses fermes.

Casalès, gêné, rompit le charme :

— Venez boire un coup à la maison, ça vous remettra.

Pauline les précéda dans la cuisine où sa belle-mère plongeait le chou dans la marmite. Elle était en retard, comme d'habitude. Elle avait dû rester à sa porte, à attendre les nouvelles. Son père allait bisquer. Elle s'enfermerait dans le silence. Un repas semblable à tant d'autres.

Casalès entra le premier dans la cuisine.

— Le mort, dit-il, c'est Exupère Souquet. Il a reçu un coup de fusil dans la figure.

Puis il avança des chaises et commanda à sa femme qui n'avait pas bougé :

— Maria, donne des verres !

Avant de les mettre sur la table, elle les essuya soigneusement pendant que son mari s'impatientait.

— Donne-les comme ça. On s'en sert tous les jours, ils ne doivent pas être bien sales.

Elle continua comme s'il n'avait rien dit, les lèvres juste un peu plus pincées, posant d'abord un verre devant Monsieur, puis le gendarme et l'inconnu, dont elle et Pauline devinèrent l'identité sans s'expliquer sa présence. Elle termina avec son mari et Justin.

— Je crois que ça ne ferait pas de mal à Pauline non plus, intervint monsieur Maupas. Elle est pâle.

Tous les regards se portèrent sur elle, ce qui la fit rougir, provoquant le rire des hommes.

Maria les admonesta :

— C'est pas bien de rire quand quelqu'un est mort.

— Allons, Maria, dit le châtelain d'un ton apaisant, nous ne faisons rien de mal. Après l'émotion que nous avons eue, il est normal de réagir ainsi.

Ils burent rapidement leur verre que Casalès remplit aussitôt. Deumier le vida aussi vite que le premier et se leva.

— Je repars à Meilhaurat. Et pour le neveu d'Adèle ? demanda-t-il en désignant Jacques qui n'avait pas prononcé un mot depuis leur arrivée.

— Je m'en occupe, répondit le maire. Je vais voir à quoi on peut l'employer.

Tandis que le gendarme enfourchait sa bicyclette et que les Casalès père et fils allaient chercher le cadavre, Maupas emmena Jacques chez lui. Il le conduisit dans un bureau dont il ferma la porte.

— Le capitaine Fournier est passé me voir avant de partir à Toulouse. Je sais qui vous êtes et quelle est votre couverture.

— Vous ne devez pas être le seul à savoir. Avec le parachute qui est resté sur le cyprès, seuls les aveugles ne savent pas. À condition, évidemment, qu'ils soient également sourds aux ragots.

Le maire avait l'air ennuyé.

— Je comprends que vous ne soyez pas content. Ce sont de jeunes recrues qui n'ont aucune conscience du danger. Mais Fournier s'en est occupé et il leur a remis les idées à la bonne place.

— Sauf que le mal est fait.

— Moins que vous croyez. Le facteur a raconté à tout le monde que plusieurs personnes avaient vu une caisse au bout du parachute et que ces témoins, pour ne pas être mêlés à ça, s'étaient enfermés chez eux. Le lendemain, il ne restait que la toile, que des gars du village sont allés enlever.

— Les gens ne trouvent pas bizarre qu'un parent des Fourment, dont personne n'a jamais entendu parler, soit arrivé juste à ce moment-là par un train d'où on ne l'a pas vu descendre ?

— Là aussi, détrompez-vous. Votre arrivée par le train a été confirmée par le chef de gare, qui par chance est des nôtres.

— Et pour la parenté avec les Fourment ?

— Celle qui est censée être votre mère est partie dans des conditions dont on ne parle qu'à voix basse. Croyez-moi, c'est un sujet beaucoup plus intéressant que la présence d'un parachutiste dont personne ne sait rien.

Jacques écarta les mains en signe de reddition.

— Admettons. De toute façon, on ne peut rien faire de plus. Mais je suppose que ce cadavre qui vient d'être découvert va attirer l'attention des autorités, ce qui peut créer des problèmes.

— Je dois dire que ça tombe particulièrement mal.

— Vous le connaissiez ?

— Comme tout le monde. Il profitait de sa fonction pour fouiner partout et se prétendait au courant de bien des choses que les gens auraient préféré cacher. Qu'est-ce qu'il y avait de vrai là-dedans ? Difficile à savoir. Ce qui est sûr, c'est qu'il n'était pas aimé. Nous, on s'en méfiait : on craignait qu'il ne renseigne la milice.

— Vous croyez que les gendarmes vont arriver à un résultat ?

— Je ne sais pas. Les deux que vous avez vus ont l'air d'incapables, et Puntous est certainement un authentique imbécile, mais Deumier est plus malin qu'il n'y paraît. Quant à leur chef, à qui j'ai parlé quelques fois, il ne semble pas plus brillant, mais il est possible que lui aussi cache son jeu. Je vais suivre l'affaire de près. S'ils font appel à Toulouse, je contacterai mon beau-frère, qui a des relations à la préfecture, pour qu'ils nous envoient quelqu'un de pas trop zélé.

— Est-ce que vous êtes d'avis, comme madame Fourment, que je la mettrais dans une situation délicate si je disparaissais ?

— Oui. Il y aurait des questions et il serait difficile d'y répondre.

— Je n'ai donc pas le choix : il faut que je reste ?

— J'en ai bien peur.

— Bon, dans ce cas... Mais en attendant que ce soit résolu et que je puisse partir, il serait sage que je ne me fasse pas remarquer.

— En effet. Comment va votre cheville ?

— Beaucoup mieux. D'ici un ou deux jours, il n'y paraîtra plus.

— Très bien. Le capitaine m'a dit que vous étiez prêt à travailler à la ferme. C'est vrai ? Ça ne vous dérange pas ?

— Apparemment, c'est la meilleure solution. Mais il ne faut pas que vous soyez trop difficile parce que je n'y connais rien.

— Je vais m'arranger avec Casalès. Il vous confiera des choses simples.

— Il est résistant ?

— Non, mais c'est un brave homme. Par contre, son fils Justin est des nôtres et Pauline donne un coup de main : elle distribue des tracts chez les sympathisants du secteur.

— En conclusion, je ne risque rien ?

— En effet, vous ne risquez rien, confirma le maire, sans saisir l'ironie qu'avait mise Jacques à employer la formule magique qu'on lui servait depuis son arrivée. Cependant, il y a une chose qui m'embête un peu : vous n'avez pas du tout l'accent marseillais.

— Le contraire serait surprenant : je viens du Canada.

— Ça, on ne peut pas le dire. Mais je suis allé en Normandie autrefois, et vous parlez un peu comme eux. Vous pourriez prétendre que vous y avez passé une partie de votre jeunesse.

— La connaissance que j'en ai tient à fort peu de choses, et si on me pose des questions, j'aurai du mal à y répondre : je n'ai eu de l'information que pour Marseille.

— Je vais charger ma femme de vous préparer un petit topo, elle s'en fera un plaisir.

Ils entendirent gémir les essieux du tombereau et sortirent. Maupas demanda à son métayer :

— Vous pourriez lui trouver quelque chose à faire ? Il est honnête et il a envie de travailler.

— On commence de faucher à la fin de la semaine, il y aura du travail pour tous ceux qui voudront.

S'adressant à Jacques, il ajouta :

— Venez, c'est l'heure de dîner, on en parlera en mangeant.

En mettant le couvert, Pauline pensait qu'elle allait pouvoir raconter à Mariette qu'elle avait vu le pensionnaire de madame Fourment. À vrai dire, elle n'avait pas eu la possibilité de l'observer assez pour le décrire. Lorsque les hommes étaient passés près d'elle en se rendant à la garenne, elle était trop bouleversée pour remarquer quoi que ce soit, et dans la cuisine, elle ne lui avait jeté que de rapides coups d'œil quand elle était sûre qu'il regardait ailleurs. Qu'en dirait-elle à son amie ? D'abord qu'il n'avait rien de cassé, et puis qu'il était grand. Plus grand que Justin qui dépassait pourtant tous les autres garçons du village. Il était plus vieux aussi. Vingt-cinq ans, peut-être ? Ses yeux étaient bleus, son nez un peu fort et il avait à la tempe une cicatrice aux bords irréguliers qui étirait un peu sa paupière. Son accent bizarre ne ressemblait ni à celui des réfugiés belges du village, ni à celui des Italiens de l'autre métairie ou à celui de l'Espagnol de chez Monestié, mais on le comprenait bien.

Il avait fait le tour de la cuisine d'un regard curieux comme s'il n'en avait jamais vu aucune semblable à celle-ci. Peut-être était-il habitué à une maison luxueuse ? Elle regarda la pièce comme jamais elle ne l'avait fait, et elle eut un peu honte. Elle était propre, certes, mais les murs étaient noircis de fumée, les meubles faits par son père étaient disparates et la table occupait presque tout l'espace. Quand elle se marierait, elle arrangerait son intérieur pour qu'il soit agréable. Marie-Pierre lui avait prêté un exemplaire du magazine *Marie-Claire* qui montrait une cuisine aux fenêtres garnies de rideaux à petits carreaux dont le texte disait qu'ils étaient verts et blancs. Le vert était justement sa couleur préférée. Le chambranle de la cheminée aurait un volant du même tissu. Elle se souvint d'une série de pots de faïence blanche qu'elle avait vus au marché. Des fleurs roses et bleues les décoraient et ils portaient la mention du contenu qu'ils étaient destinés à recevoir : farine, sucre, thé, café, épices. Sur la cheminée, ils seraient du plus bel effet.

Avant d'entrer, Justin admira la bicyclette appuyée au mur de la ferme.

— Elle est à José, l'informa Jacques. Ma tante l'a obligé à me la prêter, mais j'ai bien vu qu'il n'était pas content.

— Je le comprends : elle est toute neuve !

— Il va falloir que je me trouve un autre moyen de locomotion.

— Il doit avoir la vieille, celle de son père. Quoique… Il vous l'aurait donnée à la place de celle-là si elle avait été en état.

— Je verrai si je peux la retaper.

Pauline les appela :

— Venez, la soupe est sur la table.

Jacques se présenta :

— Mon nom est Jacques Duprat.

— C'est le neveu d'Adèle Fourment, précisa Casalès.

— Le fils de Joséphine ? demanda sa femme sur un ton sans chaleur.

— Oui.

— Elle va bien ?

— Elle est morte.

Il y eut un silence, puis elle reprit :

— Depuis longtemps ?

— À ma naissance.

— Ah…

Pour en être quitte, Jacques leur débita l'histoire qu'il avait précédemment servie aux gendarmes.

— Vous sortez de l'université et vous vous croyez capable de faire les foins ? ricana la femme. Tenir une fourche, c'est autre chose que pousser un crayon.

— On va lui montrer, dit Casalès, apaisant. C'est pas sorcier.

— De toute façon, puisque Monsieur l'a décidé, on n'a pas le choix, conclut-elle sèchement.

Pendant cet échange, Casalès avait coupé, dans un gros pain rond qui devait bien peser cinq livres, de larges tranches avec un couteau qu'il avait sorti de sa poche, et en avait distribué une à chacun. Soucieux de se conformer aux usages, Jacques, à l'imitation de Justin, prit son propre couteau, dont il ne s'était pas douté qu'il l'utiliserait à table, pour couper en morceaux son pain qu'il mit dans l'assiette. Maria Casalès versa dessus plusieurs louches de soupe aux choux, puis elle prépara une assiette supplémentaire qu'elle envoya porter au gendarme par la jeune fille. Quand elle eut fini de servir, Jacques fut surpris de voir qu'elle ne s'asseyait pas et mangeait debout, légèrement détournée.

Le jeune homme découvrit que la soupe de madame Casalès était meilleure encore que les pois de la veille pourtant très bons. Si elle avait été moins rébarbative, il lui en eût fait compliment, mais il n'osa pas. Lorsque les assiettes furent presque vides et que le paysan lui tendit la bouteille de vin, Jacques, malgré un léger dégoût, n'hésita pas à en verser dans son reste de soupe : s'il voulait être accepté, il devait se conformer aux coutumes du lieu en faisant chabrot comme eux. Il fut surpris de ne pas trouver cela mauvais, et c'était une bonne chose parce qu'il s'agirait de son ordinaire pour un temps indéterminé, plusieurs semaines sans doute. Ils mangèrent ensuite un morceau de porc salé qui avait cuit dans la soupe. La viande fut accompagnée d'une nouvelle tranche de pain, le tout copieusement arrosé du vin que tous semblaient consommer à la moindre occasion et qu'il supposa être de fabrication domestique en raison de sa faible teneur en alcool. La nourriture était simple, mais savoureuse et abondante, et ce serait le bon côté d'une mission qui promettait des difficultés inattendues.

— On fauche jeudi, annonça Casalès. Vous pouvez venir le matin.

— Très bien. Demain, je dois m'enregistrer à la mairie, et puis je vais voir si ma tante a un vieux vélo que je pourrais réparer.

— Alors, à jeudi. On commence de bonne heure parce que l'après-midi, il fait chaud.

Jacques repartit au village après avoir remercié madame Casalès pour son repas. Il n'en avait obtenu qu'un signe de tête sec et s'inquiétait un peu de cette hostilité. Il n'était pas en situation de se permettre des ennemis. Pendant le repas, ses hôtes n'avaient fait aucune mention du cadavre découvert dans le bois. Il supposa qu'ils préféraient éviter d'en parler devant un étranger.

VI

Isidore Deumier était très satisfait d'aller à Meilhaurat pendant que son collègue faisait le planton. Il avait d'autant moins de scrupules à le laisser en faction que les métayers s'empresseraient de le faire manger et boire dès qu'il arriverait de la garenne. Il était préférable qu'il se charge lui-même du récit des événements, car il s'en acquitterait mieux que ce pauvre Félicien qui n'avait pas inventé la poudre. Deumier ne dédaignait pas de laisser croire aux gens qu'il était lui aussi un peu simple, ce qui les incitait à le considérer comme quantité négligeable et, de ce fait, lui permettait d'en découvrir bien plus que ce qu'ils imaginaient. Il aurait pu téléphoner à son chef pour l'informer et prendre ses instructions, ce qu'il aurait été possible de faire depuis le château, sachant bien qu'il y avait le téléphone, car on en avait parlé dans tout le canton quand il avait été installé, ou de la cabine publique sise dans les locaux de la poste du village. Il se réjouissait que personne n'ait pensé au téléphone parce que cela ne lui convenait pas : s'il avait appelé de chez le maire, qui avait déjà tendance à se mêler de tout, celui-ci aurait connu exactement le contenu de l'échange, alors qu'ainsi, on lui dirait ce qu'on voudrait. Quant à téléphoner de la poste, cela équivalait à battre le tambour. Sous prétexte de s'assurer que l'appareil fonctionnait bien, le postier écoutait sans vergogne, et ensuite il racontait ce qu'il avait appris au café, à ses copains de manille, au nombre desquels se trouvait le facteur, le pire bavard à des kilomètres à la ronde.

Malgré son embonpoint, il ne fallut à Deumier qu'une vingtaine de minutes pour couvrir les sept kilomètres qui le séparaient du chef-lieu du canton où était la gendarmerie : habitué à être toujours par monts et par vaux, il avait un bon coup de pédale. Son chef, qui avait déjà coiffé le képi pour aller dîner, fut surpris de le voir.

— Je ne t'attendais pas avant ce soir. Tu es tout seul ? Il est arrivé quelque chose à Félicien ?

— C'est un peu long à expliquer. Tu devrais te rasseoir.

Ferdinand Lartigues s'exécuta avec un soupir.

— Berthe m'a recommandé d'être à l'heure.

— Dans les jours qui viennent, elle ferait mieux de se préparer à te voir souvent en retard.

— C'est si grave ?

Deumier raconta la découverte du corps d'Exupère Souquet à son chef, qui était aussi son ami depuis qu'ils avaient partagé un banc d'école et chassé les pies ensemble pendant les étés de leur enfance.

— Hé bé ! commenta Lartigues, on n'a pas fini d'être emmerdés.

— En plus, ajouta son vis-à-vis, il y a ce type qui est arrivé chez Fourment juste en même temps qu'un parachutage, mais qui bien sûr n'a rien à voir là-dedans.

— Qu'est-ce qu'il dit ?

— Qu'il est le neveu d'Adèle. Le fils de la Baptistine qui s'en est allée Dieu sait où à la fin de l'autre guerre. Tu t'en souviens ?

— Oui. On n'a jamais vraiment su pourquoi elle était partie.

— Mais on savait quand même.

— C'est ça. Qu'est-ce que tu en penses ? Neveu ou parachutiste ?

— Pour que ce soit le neveu dont personne n'a jamais entendu parler, il faudrait une fameuse coïncidence. En plus, il dit qu'il vient des Bouches-du-Rhône, mais il n'a pas l'accent. Il en a un d'accent, pardi, mais pas celui de Marseille.

— En même temps, pourquoi Adèle soutiendrait les résistants avec tous les dangers que ça suppose?

Il ajouta avec un soupir exaspéré:

— Son fils à elle n'est pas assez vieux pour être allé se fourrer là-dedans.

Contrairement au sien. Depuis que cet imbécile d'Alain avait rejoint le maquis, Lartigues ne vivait plus. Surtout que Compans, le troisième gendarme sous ses ordres, avait des accointances dans la milice.

— Non, il n'a que quatorze ans, mais il a été renversé par la voiture de ces jeunes cons de miliciens qui auraient pu le tuer. C'était à l'époque des vendanges, tu ne t'en souviens pas?

— Si, ça me revient. Tu crois que ce serait suffisant pour qu'elle aide les maquisards?

— J'en sais rien. Peut-être.

— Il faut qu'on trouve vite celui qui a descendu le garde champêtre, sinon ceux de Toulouse vont venir y mettre leur nez.

— On n'a aucune expérience là-dedans. Tu sais comment t'y prendre, toi?

— Poser des questions, fouiner.

— Personne ne nous dira rien.

— Ou on nous en dira trop et ce sera à nous de trier. Mais tu ne veux quand même pas qu'on abandonne sans avoir essayé? Pour commencer, il faut neutraliser Compans. Je vais lui demander de me remplacer au bureau. Il pourra se pavaner comme un jars et il nous fichera la paix. Mais d'abord, mangeons un morceau.

Avant de quitter la gendarmerie avec l'unique véhicule officiel, bien lesté par la soupe de sa femme, qui avait ajouté sans se faire prier une assiette pour Deumier, comme souvent depuis que celui-ci était veuf, Lartigues téléphona au docteur afin qu'il se rende avec eux à Fontsavès pour examiner le cadavre. Ils trouvèrent Puntous endormi sur une chaise devant l'atelier. Il n'était pas le seul à se consacrer à la sieste : rien ne bougeait à la ferme, hormis une chienne qui vint leur faire ses civilités en se gardant d'aboyer.

— Une fameuse gardienne, apprécia Lartigues.

— Elle doit être bonne pour les vaches, supposa Deumier, sans quoi ils s'en débarrasseraient.

Le chef gara la voiture sous le chêne qui dispensait la seule ombre des environs et ils se dirigèrent vers la morgue improvisée dont ils restèrent à distance raisonnable parce que la porte disjointe n'opposait aucun écran à l'odeur du cadavre. Lartigues héla son subordonné qui se réveilla en sursaut.

— Je m'étais assoupi, dit-il en se frottant les yeux.

— Je le vois. Est-ce qu'il s'est passé quelque chose depuis tout à l'heure ?

— Non. Que voulez-vous qu'il se passe ?

— Si je le savais, je ne te poserais pas la question.

— Moi, je n'ai vu personne.

— Le neveu d'Adèle est toujours là ?

— Il est parti après manger.

Le docteur arriva sur ces entrefaites, ainsi que Casalès et son fils que les moteurs des deux véhicules avaient dû réveiller.

— Vous pourriez aller chercher le maire, suggéra Lartigues.

Sur un signe de son père, Justin s'en chargea. Le docteur Guiraud sortit de sa voiture avec une mallette, serra les mains à la ronde et désigna la porte.

— Je suppose qu'il est là votre macchabée. Attendons le maire. Vu que c'est une mort violente, il vaut mieux qu'il y ait un officiel.

Lartigues paraissant soulagé, il ajouta avec un rien de malice qui lui attira un regard de rancune :

— Ainsi que les forces de l'ordre, bien sûr.

Comme Lartigues et Deumier, Bernard Guiraud était originaire de Meilhaurat. Ils étaient ensemble à la communale, mais ensuite, le fils du médecin était parti étudier à Toulouse pour devenir médecin à son tour. L'été, cependant, il revenait faire les quatre cents coups avec les autres et, adultes, ils en avaient gardé une complicité qui les faisait se comprendre sans avoir toujours besoin de s'exprimer. De plus, le docteur avait deux fils, tous les deux embarqués dans la même folie que celui de Lartigues, ce qui créait un lien supplémentaire.

À l'arrivée de Maupas, Guiraud mit les choses au point :

— Je ne suis pas légiste : si vous avez besoin d'une autopsie, il faudra en faire venir un de Toulouse.

— C'est quoi, une autopsie ? demanda Puntous.

— On découpe le cadavre pour voir de quoi il est mort, expliqua sommairement le docteur.

— Ça, alors, c'est pas la peine, s'esclaffa l'autre : il a reçu un coup de fusil en pleine figure. Vous n'avez pas besoin de le découper pour le voir.

— Allez-y, intervint Maupas qui s'impatientait.

— Après vous, Monsieur le Maire, dit cérémonieusement Guiraud.

— Comment ? s'insurgea-t-il, je ne vous serais d'aucune utilité.

— Si. Et il faut également un gendarme. J'expliquais quand vous êtes arrivé que la présence d'officiels en cas de mort violente avérée est obligatoire. Et c'est le cas d'après ce que j'ai compris, non ?

N'ayant pas le choix, ils entrèrent, ainsi que Deumier, qui n'y était pas obligé, mais voulait entendre ce que dirait le médecin.

— Moi, je surveille la porte, proposa Puntous avec empressement tout en se tenant à bonne distance.

— Parfait, opina son chef, si une troupe essaie de nous attaquer, retiens-les et crie.

— Il n'est pas frais du jour, constata le médecin en découvrant le cadavre.

— Ça, répliqua Lartigues, on n'a pas eu besoin de toi pour le savoir. Il vaudrait mieux que tu nous dises depuis combien de temps il est mort.

— Difficile à préciser. Avec cette chaleur... Où l'avez-vous trouvé ?

— À la garenne, recouvert de feuilles.

— L'ombre des arbres et la protection des feuilles l'auront tenu un peu à la fraîcheur.

— Alors?

— Je dirais de vingt-quatre à quarante-huit heures. Je ne peux pas être plus précis.

— Donc, hier ou avant-hier... À moins que ce soit pendant la nuit entre les deux...

Personne ne releva.

— Et pour la cause de la mort, tu peux nous dire quel genre de plombs a fait ce trou?

— Je vais t'en repêcher un et tu verras par toi-même.

Pendant que le maire et les deux gendarmes se détournaient, au bord de la nausée, le docteur fouilla à l'aide d'une pince dans la plaie immonde et brandit triomphalement un plomb sanguinolent.

— Il me faut quelque chose pour le poser dessus.

Deumier sortit et demanda à Casalès qui attendait dehors avec son fils et Puntous:

— Vous n'auriez pas un vieux journal?

Ce fut de nouveau Justin qui s'en chargea. Guiraud déposa sa trouvaille sur un fragment de *La Dépêche* dont il ne restait que le début du titre: *Le Maréchal...*

— Et voilà le travail!

Deumier, qui était chasseur, regarda le plomb et affirma sans hésitation:

— Du calibre quatre. Et tiré à bout portant: de loin, les plombs se seraient éparpillés et il n'aurait pas un trou pareil dans la figure.

— Vous n'avez plus qu'à trouver le fusil qui a tiré ces plombs, dit le médecin. Rien de plus facile, ajouta-t-il avec ironie.

Lartigues et Deumier soupirèrent de concert, sachant qu'ils n'étaient pas au bout de leurs peines: plus personne n'était censé avoir la moindre arme depuis juin 1940 parce que les gens avaient été sommés de les apporter à la mairie après la signature de l'armistice. C'est ainsi que des fusils hors d'âge et d'usage incertain avaient quitté les greniers où ils ramassaient la poussière depuis parfois plusieurs générations, tandis que ceux qui étaient en état de fonctionner avaient été conservés et soigneusement cachés avec pour résultat qu'officiellement, personne n'en avait, mais qu'en réalité il s'en trouvait dans la plupart des maisons.

— Est-ce qu'on va pouvoir l'enterrer ? s'inquiéta le maire.

— Oui. Je ne pense pas qu'un légiste vous en apprendrait davantage. Je vais vous délivrer le permis d'inhumer et rédiger un rapport avec mes conclusions.

— Regarde donc s'il a quelque chose dans les poches, demanda Lartigues sur un ton dégagé.

— Ça, mon cher Ferdinand, c'est du travail de police, ça te revient.

Le chef en était encore à essayer de surmonter son dégoût quand Deumier s'avança et fouilla les poches du mort, provoquant la chute, sur l'établi de Casalès, de fragments de sang séché qui se détachaient par plaques. Dans le pantalon, le gendarme trouva un mouchoir qui avait déjà beaucoup servi et un couteau comme en avaient tous les paysans. Quant à celles de la veste, elles recelaient un paquet de tabac gris entamé, du papier à rouler et un briquet à essence. Rien que de normal. Il posa le tout sur une feuille du journal que Justin leur avait fourni et l'enveloppa en disant :

— Tout ça, il faut qu'on le garde.

Le médecin, qui pendant ce temps avait rangé son matériel, tendit la main au maire et aux gendarmes, puis s'en alla.

— Bonne nouvelle, déclara Maupas à Casalès en sortant de l'atelier, on peut l'enterrer.

— Est-ce qu'il a de la famille ? demanda Lartigues.

— Pas à proprement parler, répondit Casalès.

— Qu'est-ce que ça veut dire ? Il en a ou il n'en a pas ?

Le métayer, gêné, regrettait visiblement d'avoir parlé.

— Des histoires d'il y a longtemps. Mais le vieux ne l'a pas reconnu et il est mort, alors on ne saura jamais si c'était vrai.

Devant l'incompréhension des gendarmes, Maupas prit le relais.

— Le garde champêtre était un enfant naturel. Il prétendait que son père était Pradet, le père d'Élie, mais il n'y a aucun document officiel pour l'attester.

— Donc, conclut Lartigues, pas de parenté.

— Exactement, confirma le maire. C'est moi qui vais me charger des formalités et je commanderai un cercueil. On cherchera après s'il a une famille lointaine. Le plus urgent, c'est de disposer de la dépouille.

Ils allaient se quitter lorsque Casalès s'attira des regards éberlués en disant à mi-voix, comme pour lui-même :

— Ça fait drôle de le voir comme ça.

— C'est sûr que la moitié du visage arraché, ce n'est pas tout à fait habituel, ironisa Maupas.

— C'est pas ce que je voulais dire. Exupère, je ne l'avais jamais vu sans son vieux képi. Qu'il ait été en uniforme ou comme il est habillé là, il avait toujours le képi.

— Il a dû rouler un peu plus loin quand il est tombé, supposa Lartigues. On le trouvera certainement à proximité de l'endroit où était le corps. On va aller y faire un tour. Le coup de fusil, vous ne l'avez pas entendu depuis le château ?

— Non. Je n'ai rien entendu de ce genre. Je peux demander à ma femme, mais si elle avait remarqué quelque chose de bizarre, elle me l'aurait dit.

— Et depuis la métairie non plus ?

— Vous savez, avec le château entre… Il aurait fallu tirer avec un canon.

Le chef se dispensa de commenter. Il salua le maire et les Casalès et suivit ses subordonnés jusqu'à la garenne. Bien que le corps ait été enlevé, l'odeur de charogne flottait encore.

— Félicien, cherche le képi, dit-il en s'approchant de l'endroit où les feuilles tassées avaient gardé la forme du corps.

Il en fit le tour, se pencha, remua du pied les feuilles ayant servi à dissimuler le cadavre et regarda à l'entour pour vérifier s'il y avait un objet ou un signe qui aurait pu les éclairer sur le déroulement ou les causes du drame. Deumier en fit autant avec aussi peu de résultats.

— Il semble évident qu'il a été tué ailleurs. Tu es de mon avis, Isidore ?

— Oui. Il n'y a presque pas de sang par terre.

— Félicien! Tu as trouvé le képi?

— Non. J'ai juste trouvé ça, dit-il en brandissant un paquet de tabac à priser à moitié vide.

— Il nous faut donc chercher un assassin qui prise, dit Lartigues. Ça restreindra un peu.

Entre les arbres, on distinguait les toits de deux maisons assez proches: celle de Pradet et celle de Merly. Il les désigna à ses compagnons:

— Allons demander aux voisins s'ils ont entendu quelque chose.

Pradet, qui vivait seul, fut introuvable. Quant à Merly, sourd au-delà de toute expression, ils ne purent rien en tirer: il répondait à côté à toutes leurs questions et ne leur apprit même pas où était sa petite-fille.

Ils regagnèrent la métairie pour récupérer la voiture. Sous le hangar, Casalès était occupé à aiguiser les lames de la faucheuse avec l'aide de Pauline qui tournait la manivelle de la meule. Il les interpella:

— Vous n'auriez pas trouvé un paquet de tabac à priser? Il a dû tomber de ma poche quand je chargeais le garde champêtre.

Puntous le lui rendit.

— Je suis bien content! On n'en a déjà pas de trop, si en plus je le perds…

— Et voilà pour notre seul indice… commenta Lartigues en se mettant au volant. Allons faire un tour chez Souquet pour voir si on a un peu plus de chance.

VII

Dès que Jacques eut poussé le portail apparut José qui s'empara de sa bicyclette et l'examina d'un regard suspicieux.

— Tu vois, j'ai fait attention. Elle est exactement comme quand tu me l'as prêtée.

Toujours aussi peu sociable, le garçon s'éloigna vers la remise sans un mot.

— Dis donc, José, il va m'en falloir une tous les jours parce que je vais travailler à la ferme de Maupas.

L'interpellé s'arrêta et se retourna, toutes griffes dehors :

— Ne comptez pas sur la mienne !

— Calme-toi, et laisse-moi finir : avant d'avoir celle-là, qui est toute neuve, tu devais bien en avoir une vieille.

Il se détendit un peu.

— J'avais celle de mon père.

— Tu l'as toujours ?

— Oui. Mais il manque une pédale et la roue avant est voilée.

— Tu as eu un accident ?

Il acquiesça d'un hochement de tête.

— Peux-tu me la montrer pour que je voie si elle est réparable ?

L'adolescent haussa les épaules et repartit vers la remise où Jacques le suivit, puis il lui désigna d'un geste ce qui ressemblait fort à un tas de ferraille et s'en alla.

De prime abord, ce n'était guère encourageant, mais avant de renoncer, Jacques regarda de plus près : le problème, c'était la roue, qui n'était pas simplement voilée, mais tordue. S'il parvenait à la redresser sans la casser, le reste serait facile à réparer. La remise était en fait un atelier avec un établi, un étau et des outils. Il se mit au travail. Ses efforts commençaient à être couronnés de succès lorsqu'il reçut la visite de sa logeuse.

— Ah, dit-elle, c'est vous. Je ne vous ai pas vu arriver. Je croyais que c'était José. Je voulais l'envoyer à l'épicerie, mais il ne répond jamais quand je l'appelle.

Elle désigna la roue fixée à l'étau.

— Vous pensez que vous arriverez à la réparer ?

— Je ne sais pas, je l'espère. J'ai absolument besoin d'une bicyclette : je commence chez Maupas après-demain et je ne peux pas prendre celle de votre fils toute la journée.

— Il faut le comprendre : elle est toute neuve. Depuis son accident de l'automne, il n'en avait plus.

— Je comprends très bien, vous n'avez pas à vous excuser. Vous faites déjà beaucoup. Que lui est-il arrivé ? Elle est pas mal amochée. Il a été blessé ?

— Par chance, non. C'est une auto qui l'a frappé. Ces imbéciles de miliciens. Ils ont dirigé leur voiture vers lui exprès pour lui faire peur, mais ils n'ont pas pu la redresser. Heureusement que José a été projeté, sinon ils l'écrasaient contre un platane. Ils se sont fait taper sur les doigts par leur chef et ils ont dû payer une bicyclette neuve. Mais ça a pris du temps. Depuis, ajouta-t-elle le visage dur, ces ordures, je ne peux pas les voir.

Ensuite, elle enchaîna, sur un ton plus léger :

— Ne parlons plus de ça, et racontez-moi plutôt ce qui s'est passé d'extraordinaire chez Maupas.

Jacques lui rapporta ce qu'il savait.

— Le garde champêtre, personne ne l'aimait. Mais de là à le tuer… Il n'a pas pu se faire ça tout seul ?

— Non. Il n'y avait pas de fusil.

— Elle va causer du remue-ménage, cette histoire. Sûr qu'on aura les gendarmes sur le dos. Bon, je vous laisse.

Rendue à la porte, elle s'avisa qu'elle avait oublié de lui poser une question essentielle :

— Vous avez dîné au moins ?

— Oui, à la métairie de Maupas.

— On vous a demandé pour Joséphine ?

— Bien sûr. J'ai raconté ce qui avait été décidé, mais j'ai senti une certaine réprobation.

— De Maria Casalès, je suppose ? C'est pas la générosité qui l'étouffe, celle-là.

— Il faudrait que je sache ce qui s'est passé. Je serai peut-être interrogé de plus près, et si j'ignore tout de ma mère, ça paraîtra bizarre.

— C'est très banal : elle était bonne chez Monestié, des gens qui se croient au-dessus de tout le monde parce qu'ils ont des terres. Elle avait dix-sept ans. Quand sa grossesse a été visible, ils l'ont mise à la porte. On ne sait pas si c'est le jeune ou le vieux qui en est responsable, mais c'est forcément un des deux : elle ne quittait leur ferme que le dimanche après-midi pour le passer avec sa mère. Et c'est Joséphine qui a été chassée et blâmée. Même sa famille a dit que c'était de sa faute.

— Elle est vraiment morte en donnant naissance à l'enfant ?

— Personne n'en sait rien. Depuis le jour où elle est montée dans le train, on n'a jamais eu de nouvelles.

— Une triste histoire.

— Oui. Mais pas du tout exceptionnelle. Cette fois-ci, il faut vraiment que j'y aille : la soupe, elle ne se fera pas toute seule. S'il vous manque quelque chose pour la bicyclette, le forgeron pourra sans doute vous dépanner.

Tout en s'escrimant sur la roue, Jacques pensa qu'ils avaient été bien inspirés, à Londres, d'inclure dans sa préparation une teinture noire pour ses cheveux. Non seulement il n'avait pas vu un seul blond depuis son arrivée, mais même pas des châtains clairs. Avec sa couleur d'origine, la biographie qui lui avait préalablement été concoctée aurait déjà été difficilement crédible, mais avec cette improvisation de sa parenté avec des gens du lieu, rendue indispensable par l'imprudence des jeunes maquisards, il serait devenu carrément suspect.

Deux heures plus tard, il contemplait avec satisfaction le résultat de son travail : la roue était désormais assez ronde pour rouler. Il examina le reste : bien que très usé, le pneu n'était pas déchiré, mais la chambre à air avait un trou et elle dut recevoir une rustine supplémentaire. Il y en avait déjà tellement que si elles avaient été carrées au lieu d'être rondes, le boyau n'aurait plus été visible. Il devrait pourtant s'en accommoder, comme tout le monde : trouver une nouvelle chambre à air relèverait de l'exploit, ce qui prouvait à quel point les miliciens étaient bien introduits auprès de l'occupant puisqu'ils avaient pu se procurer une bicyclette neuve. Il décida de se passer du garde-boue, irrécupérable. Par contre, il lui fallait une pédale.

Marchant à côté du vélo qu'il tenait par le guidon, Jacques se dirigea vers les bruits de marteau. Avant d'arriver à la forge, il passa devant deux maisons, apparemment désertes, mais dont il vit, du coin de l'œil, bouger les rideaux crochetés. Il s'approcha du lieu où Daguzan était en train de ferrer l'antérieur droit d'une vache sous le regard de son propriétaire. Celui-ci se plaignait qu'elle se soit si vite déferrée et que ça finissait par coûter cher, à la longue, de remettre des fers. Il n'était pas riche et il y passait tout son bénéfice. L'agacement, visible à ses mâchoires crispées, montait chez le forgeron, pour l'heure maréchal-ferrant. Il supporta un temps les jérémiades mais, ne pouvant finalement plus les endurer, il jeta à terre la lime avec laquelle il polissait la surface du sabot destinée à recevoir le fer, mit les mains sur ses hanches et lança d'un ton acerbe :

— Si vous trouvez que je ne fais pas mon travail comme il faut, vous pouvez aller voir ailleurs.

— Non, c'est pas ça, s'empressa de protester le paysan. C'est pas vous, c'est la vache. *Aquela puta*, je vais m'en défaire si elle s'arrache les fers.

Jacques rengaina son sourire quand il vit le regard peu amène du forgeron sur lui.

— Et vous, qu'est-ce que vous voulez ?

— Je suis le neveu d'Adèle. J'ai redressé la vieille bicyclette de José, mais il manque une pédale et je me demandais si vous en auriez une à me vendre.

— On verra ça tout à l'heure.

Puis il revint au paysan :

— Je la finis, la vache, ou vous l'emmenez comme ça ?

— Finissez-la. Bien sûr qu'il faut la finir. J'en ai besoin de cette vache pour les foins.

— Alors, arrêtez vos réflexions.

— Ne le prenez pas comme ça, c'était juste pour dire.

— Eh bien, ne dites plus.

Le paysan comprit qu'il était plus prudent d'obtempérer et ne souffla plus un mot.

Jacques, qui avait appuyé la bicyclette contre un prunier, regarda travailler le forgeron. Cela sentit fort la corne brûlée lorsqu'il appliqua sur le sabot le fer rougi au feu qu'ensuite il cloua à grands coups de marteau. La bête, entravée par des sangles qui lui passaient sous le ventre et lui maintenaient la patte relevée, meuglait de détresse, affolée par son état de prisonnière, le bruit du marteau et la chaleur du feu.

Un homme survint tenant une pièce de fer cassée en deux. Il ignora le propriétaire de la vache qui en fit autant, gratifia Jacques d'un vague bonjour et demanda au forgeron sur un ton d'urgence :

— Tu vas pouvoir me réparer ça, Daguzan ? Ou me le changer ? C'est un morceau de la faucheuse. J'en ai besoin pour demain.

Le forgeron quitta la vache qu'il avait commencé de dessangler pour se pencher sur le problème du nouveau venu.

— Ça va pas être commode. Attends que je regarde si j'ai ce qu'il faut.

Il laissa en plan la vache et son maître. Celui-ci, qui était furieux mais n'osait pas se plaindre à haute voix, marmonnait que c'était un peu fort de le traiter comme s'il ne comptait pas. Il suffisait de s'appeler Monestié pour avoir un traitement de faveur. Le nom incita Jacques à mieux observer celui qui le portait. Il avait une vingtaine d'années de plus que lui, ce qui signifiait qu'à l'époque de Joséphine Fourment, il était le fils. Peut-être était-ce lui qui était censé être son père? C'était un paysan, mais pas comme celui que Daguzan faisait attendre pour se venger de ses remarques, pas comme Casalès non plus. Malgré son bleu de travail, il ressemblait davantage à Maupas. En moins sympathique. Le port de tête, la démarche, le ton qu'il employait, tout respirait l'arrogance du nanti. Jacques s'amusa de l'ironie du hasard qui faisait de son pseudo-père quelqu'un d'aussi déplaisant que le vrai. Il pensait rarement au notaire Bélanger, qui avait pesé si lourd sur son enfance et sa jeunesse, mais les années de guerre n'avaient pas adouci sa rancune. Si son père avait accepté autrefois qu'il s'inscrive en médecine, au lieu de l'obliger à étudier le droit, il aurait été versé dans une unité de soins où il aurait sauvé des vies. Depuis cinq ans, au contraire, son rôle consistait à donner la mort. D'abord en pilotant des avions, qui bombardaient des positions stratégiques, mais n'épargnaient pas les populations civiles, et maintenant, en venant enseigner à des résistants comment manier des armes et des explosifs.

— Hé, vous, le neveu d'Adèle, vous dormez?

Jacques était si loin dans ses pensées qu'il ne s'était pas rendu compte que le forgeron l'interpellait. L'homme lui tendait une pédale qu'il avait extraite du fouillis.

— Essayez-la pour voir si elle va bien.

Il lui désigna un établi.

— Prenez ce qu'il vous faut là-dessus.

Il s'avéra que la pédale pourrait être fixée à condition d'avoir un écrou du bon calibre. Daguzan, qui surveillait Jacques sans en avoir l'air, lui indiqua une étagère où, après quelques tâtonnements, il trouva son bonheur. Entre-temps, lui-même était tombé sur la pièce dont Monestié avait besoin. Il le planta là à son tour pour délivrer la vache et son propriétaire.

— Voilà, lui dit-il, elle est chaussée de neuf. Vous pouvez l'emmener danser.

Puis, pendant que l'autre s'en allait avec la bête sans demander son reste, il s'approcha de la bicyclette réparée.

— C'est bien avec celle-là que José a eu l'accident ?

— Oui. La roue était voilée. À part ça, il n'y avait pas grand-chose.

— Elle n'était pas voilée, elle était pliée. Vous n'êtes pas manchot, dites, vous. C'est votre métier ?

— Non. J'ai étudié le droit. Je vais être notaire. Mais pendant mes études, j'ai gagné ma vie grâce à des petits boulots. C'est pour ça que je connais pas mal de choses. Cet été, je vais en apprendre une de plus : je suis engagé pour les foins chez Maupas. Il me fallait une bicyclette pour m'y rendre.

— Ne vous en faites pas pour les foins : c'est moins difficile que de redresser une roue.

— Tant mieux. Combien je vous dois pour la pédale ?

— Rien. Je vous la donne. C'est pour Joséphine.

Daguzan planta son regard dans celui de Monestié avant d'ajouter :

— Je l'aimais bien, moi, Joséphine. Elle n'a pas eu de chance dans la vie.

Jacques observa l'homme à la dérobée. Il s'était crispé, mais il ne dit rien et ne posa jamais le regard sur celui qui était, selon la rumeur, son fils ou son demi-frère.

VIII

Lartigues et Deumier se rendirent en voiture au domicile d'Exupère Souquet tandis que Puntous les suivait à bicyclette. Célibataire, le garde champêtre vivait seul depuis la mort de sa mère dans une maison basse à l'extrême limite de l'agglomération. Au-delà, c'étaient des champs, et plus loin, la forêt où, le chef de la gendarmerie ne l'ignorait pas, le maquis avait sa base. Si la maison semblait presque à l'abandon, le jardin, en revanche, était bien entretenu. Il y poussait tout ce qu'il était possible d'espérer en ces temps où il n'y avait pas grand-chose à acheter : des pois prêts à être récoltés, un grand carré de pommes de terre, des haricots verts, des choux d'été, de grosses laitues et même des radis. Deumier en arracha un et le croqua. Il le recracha aussitôt avec une grimace.

— Il les laisse trop grossir ses radis, ils piquent.

Lartigues tourna la poignée de la porte et s'étonna qu'elle soit verrouillée. À la campagne, personne ne fermait à clé. Peut-être Souquet prenait-il cette précaution inusitée à cause de la situation de sa maison, éloignée de sa première voisine d'une centaine de mètres ? À moins qu'il n'ait quelque chose à dissimuler.

— Il n'avait pas de clé dans ses poches, rappela Deumier, il a dû la cacher quelque part.

Le gendarme souleva une planche proche de la porte, bougea des outils de jardinage appuyés au mur, déplaça une souche qui servait de siège et finit par trouver la clé sous un tas de galets ayant l'air d'être là par hasard. La porte ouvrait sur un corridor qui séparait deux pièces : la cuisine et la chambre. Ils commencèrent par la chambre. Elle sentait la literie sale et n'avait pas dû être aérée depuis longtemps. L'uniforme de garde champêtre, posé sur un cintre, était accroché à l'espagnolette de l'unique fenêtre.

— Puisqu'il n'était pas en tenue, dit Lartigues en désignant l'uniforme, ça prouve qu'il a été tué après sa journée.

— C'était donc dans la nuit de dimanche. Celle où il s'est passé beaucoup de choses.

— Le képi n'a pas l'air d'être là.

— Non. Dans l'autre pièce, peut-être ?

— Hé ! cria Puntous qui venait d'arriver. Où êtes-vous ? Ça alors ! Qu'est-ce que c'est ?

Attirés par ses exclamations, ils le rejoignirent dans la cuisine et y découvrirent un chantier auquel ils ne s'attendaient pas. Aussi stupéfait qu'eux, mais ayant une longueur d'avance, Puntous allait poser les mains sur la table quand son collègue le retint d'un impératif :

— Ne touche pas !

La table, d'assez belles proportions, était couverte de journaux découpés qui entouraient un îlot où se trouvait une feuille de cahier sur laquelle étaient collés des mots imprimés. Complétant l'ensemble, il y avait des ciseaux, ainsi qu'une coupelle contenant une sorte de substance desséchée qui devait être une colle de fabrication domestique.

— C'était un corbeau, notre garde champêtre, constata Lartigues. Reste à découvrir à qui il s'en prenait.

Ils lurent le message en cours de fabrication : JE SAIS CE QUE TU METS DANS LA FARI

— Qu'est-ce qu'il y met, dans la farine, à votre avis ? demanda Puntous.

— Des glands, peut-être, suggéra Deumier. Mais on s'en fout, c'est pas ça qu'on cherche. En tout cas, le meunier est hors de cause : comme il n'a pas reçu la lettre, il n'avait pas de raison de le tuer.

— Voilà qui nous avance, ironisa Lartigues, les suspects se limitent maintenant à tout le reste du village.

— Peut-être pas, dit Deumier qui était tombé en arrêt devant un buffet. Viens voir.

Il y avait là une liste qui portait six noms dont les quatre premiers étaient barrés. Le cinquième étant Cambelève, le meunier, on pouvait légitimement supposer que les quatre premiers avaient reçu leur lettre. À côté de la liste, dans leur boîte en carton, attendaient des enveloppes vierges. Souquet n'en avait pas acheté : jaunies et tachées d'humidité, elles devaient dater de l'autre guerre, du temps où sa mère lui écrivait au front.

— Du travail organisé, admira Deumier.

Sur la liste, dans l'ordre, figuraient les noms de Maupas, le maire, du capitaine Fournier, un militaire de carrière qui vivait de ses rentes depuis son retour du stalag, de Monestié, un des plus gros fermiers du canton et de Coustet, le chef de gare. Les autres noms, qui n'étaient pas barrés, étaient ceux de Cambelève, le meunier, et de Poumès, le boulanger.

— Si on récapitule, dit Lartigues d'un ton découragé, on a quatre suspects : Maupas, le capitaine, Monestié et Coustet. Voilà qui nous promet du plaisir.

Il resta un moment immobile, perdu dans ses pensées, puis il se secoua.

— Bon, au travail. On va voir ce que nos suspects ont à dire. À commencer par le maire.

Il donna un tour de clé et la mit dans la vaste poche de sa veste, où elle rejoignit la liste incriminante, la lettre en cours et la boîte d'enveloppes, puis ils quittèrent la maison du garde champêtre. En traversant le village, ils croisèrent le facteur. Saisi d'une inspiration, Deumier suggéra à son chef :

— Vérifions si c'est lui qui a remis ces lettres à leurs destinataires. Si c'est le cas, ils ne pourront pas nous dire qu'ils ne les ont pas reçues.

— Bonne idée.

Il s'arrêta et héla le facteur :

— Hé, Lasbordes ! Viens un peu par ici !

Le facteur manipula longuement, et avec un intérêt non dissimulé, l'enveloppe que Lartigues lui avait présentée.

— Vous voulez savoir si j'ai distribué des enveloppes comme celle-là ?

— Exactement.

— Mais à qui ? Pour livrer une lettre, il faut qu'elle ait un destinataire. Il n'y a rien d'écrit.

— Lasbordes, gronda Lartigues qui commençait de perdre patience, ne te fais pas plus bête que tu l'es. On ne t'en apprendra pas plus de toute façon.

— Ah ! Vous voulez parler du papier ? De la sorte d'enveloppe ?

— C'est ce qu'on te dit depuis le début. De vieilles enveloppes jaunies avec des traces d'humidité.

— Et plusieurs ?

— Lasbordes…

— Oui, oui. Eh bien non, je n'en ai pas vu. Vous pensez bien que je m'en souviendrais. Elle est vieille, cette enveloppe, il y a longtemps qu'il n'en circule plus des enveloppes comme celle-là.

Le chef de gendarmerie, prêt à exploser, lui tourna le dos et remonta dans la voiture sans le saluer.

— Il m'énerve, celui-là !

— Mieux vaut quand même ne pas le brusquer, conseilla Deumier qui, lui, restait toujours imperturbable. C'est un écornifleur et un *chapaire* : il est au courant de tout et parle avec tout le monde.

— Mais là, il ne sait rien. Ou il ne veut pas le dire.

— Moi, je crois qu'il ne sait rien. Il avait trop envie de nous en faire raconter davantage.

— Donc, si Souquet n'a pas envoyé ses lettres par la poste…

— … c'est qu'il les a portées lui-même…

— …la nuit pour pas qu'on le voie…

— … et quelqu'un lui a fait son affaire.

— On n'est pas beaucoup plus avancés.

— Mais on a quand même des noms.

— Oui, soupira Lartigues. Allons chez le maire.

IX

Dans la cour de madame Fourment, Jacques croisa le facteur. Revenu de sa tournée, il s'en allait au café. En voyant le travail accompli sur la bicyclette, il manifesta son admiration :

— Hé bé, vous êtes fort, vous ! Je n'aurais jamais cru qu'on pouvait tirer quelque chose de cette épave.

— Ça m'a quand même pris plusieurs heures.

— Vous étiez à la forge ?

— Oui. Il me fallait une pédale.

— Ça s'est bien passé avec Daguzan ?

— Très bien. J'y ai rencontré un paysan qui faisait ferrer une vache, mais je ne sais pas son nom. Et aussi un certain Monestié.

— Méfiez-vous-en de celui-là. Bien avec le curé, bien avec la milice. Ne frayez pas avec lui. De toute façon...

— Je sais. Adèle m'a expliqué.

— Alors, ça va. Venez avec moi au café, autrement on croira que vous vous cachez. Et puis, il me tarde de vous entendre raconter ce que vous avez vu chez Maupas.

Les clients de Marie-Louise Amagat et elle-même étaient également très intéressés par ce que Jacques avait à dire car, si la nouvelle de l'assassinat du garde champêtre s'était répandue dans le village, personne, en dehors de lui et des gens de Maupas, n'avait vu le cadavre. Trois hommes, à une table, attendaient le facteur pour jouer à la manille. Lorsque Lasbordes et son compagnon arrivèrent, la cafetière apporta deux verres supplémentaires, versa du vin et resta dans la pièce, les mains dans le dos, à les écouter. Appelée à son devoir d'épicière par la cloche de la salle voisine, elle alla expédier le client et revint aussitôt. Les hommes, dont Jacques comprit qu'ils se retrouvaient là tous les jours en fin d'après-midi, étaient le buraliste, Gaston Sourdès, un mutilé de la guerre de 14, appareillé d'un pilon qui remplaçait sa jambe perdue en Argonne, Alphonse Coustet, le chef de gare, et Paul Burgat, le postier, supérieur hiérarchique du facteur. Après les présentations, Lasbordes précisa :

— On est les quatre fonctionnaires du village. Dans notre dos, les gens nous traitent de feignants, mais on les emmerde. Alors, le garde champêtre ?

— Il était enterré sous les feuilles.

— Il a reçu un coup de fusil, c'est ça ?

— Oui. En pleine face.

— Le fusil était là ?

— Non.

— C'est donc quelqu'un qui l'a tué…

— Aucun doute.

— Il est mort depuis longtemps ?

— Je n'en sais rien. Il sentait très mauvais, mais avec cette chaleur…

— Peut-être que le docteur le saura, intervint le postier.

Le buraliste haussa les épaules.

— Qu'est-ce que ça change ?

— Ça change que quand on travaille, on peut prouver où on est, lui expliqua le chef de gare ; la nuit, c'est plus difficile.

L'autre sursauta.

— Mais enfin, pourquoi ? Je n'avais aucune raison de le tuer, moi, le Souquet. Et vous non plus, je suppose ?

— Bien sûr que non. Mais il va y avoir une enquête. Et pendant une enquête, les gendarmes fouinent partout.

— Ils vont commencer par ceux avec qui il était fâché, se rassura Sourdès, et moi, je ne l'étais pas.

Le facteur rigola.

— Ça va leur donner du travail.

— C'est vrai qu'il ne s'entendait pas avec grand monde, remarqua Marie-Louise. Ici, il venait parce qu'il n'avait pas le choix, mais c'était juste *bonjour, bonsoir.*

— Au bureau de tabac, c'était pareil. Sauf que de temps en temps, il disait : *Moi, si je racontais tout ce que je sais…*

— Ça, c'est vrai, confirma l'épicière. Il le répétait souvent. Mais est-ce qu'il savait vraiment des choses ? Et puis, quelles choses ?

— Il y a toujours des gens qui ont des choses à cacher, glissa le postier. Avec ma position, j'en connais quelques-unes…

— Tu ferais mieux de ne pas t'en vanter si tu ne veux pas finir comme lui, lui conseilla le facteur.

La remarque jeta un froid.

— Bon, on la fait, cette manille ? demanda Burgat soudainement pressé de changer de sujet.

La cafetière leur apporta les cartes. Le facteur les battit et les distribua. Ils jouèrent un moment en silence sous les yeux de Jacques qui essayait sans y parvenir de comprendre le jeu. Mais le meurtre les tracassait, et ils y revinrent très vite.

— Vous croyez qu'il a été tué par quelqu'un qui avait peur qu'il raconte un secret ? demanda Coustet à la cantonade.

— Ça se pourrait, répondit Lasbordes, mais on n'en sait rien.

— Les gendarmes vont fouiner partout, répéta le chef de gare. Et ça, c'est pas bon.

— Surtout avec le parachutage de la nuit de dimanche, approuva Sourdès.

— Ne parle pas de ça, répliqua sèchement Coustet. On ne sait rien là-dessus et de toute façon, ça n'a rien à voir avec le garde champêtre. Les complications vont être suffisantes, pas besoin d'y mêler en plus des histoires de maquis.

— C'est bon, ne t'énerve pas.

— En effet, ce n'est pas la peine de s'énerver, renchérit Lasbordes, mais il a raison : il est préférable de ne pas en parler.

Des rires de jeunes filles venant du dehors attirèrent leur attention.

— C'est déjà l'heure de l'enseignement ménager ! s'exclama Burgat. Il faut que je rentre, sinon, avec la patronne, je vais avoir droit à la soupe à la grimace.

— On n'a même pas fait trois parties, déplora Sourdès. On ne sait pas qui doit payer les tournées.

— Eh bien, on partage, tout simplement, proposa Lasbordes.

Jacques sortait son portefeuille quand il l'arrêta.

— Je vous l'offre. Pour vous souhaiter la bienvenue à Fontsavès.

En passant à côté du groupe de jeunes filles qui bavardaient devant l'école, Lasbordes souleva cérémonieusement son béret.

— Bonjour, Mesdemoiselles.

— Ho, Henri, l'interpella une brunette plus effrontée que les autres, au lieu de faire le monsieur, tu devrais nous présenter ton ami.

— Avec plaisir. C'est Jacques Duprat, le neveu d'Adèle Fourment.

Jacques serra les mains des jeunes filles que Lasbordes lui nommait et fit un sourire à Pauline Casalès qui rougit lorsqu'il dit : *Nous, on se connaît déjà.* Ensuite, ils s'éloignèrent, et elles se mirent à caqueter dans leur dos.

— Elles ont leur sujet de conversation pour la soirée, sourit le facteur.

— Vous oubliez le meurtre.

— Elles vont en parler aussi, mais je serais prêt à parier que vous les intéressez davantage.

Lasbordes attendit d'être à l'abri d'éventuelles oreilles indiscrètes pour raconter à Jacques sa rencontre avec les gendarmes.

— Ils voulaient savoir si j'avais déjà distribué des enveloppes comme celle qu'ils me montraient. J'ai répondu que non, ce qui est vrai, et j'ai fait la bête pour essayer d'en apprendre davantage, mais ça n'a pas marché. J'ai quand même compris de quoi il s'agissait parce que je sais par le capitaine que la semaine dernière, lui-même, le maire et le chef de gare ont reçu une lettre anonyme. C'est pas difficile de deviner qui les a envoyées puisque les gendarmes venaient de chez le garde champêtre.

— Qu'est-ce qu'elles disaient, ces lettres ?

— Elles les accusaient d'être dans le maquis, mais elles ne demandaient rien en échange du silence. C'était écrit avec des mots découpés dans le journal. Moi, j'étais sûr que ça ne pouvait être que lui : il était au courant de tout parce qu'il était toujours en vadrouille et il lui était plus facile qu'à tout le monde de déposer une lettre chez quelqu'un sans que personne trouve bizarre de le voir rôder. En plus, c'était un malfaisant, mauvais comme la gale.

— C'est bien embêtant, cette histoire.

— Ça, vous pouvez le dire !

X

Après avoir renvoyé Puntous à Meilhaurat, Lartigues se présenta au château avec Deumier. Pendant le trajet, ils élaborèrent leur stratégie. L'avis du chef était de mentionner la lettre anonyme en cours de fabrication en feignant d'ignorer qu'il y en avait eu d'autres pour voir la réaction du maire. Deumier n'était pas d'accord.

— Si on fait ça, on l'oblige quasiment à mentir : tu penses bien qu'il va faire l'étonné, comme s'il n'en avait pas reçu. Il n'aura pas envie de nous apprendre ce que le garde champêtre a découvert : si c'était une chose dont on peut parler, l'autre n'aurait pas écrit une lettre anonyme.

— Tu penses qu'il faut carrément lui dire qu'on est au courant et lui demander de nous la montrer ?

— C'est ça.

— Hum… D'accord. Mais on ne lui donne pas les autres noms de la liste.

La bonne les introduisit dans un boudoir où madame Maupas écrivait, assise à un secrétaire proche de la fenêtre. Elle les accueillit avec une affabilité sous laquelle pointait un soupçon de hauteur.

— Je suppose que vous voulez voir mon mari ?

— En effet, Madame.

— Margot, conduis-les au bureau de Monsieur.

En passant à côté du secrétaire, Deumier jeta un regard sur le livre ouvert qu'elle semblait recopier. C'était un atlas.

— Vous préparez un voyage, Madame Maupas ?

Il eut droit à son expression la plus perplexe.

— Un voyage ? Pas du tout. Pourquoi me demandez-vous cela ?

Deumier désigna le livre du menton.

— Ah, à cause de l'atlas. Non, ce n'est pas pour voyager.

Visiblement, elle cherchait une raison. Deumier attendit. Elle finit par avoir une idée.

— C'est pour ma fille. Je lui prépare un complément en géographie. Je trouve que le niveau a beaucoup baissé.

— Ça, c'est bien vrai, approuva-t-il gravement avant de rejoindre son chef qui était déjà avec le maire.

Deumier avait eu le temps de voir que madame Maupas s'intéressait à la Normandie, ce qui lui donna à penser. Les rumeurs de débarquement de plus en plus insistantes plaçaient cette région assez haut dans les probabilités. Se pourrait-il que Maupas et sa femme soient impliqués dans la résistance ? Franchement, elle, avec ses grands airs, il ne l'y voyait pas, mais lui ?

— On en a appris de belles chez le garde champêtre, attaqua Lartigues.

— Plaît-il ?

— Il avait sur la table une lettre anonyme qu'il était en train de composer avec des mots découpés dans le journal. Mais vous le savez mieux que moi, puisque vous en avez reçu une.

— Mais, comment… ?

— Comment on le sait ? Rien de plus simple : il avait fait une liste et barrait à mesure. Vous avez eu l'honneur d'être le premier, Monsieur le Maire.

— Quel triste sire ! Je me demandais de qui elle pouvait provenir. J'aurais dû me douter que c'était de lui. Ça lui ressemble : hypocrite, sournois, toujours à sous-entendre des choses qu'il laissait dans le vague…

— Les lettres anonymes, ça nous fait un mobile.

Le châtelain sursauta.

— Vous ne pensez tout de même pas que je l'ai tué pour de sottes accusations sans fondement.

— Vous, peut-être pas, mais il y a les autres…

— Beaucoup d'autres ?

— Quelques-uns, mais il ne les avait pas livrées toutes. Si vous nous disiez de quoi il vous accusait, Monsieur le Maire ?

Maupas eut l'air gêné.

— C'est très délicat.

— Vous n'avez pas beaucoup le choix. Avec cette liste…

Le châtelain prit une grande inspiration et avoua :

— Il m'accusait de tromper ma femme.

— Ah…

— Ce qui est faux.

— Bien sûr…

Il y eut un silence. Comme le chef ne faisait pas mine de vouloir reprendre la parole, Maupas se sentit obligé de continuer.

— Je ne peux pas vous dire de qui il s'agit : il en va de sa réputation.

— On le saura de toute façon, puisqu'il faut que vous nous donniez la lettre.

— Vous pensez bien que je l'ai détruite, s'insurgea-t-il. Je n'allais pas garder cette saleté ici au risque de la laisser découvrir par ma femme.

Deumier jeta un regard circulaire sur la pièce, si masculine avec ses gravures de chasse et ses pistolets anciens accrochés au mur ainsi que sa table surchargée de paperasses, puis il revit madame Maupas en train d'écrire sur l'élégant secrétaire du petit salon. Sa femme ne devait pas souvent pénétrer dans ce bureau, le gendarme en était persuadé.

— Quel dommage…, regretta Lartigues.

— Cela ne vous aurait de toute façon servi à rien.

— Peut-être. Ou peut-être pas… De quoi il vous menaçait dans sa lettre ?

— De rien, justement. C'est une des raisons pour lesquelles je ne l'ai pas prise au sérieux. J'imagine que vous allez maintenant voir les autres personnes qui en ont reçu ?

Il y avait une question non exprimée sur la fin de la phrase, mais le chef feignit de ne pas comprendre.

— Hé oui, c'est ce qu'il nous reste à faire. À la prochaine, Monsieur le Maire, dit-il en lui tendant la main.

— Vous me tenez au courant de l'enquête, n'est-ce pas ? À titre de premier magistrat de la commune, j'y ai droit.

— Vous pouvez y compter, on vous dira ce qui se passe.

Dès que les gendarmes furent partis, Maupas alla trouver sa femme.

— Mon amie, je vous dois un aveu.

Elle déposa son porte-plume et se tourna vers lui.

— Je vous écoute, Léonce.

— J'ai reçu, la semaine dernière, une lettre anonyme m'accusant d'être membre du maquis.

Elle fronça les sourcils.

— Pourquoi ne m'en avez-vous rien dit ?

— Je ne voulais pas vous inquiéter.

— Mais maintenant, vous m'en parlez. Qu'y a-t-il de nouveau ?

— Elle venait du garde champêtre. Les gendarmes ont découvert que c'était son loisir préféré. Le problème, c'est qu'il avait fait la liste de ses victimes. J'y figure en tête.

— Est-ce que vous leur avez dit que vous n'aviez rien reçu avant de connaître l'existence de la liste ?

— Non. Heureusement, ils m'ont tout raconté et ne m'ont posé la question qu'après.

— Le vrai problème est donc le contenu de la lettre.

— Oui.

— Vous la leur avez montrée ?

— Non. J'ai dit que je l'avais détruite pour que vous ne risquiez pas de la découvrir.

— Mais ils vous ont demandé ce qu'elle contenait…

— Oui.

Fort embarrassé, Maupas finit par se jeter à l'eau.

— J'ai prétendu qu'il m'accusait d'adultère. C'est tout ce qui m'est venu à l'esprit.

— Et qui est l'heureuse élue ? L'institutrice, peut-être ?

— Voyons ! Vous dites n'importe quoi ! Je n'ai pas donné de nom et je n'en donnerai pas. Je ne veux pas salir la réputation de quelqu'un qui n'a rien à se reprocher.

— Voire…

— Qu'allez-vous imaginer ?

— Seulement ce qui pourrait arriver avec une jeune femme célibataire et séduisante qui s'associe à des hommes pour accomplir des actions clandestines.

— Mais vous aussi !

— Ce n'est pas pareil. Je me contente de m'occuper des gens qui passent ou séjournent ici. Je n'assiste pas à vos réunions, qu'elles se tiennent au village ou ailleurs.

— Elle non plus. Cela attirerait inutilement l'attention, et vous le savez. Vous savez aussi que ce que vous accomplissez est très utile. Mais il ne s'agit pas de cela, et dans le cas qui nous occupe, vous réagissez sottement. Il y a eu un meurtre. Le mort envoyait des lettres anonymes et j'en ai reçu une. Je fais donc partie des suspects. Le problème, c'est celui-là, et votre jalousie est hors de propos en plus d'être tout à fait injustifiée.

— Je ne suis pas jalouse. Je plaisantais.

— Le moment est mal choisi.

— Excusez-moi, je n'en parle plus. Soyons pratiques : si les gendarmes vous obligent à donner le nom qui figurait sur la lettre, qu'allez-vous dire ?

— Nous n'en sommes pas là. Nous trouverons une histoire ensemble. Pas le nom d'une femme du village, en tout cas.

— Pourquoi ? Aucune n'est assez bien ?

Maupas, qui sentait la colère l'envahir et ne voulait pas y céder, quitta la pièce en disant :

— Vous ne vous rendez pas compte qu'il ne s'agit pas d'un vaudeville, mais d'une situation dangereuse. Je vais marcher dans le parc, cela me fera du bien.

— Alors, attaqua Lartigues en se dirigeant vers le village où habitait le capitaine, qu'est-ce que tu penses du maire, Isidore ?

— Il ment.

— C'est aussi mon avis.

— Je ne veux pas dire qu'il ne trompe pas sa femme, rigola Deumier. Si c'était le cas, il aurait des excuses, à mon avis. Avec cette pète-sec, ça ne doit pas être drôle tous les jours. Mais la lettre, elle ne devait pas parler de ça.

— Et tu as une idée ?

— Peut-être. Tu as vu que madame Maupas écrivait quand on est arrivés ?

— Oui. J'ai pensé qu'elle faisait son courrier. Tu as remarqué quelque chose de particulier ?

— Figure-toi qu'elle recopiait des renseignements d'un atlas. Et cet atlas, il était à la page de la Normandie.

— Ho, ho ! Voilà qui ouvre d'autres perspectives que l'adultère. Ma foi, ajouta-t-il sombrement, j'aurais préféré que le maire saute la bonne.

La maison du capitaine, tout en étant au milieu du village, était légèrement en retrait, protégée par une allée d'ormes d'une cinquantaine de mètres et un haut portail. Celui-ci était fermé et aucune trace de vie n'était visible entre les barreaux. Ils appelèrent sans succès puis firent demi-tour. Au bout de l'allée qui les ramenait à la rue principale, il y avait une maison devant laquelle la vieille Hortense, assise sur une chaise à côté de sa porte, les regardait d'un œil intéressé. Lartigues s'arrêta pour lui demander si elle avait vu le capitaine. Elle ne se fit pas prier pour lui apprendre que Fournier était parti deux jours plus tôt, à l'heure du train de Toulouse, une petite valise fixée sur le porte-bagages de sa bicyclette. Ce n'était pas inhabituel : rien qu'au mois de mai, il y était déjà allé deux fois.

En général, il n'y restait pas plus de trois jours, mais cette fois, elle ne pouvait pas dire : elle n'était pas sa confidente.

Le chef la remercia et elle parut déçue qu'il s'en aille si vite. Nul doute qu'elle était prête à lui donner l'emploi du temps de ses autres voisins.

— Eh bien, commenta Deumier, il n'est pas facile d'avoir une vie privée. Ces vieilles toupies, on devrait les engager dans la gendarmerie : on saurait tout sans avoir à bouger.

— Le vélo, c'est bon pour ta santé.

— Et toi, tu aurais intérêt à en faire plus souvent. Il y a longtemps que tu ne rentres plus dans ton costume de mariage.

— Ne nous égarons pas. Je me demande si le capitaine se doute qu'il est aussi bien surveillé.

— Et moi, je me demande ce qu'il a à cacher. Lui, il ne peut pas nous parler d'adultère : il n'est pas marié. On va chez Monestié ?

— Non. C'est trop tard. Demain, il fera jour.

XI

Après un détour par son logement de fonction, où elle s'était fait chauffer une tasse de ce que l'on continuait d'appeler contre toute vraisemblance du café, Adrienne Lascours retourna à la salle de classe que les gamins venaient de déserter et ouvrit la porte pour accueillir les jeunes filles de l'enseignement ménager. Il était dans ses attributions de leur donner, une fois par semaine, des rudiments de couture et de tricot, d'hygiène domestique et de diététique.

— Bonjour, Mademoiselle Lascours, dirent-elles avec respect.

— Bonjour, Mesdemoiselles.

Elles entrèrent, Pauline, Mariette, Irma, Juliette... L'institutrice les connaissait toutes pour les avoir conduites jusqu'au certificat ou, du moins, le plus loin qu'elle avait pu, compte tenu de l'absentéisme, du manque de soutien familial ou de l'envie d'apprendre. Mademoiselle Lascours avait une affection particulière pour Pauline Casalès, et elle regretta, une fois de plus, l'intransigeance de sa belle-mère qui l'avait empêchée de s'inscrire au cours complémentaire à Meilhaurat. La jeune fille lui avait confié qu'elle souhaitait être postière. Son père était d'accord, mais Maria Casalès avait sifflé entre ses lèvres fines : *Tu veux en faire une princesse alors que son frère continuera d'être un paysan ?* Alors, il avait dit non pour avoir la paix, et depuis, Pauline travaillait à la métairie en attendant de trouver un mari qui lui aussi travaillerait dans une ferme. Au lieu de servir les clients derrière le comptoir d'un bureau de poste, souriante et bien mise, comme elle l'avait rêvé, elle soignerait les bêtes, préparerait la soupe et repriserait les bas de la maisonnée.

— Qu'est-ce qu'on fait, aujourd'hui, Mademoiselle? demanda Mariette, impatiente de commencer.

— Avez-vous apporté de la laine?

Elles en avaient toutes. Pour cela, elles avaient détricoté ce qu'elles avaient pu récupérer comme vieux chandails et elles étaient prêtes à réaliser le modèle que l'institutrice leur avait fait admirer la semaine précédente dans le numéro de septembre de *Marie-Claire* prêté par madame Maupas. Comme le prouvait la photo, le chandail était celui que portait Madeleine Sologne dans le film *L'Éternel retour*. Le magazine contenait aussi des conseils pour confectionner un chapeau de Paris avec quarante centimètres de tissu, des robes à la mode et même des sandales d'été à talons hauts. En ce qui concernait les chaussures, inutile d'essayer. À part le bois de la semelle, tout manquait: les semelles intérieures en liège, les trente centimètres de toile claire, les trente centimètres de toile foncée, la colle forte pour la doublure et les boucles nickelées. Par contre, les jeunes filles exécutaient les recettes de cuisine sur la gazinière du logement de fonction, un luxe que l'institutrice avait hérité d'une tante fortunée, une merveille de modernisme dont peu de gens jouissaient au village et qui les plongeait dans des abîmes de convoitise. Il n'y en avait pas une qui ne rêvât de posséder la même. Lorsque les ingrédients requis pour une recette manquaient, elles savaient faire preuve d'imagination. Ensemble, elles parvenaient toujours à trouver une solution qui, si elle s'éloignait du modèle, n'en était pas moins savoureuse.

Les filles du village n'auraient raté le cours du mardi pour rien au monde. Non seulement elles étaient contentes de franchir la porte de l'école en *grandes* qui n'étaient pas obligées de venir et ne risquaient ni punition ni devoirs supplémentaires, mais cette activité leur offrait une distraction, en un temps où il y en avait bien peu. Avec l'institutrice, qui était belle, intelligente et qui savait si bien se vêtir malgré les restrictions, elles avaient l'impression d'accéder à une classe sociale supérieure. C'était un peu comme si elles devenaient, l'espace d'une soirée, de jeunes oisives se réunissant pour papoter, parler chiffons et cuisine, dans une atmosphère non pas guindée, mais retenue, qui mettait ces réunions au-dessus de tout ce qu'elles pouvaient faire d'autre. Lorsqu'elles cuisinaient, elles mangeaient le plat confectionné dans les belles assiettes de porcelaine qui venaient aussi de la tante, et quand elles se consacraient à un ouvrage de couture ou de tricot, comme ce soir-là, mademoiselle Lascours leur servait une infusion, de la menthe le plus souvent, dans les tasses du même service. Elle allait même jusqu'à utiliser les sous-tasses, ce qui leur paraissait le comble du raffinement. Sur le plateau, ultime détail, trônait, bien qu'il fût vide, un sucrier en argent.

C'était, hélas, le dernier cours de l'année. Les foins commençaient, et ensuite suivraient les récoltes : le blé, les vendanges, le maïs, les châtaignes… Jusqu'à la fin d'octobre, ou même la mi-novembre, ces filles de paysans n'auraient plus de temps à consacrer à ce qui, dans leurs familles, était considéré comme un divertissement peu utile. Le chandail, ce soir, elles ne feraient que le commencer. Il s'agissait de prendre les mesures et déterminer pour chacune, en fonction de la grosseur de la laine et de son tour de taille, combien de mailles il fallait monter. Ce serait leur ouvrage de l'été, qu'elles emporteraient en allant garder les vaches et finiraient pour l'hiver.

Elles s'affairèrent à tricoter leur échantillon tout en commentant le sujet du jour : le meurtre du garde champêtre. Pauline, qui aurait préféré l'oublier, fut assaillie de questions. Elle les déçut en leur apprenant qu'elle n'avait vu qu'un sabot. L'institutrice comprit, à l'expression de certaines d'entre elles, qu'elles auraient facilement surmonté leur dégoût pour regarder le cadavre. Quand Pauline eut dit le peu qu'elle savait, c'est-à-dire qu'il avait été tué d'un coup de fusil au visage dimanche ou lundi, elles passèrent à l'autre sujet d'intérêt capital: le neveu d'Adèle Fourment. Là encore, c'était Pauline qui avait été aux premières loges, mais là aussi, elle déçut.

— Raconte, Pauline! Tu lui as parlé?

— Non, je ne lui ai pas parlé. À table, il a simplement répondu aux questions. Il a expliqué qui il est et d'où il vient. C'est tout ce que je peux vous dire.

— Eh bien, dis-le-nous! C'est exactement ce qu'on te demande.

L'absence providentielle de Marie-Thérèse Monestié leur permit de partir des renseignements fournis par Pauline pour se lancer sur Joséphine Fourment et la probable paternité du père ou du grand-père de leur camarade, une histoire qu'elles connaissaient toutes.

— Finalement, conclut Juliette, d'une certaine façon, il est d'ici. C'est drôle qu'il ne ressemble pas aux garçons du village: ils sont tous plus petits et plus trapus que lui. Son seul point commun, c'est qu'il est brun. À part ça…

— Et il est plus beau, dit Irma.

— Je ne trouve pas, rétorqua vivement Juliette pour qui personne n'égalait le fils Burgat, qu'elle couvait d'un regard énamouré depuis sa plus tendre enfance.

Mariette ne résista pas au plaisir de la taquiner.

— Je ne suis pas d'accord. Compare avec Roger, par exemple.

— Comment, Roger? répliqua-t-elle, indignée. Qu'est-ce qu'il a de plus que Roger?

— D'abord, vingt centimètres, s'esclaffa la moqueuse.

Pauline vit que Juliette était fâchée et elle intervint pour faire diversion.

— Et vous, Mademoiselle Lascours, qu'en pensez-vous?

— Je n'ai pas eu l'occasion de le rencontrer.

— Comment ça? Vous êtes sa voisine.

— Ça ne s'est pas trouvé. Mais je suppose que je le verrai demain: c'est le jour d'ouverture de la mairie et il faut qu'il vienne s'y faire inscrire.

— Il a les yeux bleus, précisa Mariette. Je vous garantis qu'il vous plaira.

— Moi, les bruns, je les préfère avec des yeux noirs, dit Juliette prête à en découdre. Les yeux bleus, ça ne va bien qu'aux blonds.

— Je me demande, glissa Irma, que les considérations esthétiques passionnaient moins que les ragots, s'il se passera quelque chose avec les Monestié. Il est peut-être venu pour se venger.

L'hypothèse les excita, et mademoiselle Lascours, qui en avait assez des commérages, eut du mal à les faire parler d'autre chose. Lorsqu'elles partirent, elle les invita à revenir consulter le modèle si elles en avaient besoin. Elle ne quitterait pas Fontsavès pendant les vacances, à part une semaine en août qu'elle passerait dans sa famille.

Quand elle ferma la porte de l'école derrière les jeunes filles, l'institutrice s'aperçut qu'elle avait faim, mais elle jeta un coup d'œil à sa montre et vit qu'il était déjà neuf heures vingt. Tant pis pour le repas : si elle ne voulait pas rater l'émission de radio, elle devait se rendre tout de suite chez Fourment. Elle ne prit que le temps d'arranger ses cheveux et de mettre du rouge à lèvres.

XII

Adrienne Lascours vérifia qu'il ne traînait pas dans les parages quelque villageois attardé, traversa la cour de récréation silencieuse et le jardin de l'école puis franchit la haie d'aubépines qui la séparait de chez Adèle Fourment. Le passage qui y avait été ménagé était juste à sa taille et elle devait faire attention de ne pas déchirer sa robe aux branches hérissées d'épines de la clôture végétale. Le trou dans la haie était caché, côté école, par une touffe de buis, et côté Fourment, par la cabane des latrines, de sorte que personne ne pouvait deviner qu'il était possible de passer incognito d'une maison à l'autre. L'institutrice cogna et la porte s'ouvrit sur Adèle qui la fit entrer.

— Dépêchez-vous : ils sont en haut, c'est presque l'heure.

— Vous ne venez pas ?

Elle haussa les épaules.

— Avec le brouillage, je n'y comprends rien. Vous me résumerez.

Adrienne s'engagea dans l'escalier qui menait à l'étage, puis elle prit l'échelle du grenier. Parvenue au plafond, elle frappa deux coups rapides suivis d'un troisième à quelques secondes d'intervalle, et une trappe, en se soulevant, fit apparaître une vague clarté. Une main se tendit pour l'aider à franchir les derniers barreaux :

celle d'Henri Lasbordes. Lorsqu'elle fut à l'intérieur du grenier et que la trappe fut refermée, il lui présenta l'homme qui avait tellement intéressé les jeunes filles de l'enseignement ménager.

— Jacques Duprat, le neveu d'Adèle.

José, qui réglait la radio et l'avait saluée sans relever la tête, fit entendre un léger ricanement.

Le facteur lui réexpliqua patiemment ce que sa mère lui avait déjà dit :

— Le meilleur moyen de ne pas se couper, c'est de toujours répéter la même chose. On finit par oublier que ce n'est pas vrai et on ne risque plus rien.

N'attendant pas de réponse, il revint à ses présentations.

— Mademoiselle Lascours est l'institutrice du village et la secrétaire de mairie. À la mairie, elle apprend beaucoup de choses utiles et…

José l'interrompit :

— Chut ! Ça commence !

Une fanfare retentit, qui fit sursauter le facteur.

— Baisse le son, José ! Tu vas nous faire repérer.

Il obtempéra, et ce fut un ton plus bas que la voix d'André Gillois emplit le grenier. Lointaine, mais nette, elle lança solennellement l'indicatif : *Les Français parlent aux Français. Honneur et Patrie. Aujourd'hui, 270ᵉ jour de l'invasion de la forteresse européenne et 1437ᵉ jour de la lutte du peuple français pour sa libération.* Aussitôt après, le brouillage commença : par-dessus la voix de Gillois, on en entendait une autre, destinée à couvrir la première. L'institutrice prenait des notes en sténo à toute vitesse sur un cahier d'écolier. Jacques Bélanger profita de la concentration de ses compagnons pour les observer : José maniait les boutons du poste avec la dextérité d'un vieux professionnel et parvenait à obtenir la meilleure qualité de réception possible. Il était entièrement pris, et son visage d'ordinaire renfrogné montrait le plaisir qu'il éprouvait à manipuler son installation : tout était bricolé et personne d'autre ne devait être assez habile pour faire fonctionner cet appareil de fortune. Aucun doute, le gamin était doué. Après la guerre, il pourrait faire des études d'ingénieur s'il le souhaitait, mais il lui faudrait surmonter son manque de sociabilité, et de cela, Jacques n'était pas sûr qu'il fût capable.

Au sujet du facteur, l'émissaire de Londres était en train de réviser son jugement : cet homme qui lui avait paru superficiel, bavard et inconséquent cultivait une image le faisant passer pour inoffensif, ce qui était une excellente couverture. La prudence dont il avait fait preuve au café était devenue évidente pour Jacques quand il lui avait raconté l'affaire des lettres anonymes dont il n'avait soufflé mot à ses amis : il parlait beaucoup, mais ne disait que ce qu'il voulait bien.

Quant à l'institutrice, le jeune homme ne savait rien d'elle, à part qu'elle était agréable à regarder : brune, comme toutes les filles de la région, elle avait la peau mate, ce qui ne la différenciait pas non plus des autres. C'était plutôt son maintien qui la distinguait du commun : bien qu'elle se tînt parfaitement droite, le moindre de ses mouvements montrait la souplesse de son corps délié. Elle était tellement absorbée par sa tâche qu'il put observer à loisir le visage aux pommettes hautes, les yeux noirs et la bouche généreuse avivée d'une trace de rouge à lèvres. Elle écrivait, assise sur une vieille chaise, et sa robe, qui remontait au-dessus des genoux, laissait voir des jambes fines mais musclées. Le décolleté en pointe et le corsage ajusté mettaient en valeur sa poitrine un peu forte. Le regard de Jacques s'y attarda avec complaisance. Quand il s'en rendit compte, il détourna les yeux, confus à l'idée qu'elle aurait pu s'en apercevoir et en être gênée.

L'émission terminée, ils remercièrent José et quittèrent le grenier par le chemin qu'ils avaient pris pour venir. Il y avait une autre issue, qui menait à l'atelier, et avait été indiquée à Jacques pour le cas où il aurait besoin de s'éclipser en vitesse. Dans la cuisine, Adèle Fourment les attendait avec du tilleul.

Adrienne Lascours commenta ce qu'ils venaient d'entendre d'un ton légèrement voilé qui ajoutait à sa séduction :

— Les conseils à suivre lors du débarquement sont de plus en plus nombreux et précis, ce qui laisse supposer qu'il va avoir lieu bientôt.

Elle consulta le cahier où elle avait pris des notes :

— Il a dit : *La date des opérations, nous ne la savons pas plus que vous. Mais dites-vous bien qu'elles peuvent commencer à tout moment.*

— À tout moment, répéta rêveusement Adèle, on a du mal à y croire depuis le temps qu'on attend.

— Vous en savez plus que nous à ce sujet ? demanda l'institutrice à Jacques.

— Non. Personne ne connaît ni le jour ni l'endroit, répondit-il, à part ceux qui ont pris la décision. Les soldats eux-mêmes n'en seront informés que lorsqu'ils seront en mer. Mais il est sûr que ça approche : on m'a envoyé pour aider les résistants à être opérationnels au plus tôt.

— Et ils le seront ? demanda encore l'institutrice.

— Pour le moment, je ne peux pas y répondre : à peu de chose près, vous êtes les seuls que j'ai rencontrés.

— Oh, moi, je ne compte pas, dit la jeune femme. Ce que je fais n'a pas grande importance.

— C'est faux, s'insurgea Lasbordes. C'est vous qui retranscrivez les émissions de Londres et qui les ronéotypez pour qu'on puisse les faire circuler. Vous comprenez, dit-il à Jacques, très peu de gens ont un poste pour les écouter : il n'y a que le centre du village qui a l'électricité.

Devant l'étonnement du jeune homme, il précisa :

— Elle vient du moulin : c'est le meunier qui la produit.

— Et au château, ils ne l'ont pas ?

— Si. Mais le maire a dû financer lui-même l'installation de la ligne. Il est le seul à en avoir les moyens à Fontsavès.

Puis il se tourna de nouveau vers l'institutrice.

— Et puis, ce que vous accomplissez à la mairie, c'est pas important, peut-être ? Imaginez que demain, quand Jacques va se faire inscrire, il y ait Félicité Burgat, qui voulait être secrétaire à votre place. Elle en poserait des questions, cette fouine, et elle pourrait écrire un rapport qui tomberait dans les mains de la milice. Moi, je trouve que vous êtes plus importante que bien des coqs de village qui sont dans le maquis parce qu'ils croient que c'est un jeu. C'est pas vrai, Adèle?

— Vous exagérez beaucoup, coupa l'institutrice, mais admettons. Parlons plutôt du meurtre: il va rendre difficile l'action de monsieur Duprat.

— Je vous en prie, intervint Jacques, appelez-moi par mon prénom. Cela me facilitera les choses vu que c'est vraiment le mien.

— D'accord. Et vous, appelez-moi Adrienne. Mais pas en dehors d'ici, bien entendu.

— Cette Félicité Burgat dont vous avez parlé, demanda Jacques à Lasbordes, je risque de la rencontrer?

— Oh oui. Elle habite juste à côté: c'est la femme du postier.

— Votre supérieur?

— C'est ça.

— Je crois qu'il est urgent que vous me donniez des précisions: parmi ceux que je connais déjà, de qui dois-je me méfier?

Lasbordes réfléchit un instant.

— De tout le monde. C'est le plus simple.

— Il faut pas exagérer, protesta Adèle.

— En fait, c'est un peu compliqué, expliqua l'institutrice: dans certaines familles, il y a des gens des deux tendances.

— Vraiment? s'étonna Jacques. Comment peuvent-ils cohabiter?

— C'est très simple: en s'ignorant. La plupart des garçons du canton qui sont dans la vingtaine font partie du maquis. Vous en avez déjà vu quelques-uns.

— Oui, soupira-t-il. Roger.

Elle émit un petit rire.

— Ils ne sont pas tous du même acabit, mais je dois admettre qu'il est assez représentatif des éléments les plus jeunes.

Lasbordes prit le relais:

— Dans certains cas, non seulement les parents sont d'accord, mais impliqués; dans d'autres, ils le savent, désapprouvent, mais ne disent rien de peur de créer des ennuis à leur fils, et il arrive aussi qu'ils ne s'en doutent pas. Par exemple, pour ce qui est de mes compagnons de manille: chez Coustet, le chef de gare, toute la famille marche ensemble. Même le petit, qui n'a pas douze ans, porte parfois des messages. Chez Burgat, le postier, c'est plus compliqué: le père affiche la neutralité et la mère est une farouche adepte du Maréchal. Le jour où elle apprendra que son précieux Roger est dans le maquis, elle va avoir une attaque.

— Ce sera bien fait pour elle, dit Adèle avec rancune.

— C'est sûr qu'elle ne vaut pas cher, approuva le facteur. Quant au buraliste, il a un petit boulot pépère et il ne veut pas d'emmerdements. Vu qu'il n'a pas d'enfant, rigola-t-il, ça l'aide à ne pas en avoir.

— Et chez Maupas, il y a des enfants? demanda Jacques.

— Ils ont une fille qui est à Toulouse en ce moment. Elle ne sait rien.

— Le maire m'a dit que Pauline distribue des tracts. Pourquoi ne vous en chargez-vous pas avec le courrier?

— Parce que le château marque la limite de ma tournée et le collègue qui fait la tournée voisine préfère Pétain à de Gaulle.

— Tous ces garçons, comment font-ils pour disparaître sans que leurs parents s'en inquiètent ou posent des questions?

— Chacun doit avoir sa méthode, mais j'imagine qu'ils font semblant de courir les filles, supposa Adèle. C'est de leur âge et ça paraît normal.

— Le forgeron, il est de quel bord?

— Lui, on n'arrive pas à savoir de quel bois il se chauffe, répondit Lasbordes, dubitatif. Il en veut à tout le monde.

— Vous m'avez déjà dit de me méfier de Monestié.

— Plutôt deux fois qu'une: marché noir et milice. À éviter comme le choléra.

— Il est le seul à faire du marché noir?

— À cette échelle, il n'y en a pas beaucoup. Comprenez-moi bien : tout le monde en fait un peu, enfin, surtout des échanges. Mais Monestié, il fournit des restaurants à Toulouse. La guerre, il va la finir riche.

L'institutrice intervint.

— Vous vous doutez que les filles ont parlé de vous ce soir. Votre rapport avec les Monestié et la question de savoir si vous êtes venu vous venger est au centre de leurs interrogations, qui doivent, soit dit en passant, refléter celles de l'ensemble du village.

— On aurait dû trouver une autre histoire, déplora Lasbordes.

— Les regrets ne servent à rien, coupa Jacques. Il faut s'arranger avec la situation telle qu'elle est. Maintenant que vous m'avez informé sur ceux que j'ai rencontrés, j'ai une vision plus claire du village. Pour les autres, vous me direz à mesure.

— Il y a quelque chose qui me tracasse, ajouta l'institutrice : tout le monde connaît l'accent de Marseille à cause de films qui ont eu beaucoup de succès avant la guerre, et le vôtre ne lui ressemble pas du tout.

— Le maire l'a également remarqué et il a trouvé une parade : j'ai été élevé en Normandie et je n'ai habité Marseille qu'après.

— C'est sans doute une bonne idée, approuva-t-elle. J'espère que ça suffira.

— Moi, dit Lasbordes, je ne sais pas à quoi ressemble l'accent normand.

— Comme tout le monde. C'est pour ça que c'est une bonne idée. Et vous êtes capable de répondre à des questions sur la Normandie ?

— Maupas doit demander à sa femme de me préparer un topo que je pourrai étudier.

— Parfait.

Adrienne Lascours se leva et tendit la main à Jacques.

— À demain, à la mairie. La permanence commence vers cinq heures et quart, après la classe. Apportez vos papiers, je régulariserai votre situation.

Une fois couché, Jacques, qui repassait la soirée dans sa tête, se rendit compte qu'ils n'avaient finalement pas parlé de l'assassinat. Sans doute parce qu'il n'y avait rien de plus à en dire. Il se demandait s'il allait pouvoir exécuter sa mission, mais il renonça à s'appesantir sur le sujet, car il y avait trop d'impondérables pour qu'il puisse y répondre. Il était en train de glisser dans le sommeil, le visage de l'institutrice flottant dans sa demi-rêverie, lorsque des pas prudents qui passaient dans le corridor le mirent instantanément aux aguets. Il se leva, attrapa son pantalon posé sur une chaise à proximité et l'enfila silencieusement. Puis il alla jusqu'à la porte et tendit l'oreille. Les pas s'éloignèrent. S'arrêtèrent. Plus loin, une porte s'ouvrit et se renferma avec précaution. Puis les ressorts d'un sommier gémirent. Alors, il comprit et se recoucha. *Sacré facteur*, pensa-t-il, *ce n'est pas seulement pour la soupe qu'il reste chez Adèle.*

XIII

Lartigues et Deumier pédalaient vers Fontsavès dans la relative fraîcheur du matin. La veille, le chef avait utilisé le véhicule de fonction parce qu'il s'agissait d'une urgence, mais il avait épuisé les tickets de carburant du mois et préférait garder le reste du réservoir pour une meilleure occasion. De plus, la bicyclette permettrait de poser pied à terre pour bavarder avec les gens de manière moins officielle qu'en arrêtant une voiture, ce qui pourrait faciliter l'enquête. Il avait chargé Compans de la permanence à la gendarmerie, comme la veille, et celui-ci était manifestement content de pouvoir se comporter en petit chef avec Puntous, que Lartigues lui avait adjoint, soi-disant pour l'aider. En réalité, de cette façon, il les neutralisait tous les deux : le malfaisant et l'inutile. Avant de partir, il avait bien recommandé à Compans de ne pas utiliser la voiture, mais il ne lui faisait pas vraiment confiance sur ce point-là non plus, car il le savait capable d'assécher le réservoir en allant parader en ville pour se rendre intéressant. L'idée l'avait effleuré de subtiliser la manivelle, mais il s'en abstint : si par hasard il était indispensable d'intervenir rapidement, il ne fallait pas que Compans en soit empêché.

Les deux gendarmes repassèrent l'affaire dans l'espoir de mettre en relief un élément éclairant sur lequel ils ne se seraient pas attardés, mais rien de tel ne se produisit, et ils parvinrent au village dans le même état d'expectative que la veille. Au moment où ils s'engageaient dans l'allée du capitaine, la vieille Hortense, apparue à sa fenêtre, les héla.

— C'est pas la peine de vous fatiguer à aller jusque chez lui : il n'est pas rentré.

Ils y allèrent quand même et Deumier glissa dans sa boîte aux lettres une convocation lui intimant de se rendre à la gendarmerie de Meilhaurat dès son retour. Quand ils repassèrent devant chez Hortense, elle fit remarquer qu'elle le leur avait dit, ce dont ils n'avaient d'ailleurs pas douté un instant.

Elle ajouta à son commentaire :

— Vous prendrez bien un café, Messieurs les gendarmes.

— Pas aujourd'hui. La prochaine fois.

— L'invitation reste valable pour quand vous voudrez.

— Je n'en doute pas, commenta Lartigues lorsqu'il fut assez loin pour qu'elle ne l'entende pas. Vieille buse !

— On aurait dû accepter, regretta Deumier. Je suis sûr qu'elle sait tout ce qui se passe au village.

— D'accord, se résigna-t-il. On s'arrêtera en revenant de chez Monestié.

La ferme du troisième homme de leur liste était située non loin de là. Ils furent accueillis par un chien qui n'avait aucune ressemblance avec celui de Casalès : il grognait en montrant des dents dissuasives tout en s'approchant lentement des intrus. Une méchante bête qui n'hésiterait pas à les mordre s'ils avançaient.

— Holà, la maison ! cria le chef. Il y a quelqu'un ?

Une femme se présenta à la porte. C'était la mère d'Armand Monestié. La soixantaine avancée, sanglée dans son tablier noir de veuve, elle avait l'air aussi aimable que le chien. Sans perdre son temps en salutations, elle demanda :

— Qu'est-ce que vous voulez ?

— Parler à votre fils.

— Il est au pré. Il fauche.

— Dans ce cas, on va aller l'y rejoindre.

— Il travaille. Il n'a pas de temps à perdre en parlottes.

Sans tenir compte de son commentaire, Lartigues lui demanda où était le champ.

— Je vous ai dit qu'il n'a pas le temps. Revenez à la fin de la journée.

Il allait répliquer vertement lorsqu'une femme plus jeune apparut de l'autre côté de la cour. Un seau à la main, elle venait des porcheries d'où l'on entendait grogner les cochons.

— Vous cherchez mon mari ? demanda-t-elle avec affabilité après les avoir salués.

— C'est bien ça.

— Il fauche au bord du Savès. Prenez le chemin de terre derrière la maison et vous le verrez. C'est pas loin.

Ils la remercièrent et suivirent ses indications. Tandis qu'ils s'éloignaient, ils entendirent sa belle-mère lui faire des reproches.

— Pauvre Fernande, la plaignit Deumier. Elle ne doit pas rigoler tous les jours.

— Surtout que l'autre est chez elle. En tant que belle-fille, elle n'a aucun droit.

Fernande Monestié les avait bien renseignés : ils découvrirent son mari juché sur le siège de la faucheuse tirée par une paire de vaches. Son domestique, un réfugié espagnol dont on murmurait qu'il s'était évadé du camp d'internement de Noé, coupait les bordures à la faux. Lartigues attira l'attention de Monestié en faisant des moulinets avec ses bras. Quand il s'en aperçut, il arrêta les vaches et les attendit. Ils franchirent la partie du pré déjà fauchée, foulant avec plaisir l'herbe odorante jusqu'à ce que Deumier sursaute en jurant : il avait failli marcher sur une moitié de serpent. Partagé par la lame, il frétillait encore.

— Cette saloperie ! J'aurais pu mettre le pied dessus.

— C'est juste une couleuvre et elle n'ira plus bien loin.

— Ça me dégoûte pareil.

Quand Lartigues lui apprit qu'il venait lui poser quelques questions au sujet du garde champêtre, Armand Monestié se montra surpris.

— Je ne vois pas en quoi je pourrais vous aider. Souquet, ajouta-t-il avec mépris, je ne le fréquentais pas.

— Vous n'êtes pas le seul. On est à jeun d'avoir entendu un bon mot à son sujet. Mais enfin, il y avait quelqu'un qui l'aimait encore moins que les autres pour lui mettre une cartouche dans la figure.

— C'est pas moi qui peux vous aider à le trouver.

— Il vous a pourtant envoyé une lettre anonyme.

— Comment? Qu'est-ce que vous racontez?

— La lettre anonyme que vous avez reçue, reprit patiemment Lartigues, c'est lui qui l'a écrite.

— Je n'ai jamais reçu de lettre anonyme, se défendit-il avec une pointe de colère.

— Nous avons la preuve que si.

— La preuve? ricana-t-il. Vous avez une lettre anonyme que j'aurais reçue? Ça m'intéresse. Montrez-la-moi.

— C'est pas nous qui l'avons, c'est vous.

— Ah! Je comprends… Vous en êtes sûrs, mais vous ne l'avez jamais vue. Eh bien, moi non plus. Cette lettre, elle n'existe pas.

— Je suis certain que si, insista Lartigues. Le garde champêtre en a envoyé à plusieurs personnes du village. On a trouvé la liste chez lui. À mesure qu'elles étaient livrées, il barrait le nom. Le vôtre est barré.

— Et c'est ça votre preuve?

Il rigolait franchement.

— Je n'ai rien reçu, et je suis curieux de voir comment vous allez prouver le contraire. Maintenant, si ça ne vous fait rien, je continue de faucher. J'ai du travail, moi.

D'un claquement de langue, il remit son attelage en branle et salua les représentants de l'ordre en soulevant légèrement son béret.

— À la revoyure, Messieurs les gendarmes!

— En plus, il se fout de nous, râla Lartigues tandis qu'ils retraversaient le pré.

— Et nous, on se fout de ce qu'il dit, répondit Deumier avec désinvolture. Il nous a menti? La belle affaire! Le maire aussi a menti et tous les autres mentiront aussi. Ce qu'il faut trouver, c'est ce que Souquet avait découvert sur chacun de ces hommes. Comme ça, on verra ce qui était assez grave pour qu'il se fasse descendre.

— Je suppose que tu suggères une tasse de café chez la belle Hortense ?

— Je ne crois pas qu'on puisse l'éviter.

Celle que par dérision Lartigues appelait la belle Hortense l'avait peut-être été en son temps, mais pour lors, percluse de rhumatismes, elle était cassée en deux et se déplaçait en s'appuyant lourdement sur une canne. Cependant, l'œil était resté vif, l'oreille fine et la curiosité intacte. Enchantée qu'ils aient changé d'avis, elle les fit asseoir à sa table de cuisine et s'empressa de raviver un feu mourant pour réchauffer le contenu d'une casserole.

— C'est pas du vrai café, s'excusa-t-elle.

— Personne n'a plus de vrai café depuis des années, Hortense.

— Je veux dire qu'il n'y en a pas du tout. Au début, c'était moitié café et on complétait avec de la chicorée. Puis le café a diminué et on l'a remplacé par ce qu'on avait : des pois chiches, des haricots… Maintenant, c'est plus que de la chicorée et de l'orge. C'est bien mauvais. J'ai honte de vous offrir ça. Et sans sucre, en plus !

— On a l'habitude. Chez nous, on boit la même chose.

— Ah bon ? J'aurais cru que des gendarmes… Mais il ne faut pas imaginer que c'est partout pareil : il y en a qui se débrouillent pour manquer de rien. J'en connais… Les Monestié, par exemple. Vous arrivez bien de chez eux ?

Elle attendit une confirmation qui ne vint pas, les deux hommes ayant convenu de ne pas alimenter ses ragots. Elle leur raconterait de toute façon tout ce qu'elle savait ou croyait savoir. Et en effet, elle enchaîna :

— Ils ne se privent pas. Et ils s'enrichissent. Vous êtes au courant pour le marché noir ?

— Je suppose qu'ils vendent des œufs et quelques lapins, comme tout le monde, glissa Deumier.

— Ah ! triompha-t-elle. C'est ce que vous croyez ! Elle baissa la voix et annonça : ils font de l'abattage clandestin.

— Comme vous y allez… C'est grave ça.

— J'en suis sûre, se rebiffa-t-elle. Et je peux même vous dire que c'est une fois par semaine, tous les samedis. Ils font ça le soir. Et pendant la nuit, ils ont de la visite : une voiture qui vient. Je ne la connais pas, mais je la reconnais quand même, d'une fois à l'autre : une conduite intérieure noire.

— Eh bien, si on se doutait…

— Vous ne dites pas que c'est moi qui vous l'ai appris, hé ? On est voisins, tout de même. Je ne voudrais pas me fâcher. Et à propos de voisins, le capitaine… Vous avez envie de le voir aussi, le capitaine ? Ça ne m'étonne pas. Il n'est pas trop catholique, ce paroissien-là.

— Il y a longtemps qu'il habite la maison ?

— Il s'est installé en 42. À la mort de la vieille Castex, les héritiers ont vendu. Il dit à peine bonjour, vous savez ? Il ne s'arrêterait jamais pour parler un peu.

Elle baissa de nouveau la voix, signe qu'une information allait suivre.

— Il reçoit des gens la nuit.

— Lui aussi il fait de l'abattage ?

— Pensez-vous ! Il n'a même pas de poules. Non : c'est des hommes qui viennent en se cachant. Je ne vois jamais leur figure. Et ils repartent très tard.

— Vous ne dormez jamais ?

— Oh, quand on est vieux, on ne dort plus guère. Et puis je fais une petite sieste l'après-midi. Vous avez trouvé qui a tué Exupère Souquet ? enchaîna-t-elle.

— Pas encore, mais on cherche.

— Et vous cherchez chez Monestié et le capitaine ?

— Pas du tout : on parle avec tout le monde pour vérifier si les gens ont remarqué quelque chose. Sur le garde champêtre, vous ne savez rien ?

— Que personne ne l'aimait, mais je suppose que ce n'est pas une nouvelle.

— En effet, confirma Lartigues en se levant. Merci pour le café, Hortense. *Adieusiàtz!*

— Je peux quand même vous dire qui le détestait le plus dans le village, ajouta-t-elle alors qu'ils franchissaient la porte.

Ils s'arrêtèrent comme un seul homme. Elle chuchota presque :

— Élie Pradet. Exupère racontait partout que c'était son demi-frère et l'autre, ça le rendait fou.

— Il avait commencé récemment de dire ça ?

— Oh non ! Ça date de la communale.

— Ah… Eh bien, merci pour tout.

— Tu vois que j'avais raison, triompha Deumier. On aurait pu courir longtemps avant d'apprendre tout ça par nous-mêmes.

— Si on résume, Monestié fait du marché noir à grande échelle et Fournier est impliqué dans la résistance. Les hommes qui viennent la nuit et se cachent, c'est forcément des maquisards.

— Et n'oublie pas que le maire en fait sans doute partie lui aussi.

— On est dans un beau merdier. Il faut que je fasse un rapport à la préfecture. Hier, j'ai simplement signalé le meurtre. Je ne sais pas ce que j'espérais. Qu'un miracle règle tout pendant la nuit, peut-être ? Tu comprends que si je leur parle des lettres anonymes, ils vont penser qu'on n'est pas assez malins pour résoudre l'affaire et ils nous enverront quelqu'un. Si nous on est arrivés si vite au maquis, le type de Toulouse y arrivera aussi. Hortense se fera un plaisir de lui raconter tout ce qu'il voudra. Et si l'information tombe dans de mauvaises mains…

— Tu as raison. Ça ne va pas bien. Mais il nous reste toute la journée. Il faudrait qu'il ait été tué par quelqu'un d'étranger à la résistance.

— Monestié ?

— Pourquoi pas? Il aurait beaucoup à perdre si son trafic était dénoncé. Mais la garenne est bien loin de chez lui. Du côté de sa ferme, il y a des tas d'endroits qui auraient convenu.

— On a oublié de lui demander s'il avait un fusil. Au maire aussi, d'ailleurs.

— Pour ce que ça aurait changé… Tu sais bien qu'il y en a dans chaque maison, mais ils te diront tous le contraire.

— Évidemment. Il nous reste à voir le chef de gare. Je me demande ce qu'il va nous raconter comme bobard, celui-là.

— Et on n'a pas non plus interrogé les voisins du lieu du crime. Ils ont peut-être vu ou entendu quelque chose.

— Ça m'étonnerait que Merly soit moins sourd qu'hier.

— Mais il a une petite-fille qui est dégourdie. Et puis, je suis curieux de découvrir ce que Pradet va nous raconter.

XIV

Pendant que les gendarmes roulaient vers la gare, le capitaine descendait du train de Toulouse. Au soulagement de Coustet, le chef de gare, Fournier était le seul passager pour Fontsavès, ce qui lui permit de le mettre au courant en toute discrétion. Il lui apprit l'assassinat du garde champêtre ainsi que la découverte que le mort était l'auteur de leurs lettres anonymes et qu'il avait laissé une liste de ses destinataires.

— Lasbordes avait raison de le soupçonner : c'était lui le corbeau. Et maintenant, avec les gendarmes, on est emmerdés.

— Ils sont venus chez vous ?

— Non, mais ça va pas tarder. Je ne sais pas quoi leur dire, moi. J'y ai pensé toute la nuit. Je crois que le mieux, c'est de faire comme si je ne l'avais pas eue, cette putain de lettre. Après tout, ils ne peuvent pas le prouver.

— Écoutez, je viens juste d'apprendre tout ça et je n'ai pas eu le temps d'y réfléchir. Au lieu de rentrer à la maison, je vais chez le maire. Je m'arrêterai en revenant et on en reparlera.

Suivi du regard inquiet de Coustet, il s'éloigna sur sa bicyclette, qu'il laissait à la gare lorsqu'il prenait le train. Au château, il trouva Jacques dans le bureau de Maupas. Le jeune homme, qui ne commencerait de travailler que le lendemain et n'avait aucune obligation avant l'ouverture de la mairie, avait pensé que c'était le moment idéal pour se renseigner sur la Normandie. Il avait enfourché son vélo et, arrivé à la forge, avait salué Daguzan en disant : *Je vais faire un tour pour voir s'il roule bien.* Il avait ensuite désigné la route devant lui.

— Par là, où ça mène ?

— À Saint-Sabin.

— Va pour Saint-Sabin. Ça me fera découvrir le pays.

En réalité, grâce à Adèle Fourment qui lui avait fourni les indications voulues, il savait où il allait, et également comment rejoindre le chemin du château dont celui qu'il empruntait l'éloignait. Reçu par madame Maupas, qui lui remit une feuille résumant l'histoire et la géographie de la Normandie, il discutait de la situation à Fontsavès avec le maire lorsque le capitaine survint.

— Il s'est passé du propre pendant que je n'étais pas là, dit celui-ci en guise d'introduction.

— Oui, et ça tombe mal, confirma le maire. On est obligés de tout mettre en suspens alors qu'il est urgent d'apprendre aux gars le maniement du matériel parachuté. Vous savez que les gendarmes vont vous interroger au sujet de la lettre anonyme ? Qu'allez-vous leur dire ?

— J'y ai pensé en montant de la gare. Je vais suivre la suggestion de Coustet : prétendre que je ne l'ai pas eue.

— Mais ils ont une liste, et les noms de ceux qui en ont reçu une sont barrés.

— Leur liste n'est pas une preuve. Et vous, qu'est-ce que vous avez dit ?

— Moi, j'ai été pris de court : la seule chose qui m'est venue à l'esprit est qu'il m'accusait de tromper ma femme.

— Avec qui ?

— J'ai refusé de répondre. J'ai aussi prétendu que j'avais détruit la lettre, ce que je me suis empressé de faire après leur départ.

— Quand madame Maupas va l'apprendre, ça lui fera plaisir, ricana le capitaine.

— Je le lui ai dit.

— Et alors?

— Elle l'a mal pris.

— Ça va de soi. Vous auriez pu vous en douter.

— C'est facile de critiquer quand on a le temps de préparer sa réponse.

Jacques, qui trouvait l'échange oiseux, intervint.

— Votre séjour à Toulouse a été utile?

— Oui. On m'a fourni le plan d'action que nous devrons suivre dès que le débarquement aura eu lieu.

— Vous avez le document sur vous?

— Non. Ne soyez pas inquiet: on n'est pas des amateurs. Je l'ai étudié par cœur avant de le détruire. J'ai eu aussi la confirmation de ce que cachent les articles de *La Dépêche* sur *Le terrorisme et sa répression*. Ils disent que les Allemands prennent des bandits, comme ils les appellent, et que certains sont tués et d'autres faits prisonniers. En réalité, ils trouvent rarement les maquisards, et c'est aux populations civiles qu'ils s'attaquent. Ce qui se passe est terrible: la *2ᵉ SS Panzerdivision Das Reich* est d'une cruauté difficile à imaginer.

Et il fit aux deux hommes horrifiés le récit des événements ayant eu lieu le 2 mai à Montpezat-de-Quercy, un bourg de quinze cents habitants situé près de Caussade, à quatre-vingts kilomètres au nord de Toulouse. Un léger accrochage entre des maquisards et une patrouille SS s'était produit à deux kilomètres de là, et les SS n'avaient pas pu capturer les partisans. Furieux, ils s'étaient vengés sur les habitants du village le plus proche. Des petits groupes de SS armés avaient fait sortir les gens des fermes et mis le feu aux bâtiments. Les douze maisons d'un hameau avaient brûlé et une femme qui vivait là avait été abattue sans raison apparente alors que son fils de quinze ans était arrêté. D'autres SS avaient systématiquement vidé et pillé une habitation, qu'ils avaient incendiée par la suite. Le contenu, essentiellement du linge et des meubles, avait été chargé dans un camion par des soldats pendant que leurs compagnons tenaient en joue la population rassemblée sur la place. Ils avaient ensuite mis le feu au presbytère et menacé le curé de l'abattre s'il ne révélait pas où était le dépôt d'armes. Il n'avait pas pu leur répondre, mais ils l'avaient épargné quand même, nul ne savait pourquoi : il n'y avait rien de rationnel dans leurs agissements. Deux autres maisons avaient été pillées puis brûlées dans des rues voisines, et dans une troisième, de manière incompréhensible, ils avaient saisi un grand-père et sa petite-fille pour les jeter dans le brasier sous le regard du reste de la famille. Après ces hauts faits d'armes, ils étaient repartis en emmenant vingt-deux hommes dont on avait appris par la suite qu'ils avaient été battus puis déportés.

— Ce scénario s'est répété dans une quinzaine de villages du Lot, ajouta le capitaine. L'objectif de l'opération était de purger le département de ses maquis, mais c'est seulement la population qui en a souffert. Ils ont rassemblé à Montauban beaucoup d'hommes, quelques femmes, des enfants et des vieillards, et ils les ont entassés dans les bâtiments de la caserne Doumers transformée en prison où ils les ont frappés et torturés. Ils en ont fusillé certains et déporté d'autres.

— C'est monstrueux, dit Jacques, en état de choc. Ce qu'ils font là, ce ne sont pas des actes de guerre, c'est de la pure barbarie.

— Et croyez-moi, c'est pas fini. Quand ils vont sentir qu'ils ont perdu, leur férocité n'aura pas de limites.

— Est-ce qu'ils sont tous cantonnés dans cette région-là ?

— Non. Il y a un détachement de la *2ᵉ SS Panzerdivision Das Reich* pas très loin de Fontsavès. À Lannemezan. Il y aurait entre mille et mille cinq cents hommes. Si l'enquête sur la mort de Souquet conduit les gendarmes à supposer qu'il y a un maquis ici et que quelqu'un les en informe, les SS vont venir.

— Que pensez-vous des gendarmes ?

— Ils ne sont pas engagés avec nous, loin de là, répondit le maire, mais le fils de Lartigues, le chef, est des nôtres et son père ne fera rien qui puisse lui nuire. C'est sans doute pour ça qu'il s'occupe personnellement du crime avec Deumier qui est un vieil ami à lui. Puntous, le compagnon habituel de patrouille de Deumier, n'est pas méchant, mais il est si bête qu'il peut causer involontairement des problèmes. Quant à Compans, le quatrième gendarme de

Meilhaurat, il fréquente les miliciens. C'est de lui que vient le plus grand danger.

— Expliquez-moi comment vous êtes organisés.

Le capitaine prit le relais :

— Dans la forêt de Fontsavès, il y a un ancien pavillon de chasse. Il appartenait aux propriétaires d'un château qui a brûlé au siècle dernier avec ses occupants. Il est désaffecté depuis longtemps, mais on l'a remis en état. C'est le camp de base. Certains hommes ne se montrent jamais au village parce qu'ils sont hors la loi. Ce sont des réfractaires au *Service du travail obligatoire en Allemagne* et quelques déserteurs : il y en a un qui vient de la gendarmerie française et trois de l'armée allemande. Les anciens soldats sont deux Alsaciens et un Slovène qui avaient été incorporés de force dans la Wehrmacht. Ils ne quittent le camp que pour des coups de main et des sabotages. D'autres, comme ceux que vous avez vus et qui sont les plus jeunes, vivent chez leurs parents et font des allers et retours selon les besoins. Ils sont chargés du ravitaillement et s'en acquittent très bien parce que les gens les connaissent et ont confiance en eux. Si ces couillons avaient escamoté le parachute, personne n'aurait entendu parler de vous et je vous y aurais conduit tout de suite pour que vous puissiez remplir votre mission et repartir rapidement. Mais là, vu les circonstances, vous ne devez pas disparaître du village sous peine de créer de gros ennuis à Adèle.

— Je sais, on me l'a expliqué. Vous ne pourriez pas aider les gendarmes à trouver le meurtrier pour accélérer un peu les choses ?

Les deux hommes acquiescèrent, mais Jacques eut le sentiment qu'ils avaient échangé un regard avant de lui répondre. Cela avait été si rapide qu'il n'en était pas sûr. Il se demanda si les maquisards n'avaient pas exécuté le garde champêtre qui les menaçait. Cependant, l'impression avait été si fugitive, et ils s'étaient mis à parler de la dernière émission de radio Londres avec un tel naturel, qu'il avait pu se tromper.

Madame Maupas frappa à la porte du bureau.

— C'est l'heure du repas. Voulez-vous manger avec nous ?

Jacques et le capitaine acceptèrent volontiers, et la conversation, en se transportant à table, prit un tour moins tragique. L'hôtesse voulait entendre parler de Londres et Jacques, pour satisfaire sa curiosité, raconta comment les Anglais s'étaient comportés pendant le blitz.

— Quand les bombardements ont commencé, en septembre 40, tout le monde avait peur, mais après quelques mois, cela faisait partie de la vie quotidienne. Lorsqu'ils entendaient le bruit de vieux moteur qui annonçait les bombes volantes, les gens se précipitaient sur le sol pour éviter les éclats de verre des fenêtres et des vitrines, puis, quand c'était fini, ils se relevaient, s'époussetaient et poursuivaient leur chemin comme s'il ne s'était rien passé.

Chacun admira le célèbre flegme britannique, que l'anecdote de Jacques illustrait si bien, puis, le repas terminé, on sortit boire le café sur la terrasse. Après avoir trempé les lèvres dans le breuvage qui le fit grimacer, le maire demanda à la bonne d'aller chercher la bouteille d'Armagnac.

— Je ne voudrais pas que vous restiez sur une mauvaise impression, dit-il en servant ses invités.

XV

Le capitaine avait à peine disparu de la vue de Coustet que Lartigues et Deumier se présentaient à la gare.

— Quand on parle du loup… marmonna-t-il.

Lorsqu'ils arrivèrent à lui, il avait eu le temps de se composer un visage avenant.

— Bonjour, Messieurs les gendarmes! Vous en avez assez du vélo? Vous avez décidé de prendre le train?

— Non. On est juste venus voir le chef de gare.

— Oh oh! Et qu'est-ce que vous lui voulez, au chef de gare? Qu'il vous donne un horaire de train?

— Arrêtez de faire le mariolle, Coustet, et montrez-nous la lettre anonyme.

Un comédien n'aurait pas mieux joué la stupéfaction. Il nia avoir reçu une lettre, sembla tomber des nues au sujet de la liste et ne voyait vraiment pas sur quoi Souquet aurait pu le faire chanter, lui qui était innocent comme l'enfant qui vient de naître. Quant au fusil, non seulement il n'en avait pas, mais il n'en avait jamais eu : il n'était pas chasseur. Il n'aimait pas tuer des bêtes sans nécessité. Convaincus qu'ils n'en tireraient rien, les gendarmes n'insistèrent pas et reprirent la route en lançant tout de même :

— Si la mémoire vous revient, vous savez où nous trouver.

— Mais puisque je vous dis…

— Et lui, demanda Lartigues à son équipier, qu'est-ce qu'il fait à ton avis?

— Avec tous les va-et-vient de la gare, il est aussi bien placé pour le marché noir que pour la résistance.

— Alors, il pourrait faire équipe avec Monestié ou avec le maire et le capitaine. Ou même les deux.

— Ça m'étonnerait que les deux activités aillent ensemble. C'est sans doute l'une ou l'autre. Et il nous reste Cambelève et Poumès qui ne sont pas barrés sur la liste.

— Pour le meunier, on sait: il met une quelconque saleté dans la farine. Et le boulanger est forcément complice: si quelqu'un est capable de distinguer la vraie farine de la cochonnerie, c'est bien celui qui fait le pain. Je parierais que ces deux-là trafiquent ensemble et s'en mettent plein les poches sur le dos du pauvre monde.

— De belles ordures!

— Je ne te le fais pas dire. Mais ils n'ont pas tué Souquet puisqu'ils ne savaient pas qu'il avait découvert leur sale trafic.

— Ne nous en plaignons pas: quatre suspects, c'est déjà beaucoup trop.

Ils commencèrent leur interrogatoire des voisins de la garenne par Merly dont ils obtinrent des résultats aussi peu probants que ceux du jour d'avant. Cette fois Mariette était présente, mais elle ne leur fut pas plus utile que son grand-père. L'adolescente n'avait rien vu ni entendu de particulier dans la journée, ni le dimanche ni le lundi; quant à la nuit, elle la passait à dormir et n'imaginait pas qu'il pût exister un bruit assez fort pour la réveiller.

La maison de Pradet était toute proche. Ils le trouvèrent en train de tirer un seau d'eau du puits.

— Elle a l'air fraîche cette eau, dit Lartigues. Avec cette chaleur, j'en boirais bien un verre.

Malgré son envie de les envoyer au diable, Pradet ne put refuser et fut obligé de les faire entrer. La maison, pourvue d'un étage, et à laquelle on accédait par un perron, attestait une ancienne prospérité dont on ne voyait pas trace sur le propriétaire actuel. Les parents d'Élie Pradet s'étaient pliés à la coutume de l'enfant unique, répandue dans le Sud-Ouest, et destinée à éviter le morcellement des terres provoqué par les héritages. Dans certains cas, comme chez Monestié, le calcul avait réussi : Armand disposait d'une ferme riche et étendue. Dans d'autres, lorsque le fils était mort à la guerre précédente, ou que la fille n'avait pas trouvé de mari à cause de cette même guerre qui avait tué tant d'hommes, ou bien, comme ici, que le garçon était resté célibataire, la propriété tombait en quenouille, faute d'héritier pour assurer la suite. À moins que des étrangers viennent s'y installer. Dans les années 20, beaucoup d'Italiens avaient repris des fermes abandonnées, mais maintenant, après avoir été ennemis, il était difficile d'imaginer qu'ils seraient bien accueillis. Des Espagnols, peut-être, si on les laissait sortir des camps où on les avait enfermés lorsqu'ils avaient fui l'Espagne de Franco. Pradet, qui ne s'était pas marié, était le dernier de sa famille et il ne fallait pas compter sur les vagues cousins de Toulouse pour venir cultiver ses champs. Ceux-ci s'ajouteraient peut-être aux terres voisines de Maupas, à moins qu'ils ne finissent en friche.

Les gendarmes entrèrent à la suite du paysan. Dans l'âtre, sur un trépied, une marmite dont le couvercle se soulevait en chuintant laissait échapper une odeur de chou.

— Elle sent bon, votre soupe, dit Deumier pour l'amadouer.

Insensible à la flatterie, Pradet ne répondit pas. Il posa deux verres sur la table, plongea une petite casserole dans le seau d'eau et remplit les verres à la stupéfaction des gendarmes. À cette heure-là, et même souvent plus tôt, tout le monde leur aurait offert du vin, mais Pradet les avait pris au mot et leur avait servi le verre d'eau réclamé, qu'ils durent boire sous son regard narquois. Mais cela ne l'amusa pas longtemps, et c'est d'une voix rogue qu'il leur demanda :

— Qu'est-ce que vous voulez ?

— Savoir si vous avez entendu quelque chose dimanche ou lundi, ou alors pendant la nuit entre ces deux jours-là. Une chose qui pourrait nous aider à trouver qui a tué le garde champêtre.

— Pendant le jour, non, mais la nuit, il s'en est passé de belles ! Le maire n'a pas voulu que je vienne vous le dire et il a promis de payer les dégâts, mais il n'est pas pressé, et s'il ne se décide pas, je vais porter plainte, moi.

— De quoi vous parlez ?

— Du parachutage, pardi ! Dans mon champ de luzerne. Ils en ont fait, du saccage, je vous le garantis.

— Vous les avez vus ?

— Non, je m'en suis aperçu le lendemain. Sinon, je leur aurais chauffé les fesses.

— Avec des cartouches de sel ? supposa Deumier.

— Ou de plomb.

— Vous avez donc un fusil.

L'autre sursauta.

— Bien sûr que non ! Je l'ai porté à la mairie, comme tout le monde.

— Et avec quoi vous auriez tiré sur les gars qui s'occupaient du parachutage ?

— Je n'aurais pas pu. C'était façon de parler. Avant la guerre, oui, mais maintenant, c'est plus possible sans fusil.

— Avant la guerre, fit remarquer Lartigues, il n'y aurait pas eu de parachutage.

Pradet s'énerva.

— Vous me mélangez avec vos questions. Je ne sais rien, moi. Allez-vous-en !

— C'est bon, on s'en va.

Tout en se dirigeant vers la porte, Deumier glissa :

— Les gens disent que vous n'aimiez pas beaucoup Souquet.

— Ils disent n'importe quoi. Ils devraient se mêler de leurs affaires.

— Et Souquet, il prétendait qu'il était votre demi-frère.

Là, il se mit vraiment en colère. Il les poussa dehors en gesticulant et en criant :

— C'est pas vrai ! C'est pas vrai ! Mon père, il ne serait jamais allé avec cette, avec cette…

Ils n'entendirent pas la suite parce qu'il avait claqué la porte derrière eux.

— Quelle méchanceté ! s'exclama Lartigues.

— Et avare, avec ça.

— Ça ne m'étonnerait pas qu'il soit capable de tuer quelqu'un.

— Moi non plus. Mais le Souquet, il l'emmerdait depuis la communale, il n'avait pas de raison de le descendre maintenant.

— Bon, à part Fournier, on les a tous vus. On rentre à Meilhaurat, ça va être l'heure de dîner.

— Sais-tu, Ferdinand, il y a quelque chose qui me turlupine…

— À propos de Pradet ?

— Non. De son champ de luzerne.

— Qu'est-ce qu'il a, son champ ?

— La ferme de Pradet touche à la garenne, donc le champ de luzerne n'est pas loin.

Lartigues pâlit.

— Tu veux dire que le garde champêtre a peut-être vu les gars qui récupéraient le parachutage et que ce sont eux qui l'ont fait taire ?

— C'est pas impossible. On est partis du principe qu'il s'est fait tuer parce qu'il envoyait des lettres anonymes. Mais le maire nous a dit que la sienne ne contenait pas de menaces, et dans celle qui était en préparation pour le meunier, il n'y en avait pas non plus. Alors, s'ils ne se sentaient pas en danger, pourquoi ceux qui en ont reçu une l'auraient tué ?

— On va s'arrêter boire un coup chez Amagat. J'ai besoin d'un remontant.

XVI

À la gendarmerie, Marcel Compans attendait son chef avec une nouvelle qui l'excitait au plus haut point : un certain monsieur Guyard, représentant du préfet en route pour la sous-préfecture, s'était arrêté à Meilhaurat dans la matinée. Il voulait des détails sur ce meurtre de Fontsavès au sujet duquel le rapport reçu à Toulouse le matin même ne précisait rien. Faute d'avoir pu rencontrer les responsables de l'enquête qui étaient sur le terrain, il s'arrêterait au retour, en fin d'après-midi. Compans se fit un plaisir de décrire l'homme : tiré à quatre épingles, méprisant vis-à-vis des campagnards, il avait regardé Puntous et Compans de haut et avait émis une remarque désobligeante sur la capacité qu'il leur prêtait de résoudre l'affaire.

— Je peux vous assurer, chef, que c'est un type à histoires. Je l'ai senti tout de suite.

Le ton se voulait compatissant, mais Lartigues ne s'y trompa pas : le visage chafouin de son subordonné cachait mal son ravissement à la perspective de voir son chef jugé incapable et, qui sait, on peut toujours rêver, rétrogradé. Si la place devenait vacante, pourquoi ne serait-ce pas lui, Compans, qui serait appelé à l'occuper ?

— Eh bien, on le recevra, le Toulousain, dit Lartigues avec une indifférence bien imitée.

— Ça ne vous inquiète pas ? s'étonna Compans.

— Pourquoi ça m'inquiéterait ? C'est pas moi qui l'ai tué, le garde champêtre.

L'autre resta bouche bée tandis que Puntous éclatait de rire :

— Vous êtes rigolo, chef !

Deumier rit à son tour et Lartigues s'y mit également. Compans finit par esquisser un ricanement, puis il coiffa son képi et sortit en disant :

— Puisque vous êtes revenus, je vais manger.

— Vas-y toi aussi, dit Lartigues à Puntous.

Lorsqu'ils furent seuls, Lartigues et Deumier cessèrent d'afficher un contentement qu'ils ne ressentaient pas.

— Il faut que je lui fasse un rapport détaillé et que je le mette par écrit pour qu'il puisse l'emporter.

Il soupira à fendre l'âme.

— Écrire, c'est pas mon fort.

— Tu n'as pas le choix. Cette fois, tu ne peux pas demander à Compans.

— Je sais bien.

Ils avaient tous les deux la mine en berne.

— Il faut d'abord que tu commences par choisir ce que tu passes sous silence.

— C'est simple : pour le maire, je ne parle pas de sa femme qui s'intéresse à la Normandie, pour le capitaine, je ne dis pas qu'il reçoit la nuit des hommes qui se cachent, et évidemment, j'oublie le parachutage et le neveu d'Adèle, énuméra Lartigues.

— Et pour Coustet ?

— On ne sait rien de toute façon.

— Monestié ?

— Lui, je le charge avec son marché noir. Comme ça, ils verront qu'on a trouvé quelque chose. Bon, je m'y mets.

Il sortit un papier officiel, ouvrit l'encrier et y trempa sa plume.

— Tu ne penses pas que tu devrais faire un brouillon ? suggéra son acolyte.

— En effet, ce serait mieux.

Il reposa le porte-plume, tailla un crayon avec son canif, prit une circulaire imprimée d'un seul côté et se prépara à écrire.

— Alors, tu commences ?

Lartigues rythma une marche militaire avec le crayon. Le martèlement réveilla un gros chat roux qui dormait sur une table poussée contre le mur. L'animal sauta sur le bureau du chef qui le caressa distraitement.

— Je ne sais pas comment l'expliquer. Je n'y arriverai jamais. Tiens ! dit-il au chat en lançant le crayon à travers la pièce. Tu t'en serviras mieux que moi.

Le chat bondit vers le crayon, le fit rouler d'une patte pleine d'espoir, essaya de l'autre et dut se résigner : l'objet refusait de participer. Il s'en détourna avec dédain et s'installa sur une pile de circulaires opportunément placées dans un rayon de soleil.

— Il faudrait que quelqu'un te donne un coup de main.

— Oui, mais qui ?

Le silence accablé fut soudain interrompu par la voix triomphante de Deumier.

— Bernard !

— Mais bien sûr ! Comment ça se fait que je n'y ai pas pensé tout seul ?

Avec ses deux fils dans le maquis, le docteur ne refuserait pas de les aider. Et lui, il était instruit, il saurait trousser un rapport.

Lartigues décrocha le téléphone sur-le-champ. Madame Guiraud lui répondit que son mari était chez un patient et promit de l'envoyer à la gendarmerie dès son retour. Il insista beaucoup sur le caractère d'urgence de sa demande, mais il n'était pas certain de l'avoir convaincue : tous ceux qui appelaient le médecin devaient prétendre la même chose et elle avait employé, pour le rassurer, un ton de secrétaire professionnelle qui ne lui disait rien qui vaille.

— Écoute, Isidore, je vais l'attendre chez lui, décida-t-il soudain. Comme ça, je suis sûr de ne pas le manquer.

Il glissa dans la poche de sa veste la circulaire qui servirait de brouillon et laissa Deumier de garde à la gendarmerie. Madame Guiraud leva les yeux au ciel quand il frappa à sa porte.

— Je vous avais dit que je l'avertirais. Vous pouviez me faire confiance, tout de même.

— C'est tellement pressé que je ne voulais pas perdre de temps.

— Alors, asseyez-vous.

Elle lui servit un verre de vin et reprit son raccommodage en dissertant sur l'impossibilité de trouver de la laine pour confectionner de nouvelles chaussettes.

— Regardez ça, dit-elle en montrant son travail, ce ne sont plus que des reprises qui tiennent ensemble. Mais je ne vais pas me plaindre, continua-t-elle, on est mieux lotis que d'autres : souvent, les gens paient Bernard en nature. Au lieu de sous, qu'on ne pourrait de toute façon pas dépenser parce qu'il n'y a rien à acheter, il rentre avec la moitié d'un lapin ou un morceau de beurre. Ma sœur, qui vient de Toulouse le dimanche chercher quelques provisions, nous raconte que là-bas, c'est terrible : ils n'ont rien, les gens sont maigres à faire peur.

La femme du médecin était bavarde, ce qui évita à Lartigues l'effort de trouver quelque chose à lui dire. Il l'encourageait de temps à autre d'une onomatopée et elle continuait son monologue sans faiblir. Il en était à son deuxième verre de vin lorsque Guiraud arriva.

— Salut, Ferdinand ! Tu as vu que la salle d'attente était pleine et tu resquilles ? C'est un abus de pouvoir, dis donc.

— Arrête de déconner. C'est important.

— Bon, viens.

Il l'entraîna dans son cabinet de consultation.

— Eh, Bernard, s'offusqua sa femme, c'est largement l'heure de dîner.

— Je m'occupe de Ferdinand et j'arrive. Ça ne devrait pas être bien long.

Ce le fut quand même un peu. Il fallut d'abord que Lartigues raconte les véritables résultats de l'enquête à un Guiraud qui s'assombrissait de plus en plus.

— Tu as entendu parler des ravages que les Allemands ont fait dans le Lot ? demanda-t-il au gendarme.

— Oui. Il n'y a rien d'officiel, mais on le sait quand même. S'ils apprennent qu'il y a un maquis dans la forêt de Fontsavès, ils vont venir massacrer tout le monde.

— Voyons ça. Les trafics de Monestié ne devraient pas être difficiles à prouver, je suppose ?

— Non. Il suffit de se planquer et d'intervenir au bon moment. Hortense nous a donné son emploi du temps.

— Le problème, c'est les autres. Il faut éviter tout ce qui suggérerait une appartenance au maquis. Le maire a été bien inspiré avec son cocufiage, mais Coustet, qui nie avoir reçu la lettre, c'est plus ennuyeux parce que ça oblige à faire une enquête qui pourrait mener au mauvais endroit. Quant au capitaine, je serais surpris qu'il soit accommodant. Les militaires…

— De toute façon, on ne peut pas leur trouver un motif, là, comme ça. Développe le cas de Monestié et passe vite sur les autres. Et surtout, ne parle pas de Pradet et de son champ de luzerne.

Le docteur se mit au travail. Quand il eut terminé, il relut son texte à haute voix, y apporta quelques modifications à la demande de Lartigues, puis le lui remit.

— Voilà, tu n'as plus qu'à recopier.

— Merci, Bernard.

— On est dans la même galère, tu le sais bien.

XVII

Après avoir trouvé un prétexte pour écarter Puntous et Compans, Lartigues et Deumier commentaient la visite du représentant de la préfecture. Guyard n'était venu qu'en fin d'après-midi et ils avaient eu le temps de passer par tous les stades de l'appréhension à la franche inquiétude en attendant son arrivée.

Le fonctionnaire était entré en disant :

— C'est vous, Lartigues ? J'espère que vous avez abouti à un résultat.

— Oui et non.

— Ça signifie que vous n'avez pas trouvé le meurtrier ?

— Pas encore.

— Pourtant, ça ne devrait pas être compliqué. En général, ce sont les proches qui tuent.

— Il n'avait aucune famille.

— Des ennemis ?

— Personne ne l'aimait.

— Alors, ça doit être un voisin.

— Sa maison était isolée.

— Mais sa terre était bien limitrophe de celle de quelqu'un d'autre. C'est de ce côté-là qu'il faut chercher.

— Il envoyait des lettres anonymes.

— Encore plus simple. Qui en a reçu?

Lartigues, à qui la vitesse de l'échange donnait le tournis, lui tendit le rapport.

— C'est tout écrit là.

Son vis-à-vis parcourut le document.

— Vous pouvez au moins épingler le trafiquant. Qu'est-ce que vous avez prévu?

— D'y aller samedi soir au moment de l'abattage. On le prendra sur le fait.

— Non. Plus tard. Planquez-vous près de chez lui et intervenez quand le client sera là: vous les aurez tous les deux.

— Ça va être difficile de se cacher. Si on est trop près, le chien nous sentira, et si on est loin, on ne verra rien.

— Installez-vous chez votre source et attendez que la voiture passe. Et si c'est Monestié le meurtrier, l'affaire est réglée. Quoique, si j'ai bien compris, on a trouvé le corps très loin de sa ferme. Il n'avait aucune raison d'aller par là.

— Sauf pour un rendez-vous.

— Et il aurait traversé tout le village avec un fusil? Enfin, on verra bien ce qu'il racontera à l'interrogatoire.

— Je vous avertis qu'il est coriace.

— Il le sera moins après avoir passé deux jours au trou. On le mettra avec les porteurs de valises pris à la gare avec leurs pommes de terre et leurs jambons. Et les autres?

— Le maire dit que la lettre l'accusait d'adultère, mais il prétend que c'est faux.

— C'est dans le rapport, je sais lire. Ce que je vous demande, c'est si vous le croyez.

— Vrai ou pas, je ne pense pas qu'il aurait tué pour ça. Sa femme fréquente beaucoup l'église. Elle lui aurait pardonné.

— Le chef de gare?

— Lui, comme il affirme qu'il n'a pas reçu de lettre...

— De quoi pourrait-il être coupable?

— De petits trafics, peut-être? À la gare, il est bien placé.

— Vous n'avez rien écrit sur le capitaine Fournier.

— C'est qu'il était absent. Mais justement, je l'aperçois.

Fournier était là depuis un moment déjà. Lartigues, placé en face de la porte vitrée, l'avait vu arriver et il jugeait désormais opportun de détourner l'attention sur quelqu'un d'autre que lui-même.

— Faites-le entrer.

Deumier avait informé Fournier de la présence du fonctionnaire de la préfecture et l'avait prié de s'asseoir pour attendre son tour. Le gendarme avait engagé la conversation sur des sujets généraux : comment allait la vie à Toulouse ? Y avait-il encore des voitures dans les rues avec les difficultés d'approvisionnement en carburant ? Est-ce qu'il restait aux marchands des choses à vendre ? Puis il était passé aux événements locaux.

— Vous avez dû l'apprendre en descendant du train. Un meurtre, dans un petit village comme ça, qui le croirait ? Et ce garde champêtre qui envoyait des lettres anonymes ? On est bien obligé de penser qu'il a été tué par quelqu'un qui en a reçu une. Il y a des gens qu'il accusait d'adultère. Ceux-là feraient mieux de l'avouer : si Souquet le disait, c'est qu'il l'avait vu. Et ça les disculperait : on ne tue pas pour une histoire de cocufiage.

Fournier comprit à sa grande surprise que Deumier, sans en avoir l'air, lui soufflait sa réponse. Il décida aussitôt de changer de stratégie.

Introduit dans le bureau, il serra la main de Lartigues.

— Bonjour, chef.

Puis il salua l'autre homme en portant deux doigts à son béret :

— Monsieur.

— Monsieur Guyard, dit Lartigues. Il est de la préfecture.

Fournier lui tendit la main et se présenta lui-même :

— Joseph Fournier. Les gens m'appellent capitaine, mais en réalité, j'étais sous-officier.

— Et vous n'avez jamais rectifié ? releva Guyard insolemment.

— Quand je l'ai appris, c'était trop tard : ils en avaient pris l'habitude.

Il haussa les épaules.

— Quelle importance ?

Puis il s'adressa à Lartigues :

— En rentrant de Toulouse, j'ai trouvé votre convocation. Je suis venu tout de suite, mais j'ai quand même eu le temps d'entendre quelques rumeurs. Je suppose que vous voulez que je vous parle de la lettre anonyme.

— C'est ça, intervint Guyard dans un désir évident de conduire l'interrogatoire. Vous nous l'avez apportée ?

— Malheureusement, je l'ai détruite dès que je l'ai reçue. Je ne garde jamais ce qui est inutile. Habitude militaire : quand on déménage souvent, on ne s'encombre pas. Si j'avais pu imaginer que l'auteur se ferait tuer et qu'elle revêtirait de l'importance pour l'enquête, je l'aurais conservée. Mais le contenu en était tellement ridicule !

— À savoir ?

— La lettre m'accusait d'avoir une liaison avec une femme du village.

— Et ce n'est pas vrai ?

— Si. Mais franchement, même s'il avait menacé de rendre l'affaire publique, ce que d'ailleurs il ne faisait pas, ça ne nous aurait pas beaucoup gênés : elle est veuve, je suis célibataire, et on a déjà parlé de régulariser la situation.

— On peut connaître le nom de cette veuve ?

— Je suis sûr que le chef a deviné, n'est-ce pas ?

— Adèle Fourment ?

Fournier se mit à rire.

— Un bon choix, non ?

Lartigues rit avec lui.

— Vous auriez pu tomber plus mal.

— Tout de même, insista Guyard qui voulait reprendre le contrôle de l'entretien, sans la lettre, vous ne pouvez pas nous le prouver.

— Vous avez raison, mais je ne vois pas ce que je pourrais faire de plus. Alors, ajouta-t-il rigolard, vous me gardez ou je m'en vais ?

Lartigues laissa à Guyard le soin de répondre.

— Vous pouvez partir, concéda celui-ci avec humeur, mais ne vous éloignez pas de chez vous sans avertir.

Après son départ, le gendarme commenta :

— Ça nous fait un suspect de moins. Il n'en reste plus beaucoup.

— Vous êtes sûr qu'il a dit la vérité au sujet de cette femme ?

— À peu près, oui. Je savais qu'il allait souvent chez elle. Et comme ce n'est pas une commerçante…

— Bien. Je repars à Toulouse où je transmettrai votre rapport. Coincez Monestié et on verra ce qu'on peut en tirer.

Lartigues fit un compte rendu de l'entretien à ses subordonnés. Compans parut déçu que cela ne se soit pas mal passé, ce qui n'échappa ni à son chef ni à Deumier. Eux, par contre, étaient plutôt satisfaits : le mot maquis n'avait pas été prononcé.

XVIII

Il y avait déjà une administrée à la mairie lorsque Jacques s'y présenta. Il salua à la cantonade, s'assit sur une chaise et observa la scène. L'institutrice, devenue depuis un quart d'heure secrétaire de mairie, garnissait une carte d'alimentation en donnant patiemment la réplique à la vieille femme dont la curiosité était insatiable. Cette dernière avait dévisagé l'arrivant avec suspicion, puis elle s'était penchée vers mademoiselle Lascours :

— Je ne le connais pas, avait-elle chuchoté assez fort pour que Jacques l'entende.

Imperturbable, la secrétaire avait répondu sans baisser la voix :

— Moi non plus.

En partant, la femme ne put résister au désir d'en apprendre davantage.

— Au revoir, Monsieur. Monsieur... ?

— Jacques Duprat.

Elle pinça les lèvres et ne prononça qu'un *Ah!* dans lequel elle sut mettre des abîmes de mépris.

— Charmante dame, commenta-t-il en s'approchant du bureau.

— Et dangereuse. C'est la bonne du curé. Elle est au courant de tout et juge sans indulgence. Vous avez les papiers?

Il les lui tendit avec un peu d'appréhension. Elle les examina et y apposa les tampons officiels.

— Ils sont bien ?

— Parfaits. Une secrétaire de mairie s'y tromperait, ajouta-t-elle en souriant.

Jacques trouva qu'elle avait un beau sourire. Et un beau visage. Et de belles mains. Elle avait de l'humour, des convictions, du courage. Et elle avait une voix qui semblait promettre douceur et tendresse. Il avait pensé à elle en s'endormant, et également dans la journée. Souvent.

— Voilà, dit-elle, vous êtes en règle.

— Merci. Vous viendrez écouter radio Londres ?

— Bien sûr. J'y vais tous les soirs.

— Alors, à plus tard.

Il sortit, le cœur léger comme un adolescent qui a obtenu un rendez-vous. Bien qu'il fût conscient de son ridicule, ce sentiment d'attente heureuse persista toute la soirée.

Après avoir fermé la mairie, Adrienne Lascours retourna chez elle. Ce soir, elle avait le temps de manger avant l'émission. Un de ses élèves lui avait apporté deux œufs qu'elle mit à bouillir sur la gazinière, puis elle corrigea quelques cahiers en attendant qu'ils cuisent. Au bout d'un moment, surprise que l'eau ne soit toujours pas chaude, elle se leva pour vérifier ce qui se passait et comprit en ne voyant pas de flamme : la bouteille de gaz était vide. Il ne serait pas facile de s'en procurer une nouvelle. Demain matin, il lui faudrait allumer un feu dans la cheminée pour faire chauffer son café. Comme tout le monde, se dit-elle avec fatalisme. Elle retourna à ses cahiers, mais la pile ne descendait pas vite. À plusieurs reprises, elle se surprit la plume en l'air et les yeux dans le vague, à se poser des questions sur le Canadien. Il ne s'appelait pas Duprat, bien sûr, mais elle ignorait son vrai nom. Comme tout le reste, d'ailleurs. Que faisait-il dans le civil ? Était-il sportif ? Aimait-il lire ? Avait-il une fiancée de l'autre côté de l'Atlantique ? Probablement. À moins que ce ne soit une Anglaise. Et cette cicatrice qu'il avait au coin de l'œil, d'où lui venait-elle ? Elle déformait un peu sa paupière et il en résultait une légère dissymétrie dont on ne comprenait pas tout de suite l'origine. Sa coloration rougeâtre prouvait qu'elle n'était pas ancienne. Une blessure de guerre, sans doute.

Quand Adrienne eut enfin terminé ses corrections, il lui restait une demi-heure qu'elle passa devant le miroir de l'armoire à glace de sa chambre à faire des poses en se demandant ce que Jacques pouvait penser d'elle. Elle considéra sans indulgence sa robe usée, ses souliers plats, ses chaussettes blanches roulées sur les chevilles et songea qu'elle devait avoir terriblement l'air d'une paysanne en comparaison des Londoniennes. Elle tira du fond de l'armoire les sandales à semelles compensées qu'elle mettait pour aller à la messe ou lors des rares circonstances qui justifiaient un effort d'élégance. C'était sa mère qui avait réussi à se les procurer et les lui avait offertes pour son anniversaire. Elle les enfila et parada devant le miroir. Incontestablement, les talons amélioraient sa silhouette, mais elle ne pouvait pas aller chez Fourment ainsi chaussée sans attirer la curiosité et elle les remit en place. De toute façon, il n'y avait pas de raison que cet homme s'intéresse à elle. Il avait dû oublier son existence dès sa sortie de la mairie.

On était au dernier jour de mai et, en entendant *Aujourd'hui, 271ᵉ jour de l'invasion de la forteresse européenne et 1438ᵉ jour de la lutte du peuple français pour sa libération,* les trois adultes entourant José pensèrent que le mois de juin sonnerait le glas de cette cérémonie clandestine qui avait insufflé du courage à ceux qui ne s'étaient pas résignés à la défaite. Comme la veille, Adrienne prenait des notes, Henri écoutait et José était absorbé par les réglages. Jacques, songeant à la mission qu'il avait jusque-là été empêché de mener à bien, se disait qu'il devait coûte que coûte l'accomplir. Le débarquement approchait, et si les maquisards ne savaient pas comment se servir de leurs armes, ce serait un gâchis d'hommes et de matériel. Après ce qu'il avait appris des SS par Fournier, il voulait plus que jamais la défaite des Allemands. S'il ne pouvait pas se rendre au camp des résistants pendant la journée, il irait de nuit, voilà tout. Il informa ses compagnons de cette décision autour du tilleul qui semblait être de tradition et Lasbordes promit d'en dire un mot au capitaine en faisant sa tournée du lendemain.

Il précisa à l'intention de Jacques, qui le savait déjà par Fournier :

— C'est moi qui me charge des messages parce que je suis le seul qui peut parler à tout le monde sans que personne en soit étonné.

Quand l'institutrice s'en alla, Jacques prétendit qu'il avait envie de prendre l'air et ils sortirent ensemble, sans remarquer le regard entendu qu'Adèle et le facteur échangèrent dans leur dos.

— Je peux vous raccompagner ?

— Ce sera vite fait, répondit-elle d'un ton amusé en montrant les bâtiments de l'école à vingt mètres. Mais il y a un banc dans le jardin d'Adèle. Si vous voulez, on peut s'asseoir un moment et bavarder.

Le banc était à l'abri d'une tonnelle de roses dont le parfum, légèrement poivré, montait à la tête. À moins que ce ne fût la présence de l'autre. Ils eurent une conversation aussi aisée que s'ils se connaissaient de longue date. Ils parlèrent d'abord de la fin imminente de la guerre. Ils voulaient croire que le débarquement, préparé par les bombardements massifs des zones côtières et des lieux stratégiques, et soutenu par l'aviation le moment venu, obligerait les Allemands à se replier et que leur défaite ne tarderait pas. L'ennemi avait eu, certes, le temps de s'implanter solidement en quatre ans, et il ne fallait pas prendre à la légère l'existence des fortifications construites tout le long de la côte. Les concepteurs de cet ensemble de bunkers et de batteries d'artillerie, qui allait de la frontière franco-espagnole à la Norvège, l'avaient appelé « le mur de l'Atlantique » pour bien convaincre leurs adversaires que l'obstacle était infranchissable. Mais les Alliés, avertis de cela, ne risqueraient pas un débarquement s'ils n'étaient pas en position de gagner. Après toutes ces années, Jacques et Adrienne, comme tout le monde, à Fontsavès et ailleurs, avaient du mal à y croire, mais en même temps, ils en étaient sûrs. Le danger disparaîtrait, la clandestinité serait chose du passé et les restrictions prendraient fin puisque l'occupant ne drainerait plus les richesses hors du pays.

— Que ferez-vous pendant les grandes vacances si tout est fini d'ici là ?

— J'irai à la mer, à vélo, avec ma sœur et deux amies institutrices. On en parle depuis des lustres. Mais il faudra commencer par acheter des pneus et des chambres à air, ajouta-t-elle en riant. Si on vivait une époque normale, il y a longtemps qu'ils auraient été remplacés. Et vous ? Vous retournerez au Canada reprendre votre métier et votre vie d'avant ?

— Oui pour le début de la question et non pour la fin. Il va de soi que je rentrerai à Montréal voir ma famille. Mais je n'ai pas de métier : quand je me suis engagé, je n'avais fait qu'un an d'université et en plus, dans un domaine où je ne veux pas poursuivre. Quant à ma vie d'avant, c'était celle d'un jeune homme qui dépend de ses parents et ne connaît rien d'autre que les facilités de l'existence. Je ne réintégrerai pas la chambre où mes trophées de sport doivent être encore accrochés, ce ne serait pas possible. Je ne pourrais pas non plus me plier à la tyrannie de mon père. Même ma sœur s'en est affranchie.

Lorsqu'il se rendit compte qu'il racontait sa vie à une inconnue que ses histoires devaient lasser, il s'en excusa, gêné, mais elle l'assura qu'il ne l'ennuyait pas, au contraire, et l'encouragea à continuer. Ils parlèrent tant sous les roses que la fraîcheur annonciatrice de l'aube les fit frissonner. Alors, ils se quittèrent en se serrant les mains un peu plus longtemps que nécessaire avant de rentrer furtivement se glisser chacun dans son lit où ils restèrent éveillés à penser l'un à l'autre.

XIX

L e jeudi matin, au lever, il pleuvait.
— Ça, dit le facteur à Jacques, ce n'est pas bon pour les foins, mais c'est bon pour vos projets. Inutile d'aller chez Casalès : ils ne faucheront pas aujourd'hui. Et comme tout le monde sera à l'enterrement, je ne serais pas surpris que le capitaine en profite pour vous conduire au camp. Attendez-le. D'ici une heure je lui aurai parlé et il viendra pour que vous en discutiez.

Pendant qu'Adèle vaquait à son travail, Jacques s'occupa en lisant, dans *La Dépêche* de la veille, le compte rendu de la dernière visite officielle de Pétain.

Le Maréchal de France, chef de l'État, est rentré à Vichy, disait l'article. *Il avait, auparavant, visité nos villes de l'Est. En ces journées tragiques, où les attaques inhumaines de l'aviation anglo-américaine ont fait des milliers de morts et des dizaines de milliers de blessés, une immense ferveur a marqué le passage du chef de l'État parmi les populations éprouvées. «Je suis écœuré par tous ceux qui ont semé tant de souffrance et de douleur», déclare à Épinal le Maréchal. Et il ajoute à Dijon : «Il n'y a pas de prétexte qui puisse justifier devant la conscience humaine d'aussi sanglantes hécatombes.»* Le journaliste concluait en donnant des chiffres destinés à susciter la colère du lecteur : *Plus de 3 000 morts, 30 000 sinistrés, tel est le bilan des sauvages bombardements effectués ces trois derniers jours par l'aviation anglo-américaine sur des villes françaises.*

Jacques demanda à sa logeuse comment les gens percevaient ce type d'information. Est-ce qu'à son avis ils étaient conscients que les bombardements de villes françaises étaient destinés à affaiblir les Allemands en vue du débarquement et de la libération du peuple français, et approuvaient-ils cela ?

— Je n'en sais rien : ils ont trop peur de dire ce qu'ils pensent. À cause du risque d'être dénoncé à la milice, vous comprenez ? Moi, les seuls avec qui j'en parle, vous les connaissez, et pour eux, il n'y a pas de doute.

Adèle sortit nourrir les poules et Jacques se replongea dans le journal. La rubrique presque quotidienne *Le terrorisme et sa répression* donnait une information valant pour avertissement à ceux que le maquis tenterait : *Dix-sept bandits sont tués et cinquante-cinq faits prisonniers en Limousin.* Il fut interrompu dans sa lecture par le grincement du portail. C'était le capitaine.

En ouvrant la porte, Adèle lui dit :

— À force de vous voir venir ici, les gens vont finir par jaser.

— J'ai le regret de vous apprendre que c'est probablement en cours.

Et il lui avoua que la veille, il avait malmené sa réputation pour préserver le secret sur leurs activités occultes.

— Je suis désolé d'avoir dit ça sans votre autorisation, mais je n'avais pas d'autre possibilité.

— C'est pas bien grave, je ne suis plus une jeune fille à marier.

— J'ai aussi laissé entendre que le mariage était dans nos projets pour qu'il soit tout à fait clair que je n'avais aucune raison de tuer le garde champêtre.

— Dans ce cas, vous n'avez plus le choix : il va falloir m'épouser.

Adèle et Jacques éclatèrent de rire devant l'air éberlué de Fournier.

— Allons, allons, ne vous mettez pas martel en tête, je rigole.

Jacques lui demanda s'il avait l'intention de le conduire au camp.

— Oui. Les conditions sont parfaites. On attend que les obsèques soient commencées et on file. Vous aurez toute la journée pour l'instruction et vous pourrez aussi envoyer un message à Londres.

De l'église toute proche parvint le son du glas.

— C'est le premier coup, précisa Adèle. Il reste une heure. Je dois m'apprêter.

Elle cria vers l'escalier :

— José ! N'oublie pas que tu viens à l'enterrement.

— La coutume veut qu'il y ait au moins une personne de chaque maison pour représenter la famille, expliqua Fournier, mais quand ils le peuvent, ils y vont tous. Comme il pleut et que ça les empêche de faucher… En plus, aujourd'hui, c'est particulier : le mort a été assassiné, ce qui provoque la curiosité. Quoique je me demande ce qu'il pourrait s'y passer d'intéressant.

— Les gens ne vont pas s'étonner que vous n'y soyez pas ?

— Il n'y a que deux ans que j'habite ici : je ne suis pas considéré comme quelqu'un du village. Il faut beaucoup plus de temps que ça pour être adopté, si toutefois on y arrive. Alors, ceux qui le remarqueront se diront que je ne connais pas les usages.

En attendant de pouvoir partir, ils se partagèrent *La Dépêche* qu'ils n'avaient fini de lire ni l'un ni l'autre. Au deuxième glas annonçant qu'il restait une demi-heure avant le début de la cérémonie, Adèle descendit, fin prête et toute de noir vêtue. Jacques trouva que cela la vieillissait et lui donnait un air lugubre. Pourtant ses vêtements habituels étaient également noirs. Pourquoi paraissait-elle si irrémédiablement veuve dans ses habits du dimanche ? Sans doute parce que, ne servant que pour la messe, ils n'étaient jamais lavés et avaient donc gardé leur lustre, alors que ceux de tous les jours, usés jusqu'à la trame, avaient tourné au gris.

Après plusieurs appels de plus en plus excédés de sa mère, José parut, endimanché lui aussi, dans un costume de son père mis à sa taille. Ainsi équipé, avec sa tête boudeuse aux traits enfantins, il avait l'air d'avoir été obligé de se déguiser en adulte.

— Attendez la troisième sonnerie, recommanda Adèle aux deux hommes en partant. Avant ça, il restera des gens dehors, devant l'église, et ils vous verront passer.

Elle ajouta à l'intention de Jacques :

— Si quelqu'un s'informe à votre sujet, je dirai que je vous ai laissé à la maison parce que vous ne vous sentiez pas bien.

Pendant ce temps, Lartigues et Deumier se rendaient à Fontsavès dans le but d'assister aux funérailles du garde champêtre. Ils y allaient par acquit de conscience, mais ils n'en attendaient rien. Tout en pestant à cause de la pluie qui, depuis le matin, n'avait cessé que pour reprendre de plus belle et qui gouttait de leur képi, ils ressassaient la visite de l'homme de la préfecture.

— Au moins, il n'a pas fait le rapprochement avec le maquis, se réjouissait Lartigues.

— Pour le moment. Mais à ce meurtre, il va bien falloir lui trouver un coupable, et je ne serais pas surpris que ce soit de ce côté-là.

— Tu ne crois pas à la culpabilité de Monestié ?

— Non. Ça ne lui ressemble pas. Il lui aurait plutôt foutu une volée. Et puis il ne serait pas allé le tuer dans ce coin-là.

— À moins qu'il ait voulu égarer les soupçons.

— …

— De toute façon, moi non plus, je n'y crois pas.

— Donc, on en revient aux autres, et les autres, c'est le maquis.

— On oublie Coustet.

— Il ne pourrait pas y avoir de clandestins si le chef de gare n'était pas avec eux. Dans une petite gare comme ça, il est au courant des déplacements de tout le monde et il voit forcément passer des inconnus. S'il ne les signale pas, c'est qu'il les protège.

— Tu as raison. Bon sang, qu'est-ce qu'on va bien pouvoir faire ?

— Si tu veux mon avis : rien. À part samedi. On coince Monestié et on leur envoie. Après, on verra, mais ça m'étonnerait qu'on en découvre davantage.

— Espérons qu'ils laisseront tomber.

— Espérons...

Le capitaine et Jacques traversèrent Fontsavès sur leurs bicy-clettes, passant devant la forge silencieuse, l'école au travail, l'épicerie fermée et l'église close. Comme ils sortaient du village, Fournier désigna à Jacques la dernière maison, un peu isolée des autres.

— C'est ici que vivait le garde champêtre. On est obligés de passer par là pour rejoindre le camp; il n'y a pas d'autre chemin. C'est pour ça qu'il était au courant. Il a dû remarquer nos allées et venues et a voulu se rendre compte. Il connaissait les bois mieux que personne et c'était un chasseur capable de se déplacer sans bruit et de se dissimuler.

Ils roulèrent un moment en silence puis, à la surprise de Jacques, il dit pensivement:

— Vous savez, ce ne serait pas une mauvaise affaire d'épouser Adèle.

— Je pense que Lasbordes a une longueur d'avance.

— Ah bon? Vous croyez?

— J'en suis sûr.

— Eh bien, tant mieux pour lui.

Puis il enchaîna rageusement:

— Vous avez lu, dans le journal, l'article sur l'invitation de *La Dépêche* à Munich? Les journalistes se glorifient d'y être allés en compagnie du préfet de l'Ariège, du maire de Toulouse et de quelques autres officiels. Ils ne s'en doutent pas, mais ceux-là, quand on réglera les comptes on ne va pas les rater.

Dans le chemin de terre creusé d'ornières, Jacques passa malen-contreusement dans un trou et dut réparer une crevaison, puis ce fut au tour du capitaine qui pesta:

— Ces vieux pneus n'en peuvent plus. On ferait mieux de continuer à pied, sinon on va les achever. Quoi qu'il en soit, on est presque arrivés.

En effet, ils ne tardèrent pas à sursauter au commandement d'une voix, derrière eux, qui leur ordonnait de lever les bras. Ils obéirent et un homme armé d'un fusil apparut après les avoir contournés à bonne distance. Il n'abaissa son arme que lorsqu'il leur fit face.

— Ah, c'est vous, capitaine.

— Félicitations, Alain, on ne t'avait pas vu.

Quand ils furent assez loin pour que la sentinelle ne les entende pas, il dit à Jacques :

— C'est le fils du chef de la gendarmerie de Meilhaurat. Il m'avait reconnu, bien sûr, mais il voulait me prouver qu'il faisait bien son boulot.

XX

Jacques fut favorablement impressionné par sa visite du camp. Avant d'y parvenir, ils avaient rencontré une deuxième sentinelle, aussi bien dissimulée que la première, et qui les avait également pris par surprise. Le bâtiment, un ancien pavillon de chasse, comme Fournier le lui avait dit précédemment, n'était pas assez grand pour loger ceux qui y vivaient en permanence, une vingtaine, nombre qui pouvait parfois doubler. Il y avait donc un dortoir de tentes ainsi que des latrines, suffisamment éloignées pour éviter les odeurs incommodantes. La popote se faisait dehors, sous une cahute en planches située à proximité du puits pour des raisons de commodité. La cache des armes était un peu à l'écart, astucieusement dissimulée sous un amas de branchages de forme conique, comme il en avait vu plusieurs en venant. On lui expliqua qu'ils étaient édifiés par des chasseurs pour que les lapins y nichent.

À l'intérieur, une grande pièce faisait office de vivoir ou de salle de réunion, selon les besoins. Il y avait aussi deux petites chambres : l'une servait de bureau, l'autre de poste de transmissions avec son émetteur radio et son récepteur. L'installation était modeste, mais Jacques comprit qu'ils en étaient fiers. Il fit la visite sous la houlette du capitaine et de son second, Ernest Van Lare, un réfugié belge qui semblait maintenir une discipline de bon aloi. Tout ce qu'il vit rassura Jacques : les jeunes gens qui l'avaient accueilli lors de son parachutage, et dont il avait craint qu'ils ne représentent la norme, étaient bien des exceptions ainsi que Fournier le lui avait affirmé.

Van Lare n'eut pas besoin de sonner le rassemblement : à cause de la pluie, ils étaient tous à l'intérieur, sauf les sentinelles. Il se contenta de frapper dans ses mains pour obtenir le silence.

— C'est un ancien directeur d'école, glissa Fournier à Jacques. Moi, je préfère le clairon, ajouta-t-il avec une pointe d'humour, chacun son métier et les Boches seront bien chassés.

La méthode Van Lare avait dû faire ses preuves puisqu'il suffit d'une fois pour que les gars ramassent les cartes, fassent disparaître les verres de la table et se disposent en un cercle attentif.

Le capitaine prit la parole.

— Je vous présente Jacques Duprat qui a été parachuté en même temps que les armes. Il est ici pour nous en apprendre le maniement. Vous savez que ce serait déjà fait et qu'il aurait pu repartir pour être utile ailleurs si nous n'avions pas parmi nous quelques malins se croyant au-dessus des consignes de sécurité.

Jacques les chercha du regard dans l'assemblée, mais ne les vit pas. Van Lare le devina et l'informa à mi-voix qu'étant du village, ils assistaient à l'enterrement.

— À cause d'eux, continuait Fournier, il est obligé de rester un certain temps pour ne pas mettre en danger ceux qui l'ont accueilli. Enfin, au moins, il pleut aujourd'hui et les gens sont occupés ailleurs. Ça veut dire qu'il faut que la journée soit efficace parce qu'il n'y en aura pas d'autre. Vous écoutez bien pour bien comprendre. Et si quelque chose vous échappe, vous posez des questions. N'ayez pas peur de passer pour des imbéciles si vous n'avez pas compris. C'est en face des Chleuhs que vous aurez l'air con si vous ne savez pas faire fonctionner votre arme. C'est clair ?

Il y eut des hochements de tête et des murmures approbateurs. Son discours terminé, il chargea des gars de ramener un échantillonnage des armes parachutées. Il y avait des mitraillettes, des fusils-mitrailleurs, des pistolets, des grenades et des explosifs. Ils les posèrent sur la table et Jacques commença son travail d'instructeur.

Sous leur regard attentif, il montra comment les démonter et les remonter et ne passa à la partie suivante que lorsqu'ils eurent tous assimilé chaque étape. Les déserteurs, qui connaissaient bien les armes allemandes équivalentes pour les avoir utilisées quand ils faisaient partie de l'armée ennemie, n'eurent aucune difficulté à s'adapter à celles-là et s'en allèrent remplacer les sentinelles. Les autres s'appliquèrent, posant des questions sans fausse honte, car ils savaient qu'ils seraient gardés à l'écart de l'action s'ils ne maîtrisaient pas le fonctionnement du matériel. Or, ils voulaient absolument se battre. L'instruction ne s'interrompit que pour manger. Comme il pleuvait toujours, il fallut débarrasser la table des armes pour y mettre les assiettes. La soupe ne valait pas celle d'Adèle, mais elle n'était pas mauvaise et il y avait du pain en abondance. Ils terminèrent avec des cerises, les premières de la saison. Elles étaient juteuses et sucrées, et Jacques eut une pensée fugitive pour les Londoniens qui avaient dû en oublier jusqu'à l'existence.

Avant qu'ils se remettent au travail, le responsable de l'émetteur radio essaya de prendre contact avec Londres pour que Jacques puisse faire le compte rendu de sa mission.

— Si ça ne marche pas, je réessaierai tout l'après-midi. C'est rare qu'on les ait du premier coup.

Effectivement, il ne put établir la liaison et s'absenta à plusieurs reprises jusqu'à ce qu'il l'appelle :

— Venez, Duprat, ça y est.

Jacques vit l'inquiétude dans le regard de Fournier et le rassura :

— N'ayez crainte, je vais leur dire que vous êtes dignes de confiance.

Roger Burgat, le fils du postier, et Germain Coustet, celui du chef de gare, arrivèrent après l'enterrement et prirent la leçon en cours de route. Jacques remarqua qu'ils étaient moins fanfarons que la nuit où ils l'avaient récupéré au cimetière : Fournier n'avait pas dû y aller de main morte.

— Du beau travail, se réjouit le capitaine à la fin de la démonstration qui avait duré tout le reste de la journée. Votre mission est accomplie. Malheureusement, vous devez rester jusqu'à la fin de la fenaison, une quinzaine de jours à peu près, pour ne pas mettre Adèle en danger, mais ensuite, vous pourrez prétendre avoir été rappelé à Marseille. J'assurerai votre contact avec la filière qui vous fera traverser les Pyrénées et l'Espagne pour gagner le Maroc et retourner en Angleterre.

Fournier avait décidé qu'ils prendraient le repas du soir au camp parce qu'il valait mieux attendre la nuit pour rentrer au village. La pluie avait cessé, et ils mangèrent dehors, sur une table à tréteaux. Tout le monde était content du résultat de la journée et l'échange fut animé. Les maquisards voulaient que Jacques leur apprenne ce qu'il savait du futur débarquement, mais il ne put leur en dire davantage que radio Londres : c'était pour bientôt. Peut-être demain, peut-être la semaine prochaine. Le secret était bien gardé pour que l'attaque bénéficie de l'effet de surprise, mais il était sûr que cela approchait. Jacques n'avait intégré le service spécial que trois mois auparavant et, avant cela, il avait souvent survolé les côtes avec son avion de combat. Ainsi, il pouvait affirmer qu'il y avait une grande concentration de troupes, de matériel et de bateaux aux endroits stratégiques. L'allusion à sa fonction de pilote les impressionna beaucoup, surtout les plus jeunes, et il dut raconter ce qu'il voyait du haut des airs en survolant l'Allemagne. Il parla de la couleur du ciel, de la terre qu'il distinguait mal, de la satisfaction de voir en bas flamber l'objectif, mais quand on lui demanda comment il se sentait en montant dans l'avion pour partir vers l'inconnu, il balaya la question d'un revers de main et réclama le récit des actions qu'eux-mêmes avaient accomplies.

Il était exclu qu'il raconte à ces jeunes hommes impatients d'agir la terreur qui faisait trembler ses jambes et nouait son intestin lorsqu'il grimpait dans la carlingue du gros Halifax, alors que le café au rhum, dont les pilotes étaient gratifiés avant le départ, lui donnait des brûlures d'estomac. Entre eux, ils n'en parlaient jamais, mais la salle où ils étaient réunis avant le décollage, la salle où, petit à petit, ils se taisaient, leur semblait une antichambre de l'enfer. Et après, le soulagement d'avoir survécu disparaissait vite, quand ils restaient à fixer le tableau où étaient inscrits les noms des équipages de retour, lorsqu'il y avait un vide, ou plusieurs, quand après des heures d'espoir, il devenait évident que les noms de ces camarades-là n'y seraient plus jamais inscrits. Alors, les œufs qu'on leur servait, un privilège dont ils étaient les seuls soldats à bénéficier et qu'on leur accordait dans une dérisoire volonté de les récompenser pour leur héroïsme, les œufs ne passaient pas. Il était naturel que ces souvenirs, qui étaient récents, lui viennent avec une grande précision, mais il pressentait que le passage du temps n'y changerait rien : dût-il vivre très vieux, ils le tourmenteraient avec la même force.

Il écouta à son tour. Des histoires de sabotages, tout aussi périlleuses. Ces hommes étaient déterminés et Jacques était persuadé qu'ils accompliraient du bon travail. Les plus jeunes, qui n'avaient jamais eu l'occasion d'agir, étaient aussi impatients qu'enthousiastes. Ils lui faisaient penser à des scouts, prêts à faire une bonne action dans un monde à rendre meilleur. Visiblement, ils agaçaient Fournier, mais Jacques, qui avait partagé ce sentiment à son arrivée, considérait maintenant avec plus d'indulgence ces garçons qui avaient choisi de risquer leur vie à l'âge où, dans d'autres circonstances, ils n'auraient cherché que leur plaisir.

— Vous n'avez jamais eu de pertes ? demanda-t-il à Van Lare.

— Si. La semaine dernière, un coup de main a mal tourné : on y a laissé deux hommes. Mais on n'en parle pas. Vous-même, vous n'avez raconté que ce qui s'est bien passé.

À la fin de la soirée, ils chantèrent des chants traditionnels dans ce parler qu'ils utilisaient entre eux et abandonnaient pour le français dès qu'ils étaient en présence d'étrangers. Comme Jacques en était curieux, le Belge Van Lare lui expliqua qu'il s'agissait d'une langue ancienne qui avait produit au temps de la féodalité une poésie colportée de château en château par les troubadours.

— Puis est venue l'unification de la France et le dialecte du roi a été imposé dans les documents juridiques. Le français est devenu la langue officielle. C'était il y a plus de quatre cents ans et vous voyez, ils la parlent toujours, leur langue d'oc. Évidemment, comme c'est une transmission orale, il y a beaucoup de variantes, parfois d'un village à l'autre. Néanmoins, elle est bien vivante.

— Vous la comprenez?

— De mieux en mieux. J'ai étudié la philologie à l'Université de Liège, et c'est un sujet qui me passionne.

La nuit était bien noire maintenant, et le capitaine invita Jacques à partir. Après une tournée de poignées de main, ils reprirent le chemin de Fontsavès qu'ils trouvèrent sombre et désert. Les deux cyclistes se séparèrent sur un signe de tête. En traversant le jardin de sa logeuse, Jacques remarqua à l'étage du logement de l'institutrice un léger rai de lumière. Adrienne ne dormait pas. Il eut envie d'envoyer un caillou contre le volet pour qu'elle ouvre, qu'elle descende, qu'elle vienne un moment avec lui sur le banc. Mais il n'osa pas et rentra se coucher.

XXI

Les funérailles d'Exupère Souquet confirmèrent qu'il n'était pas aimé : pas de tristesse, pas d'émotion, encore moins de larmes. La plupart des gens étaient là par respect des usages, d'autres parce qu'ils y voyaient une distraction. Lartigues et Deumier remarquèrent que beaucoup d'entre eux avaient jeté un coup d'œil à Élie Pradet, comme s'ils s'attendaient à ce qu'il se comporte en membre de la famille. Il n'en fut rien, bien sûr. Il s'installa parmi les autres hommes, dans le fond de l'église, mais s'il était clair que l'ensemble des villageois enterrait son garde champêtre dans l'indifférence, il n'était pas moins patent qu'à lui, cela faisait plaisir. On le voyait au vague air satisfait qu'il arborait. C'était moins qu'un sourire, mais pour qui le connaissait, cette expression différait notablement de son habituel aspect renfrogné. La première rangée de chaises, réservée d'ordinaire aux proches du défunt, était vide, à l'exception de celle que le maire occupait. En l'absence de famille, il s'était chargé de tout, et continuait pendant la messe funèbre d'assumer ses responsabilités d'élu.

Le curé, dont le ministère couvrait trois paroisses, résidait dans le village voisin. Il était arrivé à vélo, son moyen de transport habituel, et avait essuyé une forte averse qui avait trempé le bas de sa soutane que l'imperméable ne protégeait pas. Lorsqu'il traversa l'église à grands pas, ses paroissiens comprirent qu'il n'était pas de bonne humeur et rentrèrent la tête dans les épaules. C'est qu'il n'était pas commode, l'abbé Trescamp, pas seulement sévère : adepte des châtiments corporels, il n'avait pas son pareil pour tordre une oreille, asséner un aller et retour de sa main sèche ou flanquer un coup de pied au derrière. Il ne s'en prenait qu'aux élèves du catéchisme, mais à part les plus vieux, ils l'avaient tous été, ce qui leur avait laissé d'impérissables mauvais souvenirs qui les faisaient encore trembler devant lui.

La messe fut expédiée, et les habitants de Fontsavès se trouvèrent en un temps record à suivre le corbillard derrière l'abbé Trescamp dont la haute stature dominait le cortège. Les parapluies s'ouvrirent à mesure que les gens quittaient l'église. Le prêtre, qui avait l'encensoir en mains, ne pouvait tenir le sien, et le rôle avait échu à l'enfant de chœur, Francis Coustet, le petit dernier du chef de gare, dont le bras n'était pas assez long. Pour ne pas frôler la tête du curé, il se haussait sur la pointe des pieds et devait regretter ce qu'il avait été content de quitter une demi-heure plus tôt : la salle de classe où il aurait pu être confortablement assis sur son banc, à écouter la leçon ou rêvasser à autre chose, au lieu de s'étirer pour surplomber le crâne chauve qui culminait un peu trop haut pour lui. Le garçon qui était choisi pour servir une messe d'enterrement ou de mariage était envié des autres : il laissait la routine un moment, ce qui lui procurait le sentiment de faire l'école buissonnière, et puis la famille du mort ou de la mariée lui donnait une piécette. Mais aujourd'hui, Francis pourrait toujours attendre sa pièce, et avec cette fichue pluie, il était terrorisé par la crainte d'un geste malheureux.

Coustet regardait son fils avec appréhension : pour avoir lui-même occupé cette place, du temps où le curé était plus jeune, mais pas plus indulgent, il tremblait un peu pour Francis. Cela réussit provisoirement à le distraire d'un autre souci, qu'il savait bien plus grave : la présence des gendarmes, l'existence de la lettre anonyme dont ils étaient informés, l'incapacité de trouver comment se sortir de son mensonge, ou plutôt, de le remplacer par un autre. Le maire et le capitaine avaient parlé d'histoires de femmes, et il regrettait de ne pas en avoir fait autant. Cette épidémie d'adultères dans un village aussi petit aurait paru bizarre, mais Lartigues s'en serait probablement contenté pour ne pas attirer l'attention sur le maquis dont son fils Alain faisait partie. Ayant replongé dans ses pensées, Coustet avait oublié la position périlleuse de son rejeton quand le bruit d'une gifle magistrale le fit sursauter : Francis avait malencontreusement planté une baleine dans le crâne luisant du curé qui avait réagi à sa manière habituelle. Le sang de Coustet ne fit qu'un tour : tendant son propre parapluie à son fils aîné avec qui il le partageait, il franchit la foule d'un pas décidé, prit à Francis le parapluie du curé et le tint lui-même au-dessus de sa tête.

Dans l'assistance, les respirations s'étaient bloquées. L'abbé Trescamp, sentant qu'il se passait quelque chose, se retourna. Il croisa les yeux de Coustet qui le regardait froidement et vit la main du père posée sur l'épaule du fils en un geste protecteur. Tout le monde s'attendait à un esclandre, mais rien ne se produisit. Le curé fit un signe de croix avec son encensoir au-dessus du cercueil, puis il quitta le cimetière, les deux Coustet sur les talons, le père tenant toujours à la main un parapluie qui n'abritait plus personne. Les villageois se remirent à respirer et un bourdonnement de voix s'éleva bientôt, excité et presque joyeux. Ils avaient espéré qu'il se passerait quelque chose et c'était arrivé, mais ils n'auraient jamais imaginé que ce serait cela, l'événement du jour : après des décennies de tyrannie, quelqu'un avait tenu tête au curé. Et finalement, il avait suffi de presque rien pour le vaincre : soutenir son regard sans crainte. Il avait quitté le cimetière sans répliquer, concédant la victoire à son adversaire.

Pendant que les gens défilaient devant la tombe pour un simulacre de prière, Coustet avait suivi le curé jusqu'à la sacristie sans que celui-ci se retourne. Arrivé là, il avait dit à Francis :

— Enlève ton aube et repars vite à l'école.

Lorsque l'enfant fut sorti de l'église, le chef de gare s'adressa au curé qui ôtait ses vêtements sacerdotaux en feignant d'ignorer sa présence :

— C'était la dernière fois que vous touchiez à mon fils.

Le prêtre se retourna d'un bloc. Son visage exprimait de la colère et du mépris.

— Si tu ne le dresses pas, cracha-t-il, tu en feras un voyou, un bon à rien.

— C'est mon affaire, pas la vôtre.

Et il s'en alla. En quittant l'église, Coustet, submergé par un sentiment de délivrance, pensa avec dérision que cette vieille peur du curé, qui lui venait du fond de l'enfance, l'avait paralysé comme une mauviette pendant des années alors qu'il était par ailleurs capable de courir de vrais risques.

Le reste de sa famille l'attendait sur le parvis. Sur les visages de Léopoldine, sa femme, et de ses enfants, Juliette et Germain, il lut de la fierté et de l'admiration, même si rien ne fut exprimé. Germain se contenta de l'avertir *qu'il y allait*, sans préciser, et il acquiesça d'un signe de tête. Il savait que son fils aîné partait au camp apprendre à utiliser des armes. Même s'il craignait pour lui, il approuvait sa volonté de devenir un combattant prêt à servir son pays.

L'heure du train de la mi-journée approchait et ils repartirent vivement vers la gare. Venant du cimetière, ils rencontrèrent les Casalès ; les deux familles cheminèrent ensemble, parlant de choses et d'autres, essentiellement de la fenaison qui commencerait l'après-midi même puisque la pluie avait cessé et que le soleil ne tarderait pas à sécher l'herbe. Léopoldine avait pris le bras de son mari et s'appuyait légèrement sur lui en marchant. Depuis combien d'années n'avait-elle pas eu ce geste tendre et possessif ? Maria Casalès, qui n'avait pas ouvert la bouche, avait jeté au couple un regard désapprobateur. Personne ne fit allusion à la scène du cimetière, mais lorsqu'ils se quittèrent sur une poignée de main, Jules Casalès dit simplement :

— Il était temps que quelqu'un le fasse.

Cette victoire sur le curé, qui somme toute avait été facile, la fierté de sa femme, l'admiration de ses enfants et l'approbation de son voisin redonnèrent à Alphonse Coustet confiance dans l'avenir :

avec l'aide de Léopoldine, il trouverait une parade et réussirait à se tirer de la situation délicate dans laquelle la lettre anonyme du garde champêtre l'avait entraîné.

Les gendarmes flânèrent un peu sur la place du village, passant entre les groupes de bavards, mais ils n'apprirent rien qui aurait pu faire avancer leurs investigations : les gens ne parlaient que de l'incident avec le curé.

Le maire, qui s'était attardé au cimetière pour donner des consignes au fossoyeur, mit le cap sur eux.

— Messieurs, dit-il en leur serrant la main, vous deviez m'informer des suites de votre enquête et je ne vous ai pas revus.

— C'est qu'on n'a pas grand-chose à raconter, répondit Lartigues. Ce matin, on espérait que les bavardages des gens allaient nous en apprendre davantage, mais ce n'était pas Souquet qui les intéressait, c'était le curé.

Maupas haussa les épaules.

— On croirait que c'était saint Georges terrassant le dragon. Ils vont en parler pendant plusieurs générations. Je n'ai jamais compris pourquoi ils le craignaient tous tellement : avec moi, il a toujours été correct, et même aimable.

— Est-ce que vous alliez au catéchisme avec lui, quand vous étiez petit ? demanda Deumier.

— Non, j'étais pensionnaire dans un collège.

— C'est pour ça.

— Mais enfin, ils sont adultes !

— Vous savez, des peurs d'enfant, on ne s'en débarrasse jamais tout à fait.

— Je suppose que maintenant, ils se sentiront mieux. Mais cette enquête ? Qu'avez-vous trouvé ?

— Des histoires de fesses et de marché noir qu'il va falloir éclaircir.

Le maire eut un haut-le-corps.

— Vous ne pensez tout de même pas qu'en ce qui me concerne...

— Bien sûr que non, moi je vous crois. Mais à Toulouse, si on ne leur trouve pas un coupable, ils vont examiner tout ça de près. Et ce garde champêtre, il était vraiment très informé. Si nous connaissions la personne dont il s'agissait dans votre lettre, ce serait facile, en l'interrogeant discrètement, de vérifier si c'est vrai et de vous rayer de la liste des suspects si tout est inventé.

— Je ne peux pas vous dire son nom. Vous savez bien que ça finirait par se répandre et que ça lui ferait du tort même si c'est faux.

— Dans ce cas, vous n'avez qu'à espérer qu'on trouve l'assassin… Bien le bonjour, Monsieur le Maire.

Maupas, en proie à l'inquiétude, les regarda se diriger vers leurs bicyclettes appuyées à un platane, à côté du monument aux morts. Il pressentait que cette affaire finirait mal et n'avait aucune idée de ce qu'il pourrait tenter pour l'éviter.

XXII

Jacques pédalait vers la métairie de Maupas en admirant la chaîne des Pyrénées qui se découpait avec une grande netteté dans le matin lumineux. Il n'aurait pas cru les montagnes aussi proches. Quand il avait quitté la pension d'Adèle Fourment avec Lasbordes, il s'était étonné de les découvrir pour la première fois. Le facteur lui avait appris qu'il n'y avait rien de curieux à cela car, pour les voir, il fallait des conditions météorologiques particulières : du temps sec et un ciel sans nuages.

— Aujourd'hui, il va faire très beau. Pour les foins, c'est parfait. Vous allez avoir une grosse journée.

Chacun était parti de son côté et Jacques, dont l'estomac vide gargouillait, espérait que madame Casalès lui proposerait un café comme Lasbordes l'en avait assuré. Adèle n'était pas levée, c'était trop tôt, et Lasbordes ne prenait pas la peine d'allumer le feu parce qu'il y avait toujours quelqu'un, dès le début de sa tournée, pour lui offrir un café. Puis venait un autre café, et ensuite une tartine, et plus tard, un canon de vin, et ainsi de suite jusqu'à la fin de sa journée de travail.

Jacques les trouvait vraiment hautes, ces montagnes aux pics enneigés qui scintillaient au soleil. Dans quelques jours, deux semaines tout au plus selon le capitaine, il devrait les franchir. Il savait, par le récit d'un collègue qui l'avait précédé, que c'était la partie la plus périlleuse du voyage de retour. Il fallait grimper très haut pour atteindre des cols que les patrouilles allemandes ne surveillaient pas. Une marche longue et difficile derrière un guide aguerri qui insistait pour accélérer la cadence. Il y avait eu des accidents au cours des années, pas avec des militaires comme lui, que l'entraînement avait préparés aux épreuves physiques, mais avec des personnes plus vulnérables, âgées ou sédentaires, que la chasse aux Juifs ou la peur de l'occupant avaient contraintes à fuir. Trop chargées et mal chaussées, elles avaient terminé leur vie dans un ravin, ou bien avaient abandonné, faute d'être capables de marcher jusqu'au bout, et étaient tombées aux mains de leurs poursuivants. Il y avait aussi les guides véreux, qui prenaient l'argent et laissaient les gens dans la montagne, au milieu de nulle part, en leur disant : *Voilà, là-bas c'est l'Espagne*, avant de faire demi-tour sans se soucier de leur sort. Ces guides étaient l'exception, heureusement, la plupart d'entre eux étaient honnêtes et dévoués ; seulement, il fallait de l'argent et de la force physique. Jacques, que sa hiérarchie avait muni de l'un et la nature de l'autre, ne craignait pas pour lui-même. La traversée des Pyrénées serait une expérience de plus dans cette guerre qui en avait comporté tant et de si différentes. Comme ce séjour dans la campagne française, par exemple. Il était décidé à le prendre comme des vacances. *Je suis en vacances à la ferme*, se dit-il, amusé. Les lieux étaient agréables, les gens aussi et la soupe était bonne. Au sujet du meurtre, il s'était vraisemblablement inquiété à tort : les gendarmes ne semblaient pas décidés à chercher de son côté ni de celui du maquis. Et il y avait un attrait imprévu : Adrienne, qu'il se réjouissait de retrouver dans quelques heures, dans le grenier des Fourment. La journée était belle, et la quinzaine à venir le serait aussi.

Jacques appuya son vélo contre le mur de la maison. La porte était ouverte et il pénétra dans la cuisine qui donnait directement sur la cour. Il était arrivé au bon moment : ils étaient tous debout, en train de boire leur ersatz de café, et madame Casalès lui en servit à lui aussi.

— Vous irez avec eux, ils vous montreront, dit le métayer à Jacques en désignant ses enfants.

Lui-même se dirigea vers l'étable tandis que les jeunes gens prenaient des fourches dans la remise à outils.

— Mon père va faucher et nous, on va faner ce qui a été coupé hier, l'informa Justin.

Casalès utilisait une machine assez rudimentaire que deux vaches tiraient. L'herbe tombait sur le sol en faisant des rangées, dont Jacques apprit qu'on les appelait des andains. Le rôle des jeunes gens était de retourner les andains et d'étaler l'herbe pour qu'elle sèche du côté où elle n'avait pas été exposée au soleil. Très vite, il fit trop chaud pour la veste, et les hommes continuèrent leur travail en maillot de corps tandis que Pauline, qui avait abandonné son tricot, avait les bras nus dans sa robe de cotonnade. Jacques apprit rapidement à manier la fourche avec autant d'adresse et de rapidité que les deux autres. Ainsi, les trois faneurs avançaient sur des lignes parallèles, ce qui leur permettait de converser.

Justin voulait savoir comment s'était passée l'instruction de la veille. Comme Jacques s'étonnait qu'il n'y soit pas venu, il lui expliqua qu'il avait beaucoup moins de liberté de mouvement qu'un fils de postier ou de chef de gare : sa présence était requise à la ferme et son père n'accepterait jamais qu'il disparaisse une partie de la journée, surtout à cette saison.

— Mais je participe quand même : c'est moi qui ai assuré le transport au camp des caisses parachutées. Et Pauline m'a aidé.

À la demande de l'envoyé de Londres, il raconta fièrement comment s'était déroulée cette nuit mouvementée. Sa sœur et lui connaissaient la date depuis deux jours par le capitaine et s'y étaient préparés en graissant les gonds de la porte de l'étable et en dissimulant un joug dans la grange où l'on remisait le tombereau. Ils s'étaient couchés en même temps que leurs parents, mais avaient pris soin de ne pas s'endormir.

— De toute façon, commenta la jeune fille, on était tellement excités qu'on n'aurait pas pu.

Lorsque deux séries de ronflements simultanées leur avaient appris que les dormeurs de la chambre voisine ne les entendraient pas, ils étaient sortis en catimini. La chienne avait quémandé une caresse mais n'avait pas aboyé. Les vaches s'étaient éveillées et un peu agitées, mais ils avaient évité tout mouvement brusque et aucune n'avait meuglé. Ils en avaient détaché une chacun pour les conduire au-delà de la cour de la ferme.

— Ce sont celles-là, dit Justin en désignant l'attelage de son père. Il y en a d'autres qui sont habituées au joug, mais ce sont les plus fortes et les plus dociles.

Pendant ce temps, Germain, Roger et quelques autres faisaient rouler le tombereau hors de portée des oreilles des métayers. Justin et Pauline les y attendaient avec les vaches pour les atteler.

— Ensuite, ils sont partis et moi, j'ai commencé de me languir, dit la jeune fille. Justin avait besoin que je sois là, au retour, pour dételer les bêtes et les remettre à l'étable. Alors, je me suis mise à l'abri dans le grenier à foin et j'ai attendu. La chienne m'a suivie et on a passé la nuit là, toutes les deux.

Son frère expliqua pourquoi cela avait duré si longtemps.

— D'abord, l'avion est arrivé tard et a lâché les caisses dans le mauvais champ. Il a fallu conduire les vaches, qui étaient dans une friche éloignée, jusqu'à la luzerne de Pradet, puis charger le tombereau et aller au camp. Les vaches, vous savez, elles n'avancent pas vite, et le ciel était déjà un peu clair quand je suis revenu.

— J'étais morte d'inquiétude.

— Et tu as recommencé de te ronger les ongles, ce que tu n'avais pas fait depuis Noël.

— Ne parle pas de ça, lui reprocha-t-elle, agacée.

— Il n'y a pas eu de problème et l'affaire s'est bien finie, continua-t-il. Tout était remis en place avant que les parents se lèvent. Dans la journée, ils ont vu qu'on était fatigués et ils nous ont regardés d'un air soupçonneux, mais ils n'auraient jamais deviné ce qui s'était passé.

— Même quand ils ont su que des caisses avaient été parachutées dans le champ de votre voisin ?

— Non. Il ne leur viendrait pas à l'idée qu'on fait partie d'une organisation clandestine, et surtout pas qu'on aurait pu utiliser les vaches sans qu'ils s'en aperçoivent. Ils ont dû penser qu'on avait rejoint Germain pour jouer aux cartes.

La conversation n'avait pas ralenti le travail et le pré était presque entièrement retourné quand Casalès cria à sa fille :

— Hé, Pauline ! Va nous chercher le petit-déjeuner.

La jeune fille planta sa fourche sous un chêne, à la lisière du pré, et s'en alla à la ferme d'où elle revint avec du pain, du jambon et une bouteille de vin. Casalès rejoignit les jeunes gens à l'ombre du chêne où ils mangèrent debout.

— Il ne faut pas perdre de temps le matin, expliqua le métayer à Jacques, après, la chaleur est trop forte.

Il ne lui avait pas demandé comment il se débrouillait avec sa fourche, un outil qu'il utilisait pour la première fois de sa vie, et Jacques supposa que depuis le pré voisin où il fauchait, il avait été capable de voir qu'il travaillait correctement. Ils continuèrent longtemps après que les cloches eurent annoncé midi.

— On ne se fie pas à l'heure allemande, l'informa Justin, mais au soleil.

Et en effet, ils ne s'arrêtèrent qu'à deux heures, au moment où le soleil était au zénith, pour aller manger à la ferme. Maria Casalès était de retour avec les vaches qu'elle avait conduites à la pâture en remplacement de Pauline occupée aux foins. Elle réchauffa la soupe de la veille et ils mangèrent avec appétit après toutes ces heures d'efforts. Ensuite, tout le monde alla faire la sieste. Justin resta avec Jacques, et ils s'installèrent à l'ombre épaisse de l'étable, assez loin de la maison pour qu'on ne les entende pas.

Justin ne se consolait pas d'avoir juste dix-sept ans. S'il avait été un peu plus vieux, on l'aurait appelé pour le *Service du travail obligatoire en Allemagne*, ce qui lui aurait permis d'être réfractaire et de rejoindre le maquis.

— Tout le monde dit que le débarquement est pour bientôt et moi, je vais rester coincé ici et tout rater.

Jacques le consola en insistant sur l'importance de sa contribution.

— Sans toi, ils n'auraient pas d'armes et ne pourraient rien faire.

Le garçon sourit de contentement et changea de sujet. Ce qu'il voulait, c'était la même chose que les maquisards : qu'il lui raconte la guerre d'un aviateur. Jacques s'y prêta pour lui faire plaisir, en restant dans les généralités, loin des peurs et des angoisses, comme il l'avait fait au camp.

Après deux heures de sieste, le travail reprit jusqu'à la nuit, avec une brève pause pour le goûter. Pendant le repas du soir, Jacques jetait des regards désolés à la pendule : ils se mirent à table à l'heure de radio Londres et quand ils eurent terminé, l'émission l'était aussi. En fanant, il avait souvent pensé à Adrienne et à mesure que la journée avançait, sa hâte de la revoir augmentait. Or, maintenant, c'était trop tard, il ne la verrait pas. Tandis qu'il roulait vers le village, il ruminait sa déconvenue, qui était d'autant plus forte que le lendemain, ce serait la même chose, et les jours suivants aussi. En traversant la cour de sa logeuse, il vit un léger rai de lumière à l'école mais, contrairement à la veille, c'était au rez-de-chaussée : Adrienne n'était pas couchée. Jacques décida brusquement de tenter sa chance. *Après tout*, pensa-t-il, *je ne risque rien de plus que me faire éconduire.*

Il frappa un léger coup au volet et aussitôt, la lumière s'éteignit et le volet s'entrouvrit.

— Ah, c'est vous, dit-elle.

— Qui cela aurait-il pu être ?

— Le capitaine, ou n'importe quel partisan.

Un silence passa. La jeune femme attendait qu'il lui donne les raisons de sa présence.

— On a fini tard, chez Casalès, et j'ai raté radio Londres. Quand j'ai vu la lumière, j'ai pensé que vous pourriez peut-être me résumer ce qui a été dit.

— La lumière se voit beaucoup ? s'inquiéta-t-elle.

— Non, à peine. Et puis, c'est sur l'arrière : elle n'est pas visible depuis la rue.

— Bien sûr, c'est vrai. J'arrive : on va s'asseoir sur le banc.

Elle referma le volet et vint le rejoindre.

— Qu'est-ce que vous faisiez, si tard, à la clarté de la lampe ?

— Je ronéotypais le résumé des dernières émissions. Je vous ai apporté une feuille.

— Merci. Je la lirai tout à l'heure.

Ils s'assirent sur le banc, tout près l'un de l'autre pour chuchoter sans être entendus, et engagèrent aussitôt la conversation pour masquer le trouble que leur procurait cette proximité. Le prétexte de l'émission de radio oublié, ils se racontèrent leur journée. Jacques parla des jeunes Casalès, naïfs et enthousiastes, du père, sympathique, et de la mère, si revêche.

— Ce n'est pas leur mère, c'est leur belle-mère. Elle n'aime pas Pauline et elle lui mène la vie dure. Elle l'a empêchée de poursuivre ses études alors que le père était d'accord.

— Et Justin ?

— Lui, elle l'aime bien. Mais il n'a jamais eu l'ambition de quitter la ferme : l'école n'était pas son fort.

— Maintenant, il partirait volontiers rejoindre le maquis.

— Je m'en doute, soupira-t-elle. Il n'y a pas un seul de ces garçons qui pense un instant aux dangers qu'il court.

— C'est parce qu'ils n'ont jamais combattu.

— Comment les avez-vous trouvés quand vous êtes allé les former ?

— Bien. Je vous avoue qu'après le premier contact avec Roger et ses copains, je craignais le pire, mais je me suis rendu compte que c'est une organisation sérieuse. Ceux qui se sont comportés de manière inconséquente se sont fait taper sur les doigts et ils ne recommenceront pas.

Puis ce fut son tour à elle de raconter sa journée avec les enfants. Ils étaient surexcités à cause de l'histoire du cimetière. Comme Jacques ignorait ce qui s'était passé, elle lui en fit le récit. Il allait s'étonner de cette emprise du curé sur les gens quand il se souvint de son père. Régner par la terreur était loin d'être exceptionnel et cela ne requérait pas nécessairement d'être armé.

Il la pressa ensuite de lui parler de sa famille. Elle avait peu de souvenirs de son père, intoxiqué par les gaz de combat à la fin de la guerre précédente, et qui en était mort lorsqu'elle était enfant. Elle ne l'avait connu qu'amoindri et souffrant, recroquevillé sur une chaise longue, englouti sous des lainages en plein cœur de l'été. Longtemps après sa mort, elle l'avait entendu tousser dans ses cauchemars, puis le souvenir s'était estompé. Sa mère avait élevé seule ses deux filles qui n'avaient qu'un an de différence. Anne, la sœur d'Adrienne, infirmière dans un hôpital toulousain, vivait encore avec elle.

— Moi, j'ai toujours voulu être institutrice, comme ma mère. Pendant qu'elle corrigeait ses cahiers dans la classe, le soir, je montais sur une chaise pour écrire au tableau. La vocation d'Anne était aussi claire que la mienne : elle soignait sa poupée, moi, je lui apprenais à lire.

Lorsqu'ils se quittèrent en se donnant rendez-vous pour le lendemain, Jacques déposa un baiser sur la paume d'Adrienne. Elle resta figée un instant, tremblante d'émotion, puis elle retira sa main et disparut dans la nuit. Il se rassit sur le banc, pour prolonger un peu sa présence.

XXIII

L e lendemain matin, Jacques demanda à Lasbordes s'il y avait des réfugiés au village.

— Pas beaucoup. À part l'Espagnol de chez Monestié, il y a des Belges qui logent à côté de la boulangerie, dans une maison appartenant au maire. C'est un couple d'un certain âge avec un petit chien, un basset. Vous n'imagineriez pas les réactions des gens quand ils ont vu l'animal ! À la campagne, un chien, ça sert à garder les vaches ou la maison. Alors, cette petite bête de luxe qu'ils traitent comme un bébé, ça en a laissé plus d'un la bouche ouverte.

— Ils sont ici depuis longtemps, je suppose.

— Oui. Depuis l'exode, en 40.

— En parlant de réfugiés, je voulais dire de nouveaux arrivés.

— Ça, non.

— J'ai lu sur la feuille ronéotypée d'Adrienne que radio Londres avait recommandé aux habitants des villes, il y a déjà plus d'une semaine, de partir tout de suite à la campagne pour ne pas avoir à le faire au dernier moment et risquer de retarder l'avance alliée en encombrant les routes. S'ils ne suivent pas le conseil, pensez-vous que c'est parce qu'ils ne croient pas au débarquement ?

— C'est plutôt au danger qu'ils ne croient pas. La dernière fois, la plupart se sont dit qu'ils auraient mieux fait de rester chez eux.

Donc, cette fois-ci, ils ne bougent pas. Mais d'où la sortez-vous, la feuille d'Adrienne ? Quand les copies sont prêtes, elle me les apporte pour que je les distribue, et là, je ne les ai pas eues.

— Je l'ai croisée hier soir. Elle était en train de les imprimer et m'en a donné une.

— Vous l'avez croisée pendant qu'elle faisait marcher la ronéo ? Je vois…

— C'est-à-dire que…

Lasbordes dut soudainement penser qu'il ne connaissait pas assez l'envoyé de Londres pour se moquer de lui, car il coupa court :

— Mais c'est l'heure de partir ! Allons-y.

Le traitement du foin en était à une nouvelle étape : il fallait le mettre en tas pour préparer son chargement. La journée y passa et se déroula comme celle de la veille. Jacques trouvait plaisant le travail des champs : il procurait au corps une fatigue saine et permettait à l'esprit de vagabonder. Il s'était réveillé endolori parce qu'il avait utilisé des muscles qui n'y étaient pas habitués, mais après les trois mois d'entraînement intensif qu'il venait de subir, il était au mieux de sa forme physique et les petites douleurs du matin disparurent dès qu'il fut échauffé. Quant à sa cheville, elle ne le faisait plus du tout souffrir. Seules ses mains lui faisaient mal à cause des ampoules occasionnées par le contact avec le manche de la fourche, mais Adèle les lui avait soignées et elles étaient déjà en voie de cicatrisation. Le râtelage du foin ne permettait pas une conversation suivie comme le travail de la veille et il eut tout loisir de laisser vagabonder ses pensées.

Madame Casalès avait été surprise de le voir arriver à l'heure et aussi fringant que le jour d'avant et, même si l'opinion de cette femme avait une importance dérisoire, il fut tout de même content qu'elle ne puisse pas le regarder en ayant l'air de penser : *Je le savais que vous n'en seriez pas capable.* Il plaignit Pauline d'être sous l'emprise de cette harpie. La jeune fille était intelligente et généreuse, et elle aurait mérité une autre existence. Comme Lucie. Sa sœur avait réussi à secouer le joug paternel, qui pourtant pesait lourd. Peut-être Pauline pourrait-elle en faire autant ? Mais non. Lucie avait bénéficié du soutien de sa mère, tant logistique que financier. Et puis, elle vivait en ville où beaucoup de possibilités s'offraient à elle. Rien de tel pour Pauline. Le récit d'Adrienne avait été clair : sa seule chance d'accéder à une autre vie aurait été de poursuivre des études, et c'était trop tard puisqu'elle les avait interrompues depuis déjà un an ou deux.

Adrienne, par contre, était une jeune femme indépendante : elle avait un métier qui lui donnait droit au respect des gens et elle était impliquée dans la résistance. Une femme libre et engagée. Et malgré cela, les pudeurs d'une toute jeune fille. L'évocation de la main tremblante d'Adrienne dans sa propre main et sous ses lèvres troublait Jacques tout autant dans la lumière de la mi-journée qu'au cœur de la nuit.

Dans la salle de classe où les enfants écoutaient sa leçon d'histoire – ou feignaient l'attention –, l'institutrice était aussi habitée par le souvenir de sa soirée que le jeune homme qui l'avait partagée avec elle. La semaine dernière encore, elle se demandait si elle allait épouser Jean-Marie, son collègue de la localité voisine qui la courtisait depuis qu'ils avaient fait connaissance à la suite de sa nomination. C'était un garçon au physique et aux manières agréables et ils avaient les mêmes valeurs. Elle s'était dit qu'elle serait sans doute heureuse avec lui. Ils pourraient se faire muter dans un plus gros village où il y aurait assez d'enfants pour remplir deux classes. Ils travailleraient ensemble et vivraient sur place. Tout cela était raisonnable et n'avait rien de déplaisant, au contraire, mais si elle ne s'était pas engagée, c'est qu'elle soupçonnait qu'il était possible d'éprouver quelque chose de plus intense : un élan vers l'autre, un désir d'être sans cesse avec lui, de le toucher, de ne pas le quitter des yeux. De la princesse de Clèves à madame de Rênal, la littérature en était pleine de ces amours irrépressibles et, sans se l'avouer vraiment, elle attendait un jeune homme qui lui inspirerait un sentiment plus fort que son affection tranquille pour

Jean-Marie. Ce sentiment, cette impulsion, elle les ressentait maintenant pour un garçon qu'elle n'avait vu que quatre fois et avait tellement hâte de revoir qu'elle regardait l'heure sans arrêt. Absorbée par le souvenir de Jacques – Jacques qui avait baisé la paume de sa main, ce qui l'avait troublée au point de l'empêcher de dormir –, elle dévidait machinalement le déroulement de la guerre de 14 – 18 à ses élèves, sans vraiment penser à son récit, lorsqu'elle fut ramenée à la réalité par Francis Coustet. Le petit futé, qui ne s'en laissait pas conter, lui demanda:

— Dites, Mademoiselle Lascours, pourquoi on l'appelle «la der des der» puisqu'il y en a eu une autre et qu'elle n'est même pas finie?

Honteuse de faire si mal un métier qu'elle plaçait si haut, elle chassa Jacques de son esprit… jusqu'à la récréation.

XXIV

La vieille Hortense se serait bien passée de voir les gendarmes investir sa cuisine. Elle avait essayé de protester, mais sans succès. Pour la rassurer, ils avaient fait valoir que leur véhicule serait invisible de la route, puisqu'il était garé derrière la maison, et que personne ne découvrirait où ils avaient attendu le passage du client de Monestié. Quoi qu'ils disent, elle savait bien, pour avoir pratiqué toute sa vie la surveillance de voisinage, qu'il y aurait fatalement quelqu'un pour les voir et diffuser l'information. Évidemment, la médisance faisait partie des mœurs, mais on ne rapportait pas aux gendarmes ce que l'on avait appris. Elle serait jugée responsable des ennuis de Monestié, alors que la règle implicite était de ne pas mêler les étrangers aux affaires du village. Elle s'était laissée emporter par son désir de montrer qu'elle savait tout et le regrettait amèrement. Les Monestié étaient ses voisins les plus proches et c'était Joséphine qui était venue la soigner quand elle avait eu cette mauvaise grippe l'hiver dernier. Si Joséphine devinait quel avait été son rôle dans l'arrestation de son fils, elle n'hésiterait pas à l'apostropher en public, à la sortie de la messe du lendemain peut-être, et cette perspective l'épouvantait.

Ils étaient là tous les quatre : Lartigues et Deumier, à qui elle avait fait ses imprudentes révélations, Puntous, qui d'habitude accompagnait Deumier dans sa tournée, et Compans, un gommeux qui se prenait pour un autre. Pourtant, on savait d'où il sortait : ses parents étaient des paysans, comme tout le monde, mais dans le genre des Monestié, avec du bien. Son frère aîné reprendrait la ferme, alors que lui avait d'autres ambitions. Comme il le répétait à l'envi, il préparait un concours pour obtenir de l'avancement et devenir chef.

Compans méprisait ses collègues, Lartigues plus que tous les autres. Non seulement il le jugeait incapable et ignorant, mais en plus, il le détestait à cause de la réprimande que lui avait value sa balade dans l'auto de patrouille restituée avec le réservoir à sec. Il avait fallu que Lartigues demande des bons de carburant supplémentaires afin de pouvoir remplir la mission à Fontsavès, et il s'était fait reprocher d'avoir gaspillé ses bons du mois. Après que son correspondant à la préfecture lui eut dit vertement qu'il devrait penser au vélo, comme tout le monde, le chef n'avait pas été d'humeur à épargner Compans. Non seulement il lui avait remonté les bretelles devant ses deux collègues, mais la fenêtre était ouverte sur la rue et des passants s'étaient arrêtés pour écouter. Quand il était arrivé au *Café du commerce*, le jeune gendarme avait été accueilli par des visages rigolards, ce qui l'avait mis dans un état de fureur qui appelait la vengeance. Il trouverait un moyen de faire payer cela à Lartigues, il se le promettait.

Assis à la table de la cuisine, les gendarmes jouaient aux cartes pour tuer le temps bien que ce ne fût pas très intéressant parce qu'ils faisaient des parties à trois : en effet, le quatrième était posté à la place habituelle de la vieille femme, derrière les volets, à guetter le passage de la voiture. À la fin de chaque partie, un de ses collègues le relayait. Depuis leur arrivée, Hortense disait un chapelet dans un coin de l'âtre, dans l'espoir, peut-être, que le véhicule qu'elle voyait tous les samedis depuis des mois s'abstiendrait miraculeusement de venir ce soir-là et ne reviendrait jamais plus, ce qui rendrait sa délation sans effet. Mais vers une heure du matin, l'attente prit fin et son espoir du même coup : une voiture passa, qui ralentit peu après et dont le moteur se tut presque aussitôt.

Les quatre hommes laissèrent Hortense à ses ruminations pour se diriger silencieusement vers la ferme où avaient lieu les transactions clandestines. Le chien avait été enfermé afin qu'il ne se manifeste pas à l'arrivée du client et cela servit aussi les gendarmes, qui purent arriver sans être repérés jusqu'à la voiture dont la malle était ouverte. Lorsque deux hommes lourdement chargés s'avancèrent vers le véhicule, ils les entourèrent, braquèrent sur eux leurs lampes de poche et Lartigues annonça d'une voix forte :

— Vous êtes en état d'arrestation pour cause de marché noir. Posez ce que vous portez dans le coffre et tendez les poignets.

Armand Monestié et son client protestèrent qu'ils avaient des relations et que cela ne se passerait pas comme ça. Ils allaient regretter leur initiative, les petits gendarmes de Meilhaurat. Pour qui se prenaient-ils donc ?

— Pour des forces de l'ordre qui ont des consignes de la préfecture. Nous appliquons des instructions sur lesquelles vous figurez nommément, *Monsieur Monestié qui a des relations.*

Les deux hommes dûment menottés, Compans était allé chercher la voiture de patrouille qu'il gara à côté de l'autre. Deumier ouvrit la portière afin d'y faire monter Monestié quand celui-ci cria :

— *Non, mama ! Pas aquò !*

Ils se tournèrent dans la direction où il regardait pour voir une furie brandir une fourche. Elle était à deux pas de Puntous qu'elle aurait embroché si son fils n'était pas intervenu.

Il répéta :

— Ne fais pas ça. Tout va s'arranger. Baisse cette fourche.

La scène était figée. Tous retenaient leur souffle. Joséphine Monestié avait les yeux fous et sa fourche était toujours en l'air, tout près de Puntous. Elle ne semblait pas entendre son fils.

Il insista :

— *Mama,* va poser cette fourche contre le mur de l'étable.

Elle le regarda enfin.

— Comme tu vèux, dit-elle d'un ton morne, et elle leur tourna le dos pour aller déposer l'outil.

La scène reprit vie. Comme cela avait été décidé au préalable, Compans allait conduire la voiture du client avec l'homme menotté derrière et Puntous à côté de lui tandis que Lartigues se chargerait de celle de la brigade avec Monestié et Deumier.

Avant de partir, Compans, indigné, demanda à son chef :

— Vous n'embarquez pas la vieille folle ?

— Non. Qu'est-ce que tu veux qu'on en fasse ?

— Mais enfin, elle a failli tuer Félicien.

— Elle ne l'a pas fait. Allons-y, il est tard.

Bien que l'on fût au milieu de la nuit, il y avait eu des témoins : Van Lare et trois de ses gars qui attendaient le départ du client de Monestié pour apparaître et réclamer leur part du gâteau. Les furtives allées et venues des maquisards chez le capitaine avaient permis de découvrir le trafic du fermier et, depuis, ils le taxaient. Ils faisaient de même avec tous ceux qui s'enrichissaient au marché noir alors qu'ils payaient la marchandise aux autres paysans. Par mesure de prudence, c'étaient toujours les mêmes qui s'acquittaient de la tâche, des gars inconnus au village. Dès le début, ils avaient lâché, comme par inadvertance, le nom de la forêt où ils étaient installés. Évidemment, l'information était fausse et il n'y avait là aucun clandestin. Ils se réjouissaient de leur précaution, cette nuit où ils assistaient, en spectateurs invisibles et muets, à l'arrestation du trafiquant, car ils savaient que Monestié n'hésiterait pas à les dénoncer en échange d'une promesse de libération. Grâce à leur prévoyance, l'homme enverrait les troupes dans un lieu où elles ne trouveraient personne.

XXV

Comme c'était dimanche, que le temps était au beau et qu'il n'y avait pas d'urgence, Casalès avait dit à Jacques qu'il pouvait prendre sa journée. Le jeune homme n'avait eu aucun mal à convaincre Adrienne de la passer avec lui. Elle avait choisi le but de leur excursion : des grottes qui avaient été occupées à l'époque préhistorique par de lointains ancêtres. Ils avaient convenu de partir séparément, pour éviter de prêter le flanc aux bavardages, et de se retrouver à la croix de Montjoie à quelque distance de la sortie du village. Jacques avait failli être embarrassé en prenant son café dans la cuisine d'Adèle. Lorsqu'il avait annoncé qu'il allait visiter les grottes du Savès dont on lui avait parlé, Lasbordes avait aussitôt proposé de l'accompagner pour lui servir de guide. Heureusement qu'Adèle, fine mouche, avait compris au changement d'expression de son pensionnaire qu'il ne voulait pas de compagnie. Elle était intervenue d'un ton sans réplique :

— Tu oublies, Henri, que tu m'avais promis de tailler des tuteurs pour les tomates.

Jacques vit le regard ébahi du facteur, puis le tranquille cheminement de la compréhension dans son esprit.

— C'est vrai, dit-il, j'avais oublié. Et ça presse! Elles sont déjà sorties de terre et elles poussent au galop. Il ne faudrait pas se laisser rattraper.

Adèle haussa les épaules et changea de sujet.

— Vous venez à la messe, Jacques, avant de partir?

Il devait retrouver Adrienne après l'office, alors, pourquoi ne pas faire plaisir à Adèle?

— Volontiers, répondit-il.

Et il ajouta à l'adresse du facteur:

— Vous y allez aussi?

— Non. Les bondieuseries, c'est pas pour moi. Le dimanche, je vais prendre l'apéritif chez Amagat. Depuis les fenêtres, on voit la sortie de la messe et il n'y a pas que des vieilles punaises dans le viseur.

Adèle quitta la pièce pour aller s'apprêter, ce qu'elle fit un peu vivement.

— Je ne crois pas que votre remarque lui ait fait plaisir, constata Jacques.

— Elle fait semblant. Je répète la même chose tous les dimanches. Elle sait bien que c'est pour rire.

Jacques se garda d'insister, mais il pensa que la plaisanterie dominicale semblait beaucoup moins amuser Adèle que l'agacer. Deux ou trois précisions sur la psychologie féminine ne nuiraient pas au facteur, mais ce n'était pas lui qui s'en chargerait. On respectait sa vie privée, il ne se mêlerait pas de celle des autres.

Il tira une chemise propre de la valise qui avait été parachutée en même temps que lui et s'en alla avec Adèle et José.

— Préparez-vous à être regardé. Ils voudront établir à qui vous ressemblez.

Mais quand ils arrivèrent sur le parvis de l'église, nul ne fit attention à eux. Il s'était produit au cours de la nuit, sous les yeux de Sourdès, qui se trouvait dehors précisément à ce moment-là, un événement sortant de l'ordinaire. Le buraliste faisait part de ses découvertes aux paroissiens attentifs en désignant de sa canne la direction des lieux dont il parlait.

— Vous comprenez, disait-il, je me lève pour pisser toujours à peu près à la même heure. Le temps de remettre ma jambe de bois et de me rendre jusqu'au cabanon, qui est au fond du jardin, je suis tout à fait réveillé. J'allais rentrer quand les voitures sont passées et j'ai bien reconnu celle de la gendarmerie.

Il attendit un instant, puis ajouta sur le ton de quelqu'un qui en sait long :

— L'autre aussi, je l'ai reconnue.

Il se fit un peu prier pour continuer, mais ne put résister très longtemps.

— Je la vois tous les samedis. Elle se rend vers le fond du village et repasse un peu plus tard.

Comme on le pressait de questions, il s'en tint là.

— Moi, je dis ce que j'ai vu. Rien de plus.

La plupart des gens s'étaient fait une idée, que Joséphine Monestié confirma en s'en prenant à la vieille Hortense. Celle-ci, contrairement à son habitude, n'avait pas participé aux ragots. Elle était bien placée pour savoir ce qui s'était réellement produit, mais elle ne voulait pas en faire état de crainte qu'on ne l'associe à l'arrestation du fermier. Ses inquiétudes étaient fondées. Joséphine Monestié vint se planter devant elle tandis qu'Hortense essayait d'éviter son regard.

— Tu n'oses même pas me regarder en face, méchante bête ?

Et, devant l'assistance émoustillée, elle lui cracha au visage avant d'entrer dans l'église en traînant à sa remorque sa bru et sa petite-fille. En un clin d'œil, Hortense se retrouva seule sur le parvis. Les Monestié n'étaient pas aimés, mais les délateurs l'étaient encore moins. La vieille femme comprit que lors de sa prochaine grippe les secours ne se bousculeraient pas à sa porte.

Depuis le fond de l'église, Jacques ne voyait d'Adrienne que ses cheveux bruns qui effleuraient le col. La coupe à la mode était gracieuse, comme sa silhouette qu'il avait suivie du regard pendant qu'elle entrait. Elle portait une robe d'été fleurie et des chaussures à talons hauts qui lui donnaient l'allure d'une citadine. Les jeunes filles du village se pressaient autour d'elle et il supposa qu'elles devaient l'admirer et essayer de l'imiter. Jacques ne suivait guère l'office, intrigué par la scène du parvis qu'il ne comprenait pas. Il était clair qu'il s'était passé quelque chose de grave, que les villageois avaient deviné à demi-mot et, comme pour le meurtre, il craignit que cela n'ait un rapport avec le maquis qui s'en trouverait mis en danger. Il avait hâte d'entendre les explications d'Adèle à ce sujet. Lors du sermon, il se concentra davantage, curieux de ce prêtre qui terrorisait les populations.

Le physique de l'abbé Trescamp en imposait. Plus grand que la plupart des gens, il avait une large carrure, mais ce qui frappait surtout, c'étaient ses yeux, noirs, enfoncés dans leurs orbites, qui brillaient d'un éclat inquiétant. Sans surprise, son prêche traita de la nécessité d'inculquer aux enfants les vraies valeurs, de leur apprendre le respect de l'autorité, et tout cela en leur donnant le bon exemple. Du haut de la chaire, il surplombait une assemblée qu'il avait toujours tenue sous sa coupe, mais dont il sentait qu'elle lui échappait, ce qui mettait dans sa voix des accents de fureur. Le chef de gare avait fissuré son autorité. Il n'inspirait plus la même crainte, et les derniers événements, dont Jacques ignorait la teneur, excitaient trop les paroissiens pour qu'ils lui prêtent réellement attention. Le prêtre finit par se taire et retourna vers l'autel pour la suite de la célébration.

Sur le chemin du retour, Adèle expliqua à Jacques ce qu'il fallait conclure des bribes d'information vues et entendues. La femme qui avait craché était Joséphine Monestié, la mère d'Armand. C'était donc chez eux qu'un drame s'était produit. Sourdès avait vu l'auto de la gendarmerie au milieu de la nuit avec un autre véhicule qui venait chaque semaine. C'était clair : Monestié s'adonnait au marché noir, ce que tout le monde soupçonnait depuis longtemps, et les gendarmes l'avaient arrêté avec son client. Quant à la vieille Hortense qui s'était fait cracher dessus, elle passait sa vie à espionner les gens. Elle devait donc être à l'origine de la dénonciation. Cette série de déductions rassura Jacques : le marché noir et le maquis étaient deux mondes différents. Il pouvait partir tranquille pour sa randonnée avec Adrienne. Adèle voulut absolument lui préparer un casse-croûte.

— Vous ne trouverez rien à manger sur le chemin et vous ne pouvez pas passer la journée l'estomac vide.

Ils suivirent la route des crêtes pendant plusieurs kilomètres. Cette région vallonnée faisait partie des premiers contreforts des Pyrénées et il fallait parfois grimper des côtes raides, mais les paysages n'avaient pas la dureté des montagnes : ici, tout était en courbes et en lignes douces. Adrienne avait troqué ses souliers à talons hauts contre des chaussures confortables, mais elle avait gardé sa jolie robe, et Jacques, qui la trouvait ravissante, se laissait distancer, entre deux bavardages, pour le plaisir de la regarder. Ils avaient d'abord évoqué l'incident de l'église, que l'institutrice interprétait de la même façon que sa logeuse.

— Cette arrestation résulte d'une dénonciation, dit-elle, c'est évident, mais je suis persuadée que rien ne se serait produit s'il n'y avait pas eu l'enquête sur le meurtre. Peut-être que Monestié était sur la liste du corbeau. Si c'était lui le coupable, tout serait terminé et les nôtres ne risqueraient plus d'être découverts par les autorités.

— Vous êtes sûre que le garde champêtre n'a pas été exécuté par mesure de sécurité par un membre du maquis ?

— Non. De toute manière, on ne me l'aurait pas dit. Chacun n'est informé que de ce qu'il doit savoir. Et même si certaines choses sont rendues indispensables pour les besoins de la cause, je préfère les ignorer.

Il commençait de faire chaud et ils s'arrêtèrent pour boire. Adrienne sortit une bouteille d'eau du panier qu'elle avait arrimé à son porte-bagages et la tendit à Jacques qui insista pour qu'elle bût la première. Avant qu'il boive à son tour, elle voulut l'essuyer, mais il retint sa main et elle rougit de le voir poser ses lèvres à l'endroit où elle avait posé les siennes. Ils repartirent, mais ne renouèrent pas tout de suite le dialogue, troublés par ce simple geste, qui en annonçait d'autres pour les heures à venir, et qu'ils attendaient avec une impatience un peu inquiète.

Les grottes étaient situées en bordure de la rivière, et ils redescendirent vers la vallée en roue libre. Les cheveux d'Adrienne voltigeaient et sa robe était gonflée par le vent de la course. Après avoir abandonné leurs vélos, ils pénétrèrent sous la voûte rocheuse qui se perdait dans l'ombre en rétrécissant. Adrienne, qui connaissait bien les lieux, lui montra les traces d'occupation préhistorique et se lança dans des explications détaillées, comme elle devait le faire lorsqu'elle y conduisait ses élèves. Jacques l'écoutait à peine, trop bouleversé par la présence toute proche de cette jeune fille si vivante pour être capable de se passionner pour des êtres humains disparus depuis des milliers d'années. La grotte était fraîche, et il vit qu'après la chaleur du dehors, Adrienne y était sensible.

— Tu as froid ? demanda-t-il.

— Un peu.

Il était passé au tutoiement sans s'en apercevoir et elle ne s'en offusqua pas. Il posa ses mains sur ses bras. Elle frissonna. Alors, il l'attira contre sa poitrine et elle vint tout naturellement s'y couler. Ils restèrent un moment ainsi, le cœur fou, avant d'échanger leur premier baiser.

Il fut suivi de bien d'autres, l'après-midi durant, tandis qu'ils marchaient au bord de l'eau, main dans la main, s'arrêtant sans cesse pour s'embrasser encore. Puis il fallut repartir. L'apparition du clocher de l'église, annonce de leur séparation imminente, mit fin au plaisir de l'escapade. Sa grosse joie tombée d'un coup, le visage souriant d'Adrienne sembla s'éteindre, et Jacques lui pressa la main une dernière fois sur la promesse de se retrouver bientôt, dans quelques heures à peine.

— Sur le banc, après radio Londres.

— D'accord, sur le banc.

Et ils se quittèrent pour rentrer séparément au village.

XXVI

Lasbordes qui s'en allait chez Amagat insista pour que Jacques l'accompagne.

— Ça paraîtrait bizarre que vous restiez enfermé tout le dimanche alors qu'il y a du monde au café avec qui vous pourriez faire connaissance.

Il aurait préféré aller s'allonger sur son lit pour revivre dans la solitude de sa chambre la journée de bonheur qu'il venait de passer, mais il admit le bien-fondé de sa remarque et se résigna à le suivre. Les clients étaient plus nombreux que d'ordinaire et l'entrée de Jacques provoqua une curiosité qui fit baisser les voix.

Le facteur interpella le fils Casalès attablé avec deux compagnons.

— Hé, Justin, présente le neveu d'Adèle à tes camarades. Il est plus de votre âge que du mien. Vous aurez davantage de choses à vous dire.

Jacques serra la main de Justin ainsi que celles de Roger Burgat et de Germain Coustet qu'il fit semblant de rencontrer pour la première fois. Il s'assit à leur table et ils lui posèrent ostensiblement des questions sur Marseille, où il était censé vivre, et sur la Normandie où il avait soi-disant passé son enfance. Quand l'attention fut retombée, ils parlèrent plus bas. Les gars l'informèrent de ce qui se disait au village au sujet des Monestié : rien de nouveau par rapport à ce qu'il savait déjà. Si Armand n'était pas relâché d'ici quelques jours, un mouvement de solidarité se mettrait en place pour aider l'Espagnol et les femmes à rentrer les foins, car on ne pouvait pas laisser perdre toute cette herbe qui était indispensable pour nourrir les bêtes pendant l'hiver. Jacques les fit ensuite parler de Toulouse. Justin n'y était jamais allé, bien que ce ne fût qu'à une soixantaine de kilomètres, et Roger seulement deux ou trois fois. Germain, par contre, qui ne payait pas le train parce que son père était employé des chemins de fer, connaissait bien la ville où le capitaine l'envoyait fréquemment porter des messages. Il apprit à Jacques qu'il fallait se méfier de la gare principale, Matabiau, car il y avait des patrouilles continuelles. La gare Saint-Étienne, moins fréquentée, était plus sûre. Toulouse était une ville où les grandes industries étaient des usines de guerre : cartoucherie, poudrerie, aviation... Il y avait aussi des ateliers de réparations Heinkel et Junker. De plus, à cause de sa situation centrale entre la mer et l'océan, les Allemands avaient choisi la ville comme centre des communications des forces de l'Atlantique et de celles de la Méditerranée. Le jeune homme fournit toutes ces explications sous le regard étonné de Justin et de Roger qui paraissaient les apprendre en même temps que Jacques. Germain, dont le père faisait partie du syndicat des cheminots, avait des centres d'intérêt et une culture politique qui faisaient totalement défaut aux autres. Jacques voulut l'orienter vers un sujet qui l'intéressait, mais dont Germain ignorait tout : est-ce que Toulouse était une ville universitaire ? Il finit par poser carrément sa question : pouvait-on y étudier la médecine ?

— Oui, répondit le jeune homme. Le docteur Guiraut, de Meilhaurat, a fait ses études à Toulouse.

Dans l'esprit de Jacques, un projet venait de naître pour après la guerre, c'est-à-dire pour très bientôt, puisque le débarquement était imminent.

Ce soir-là, dans le grenier des Fourment, le lien qui s'était tissé dans l'après-midi entre Adrienne et Jacques était tellement fort qu'une aura irradiait de leurs personnes, les unissant sans même qu'ils soient proches l'un de l'autre ou qu'ils se regardent. Lasbordes rendit mentalement hommage à la perspicacité d'Adèle qui lui avait évité de mettre ses gros sabots là où l'on n'avait pas besoin de lui. Pour ne pas être indiscret, il se tourna vers José et fit une autre découverte, mais celle-ci lui serra le cœur. Le garçon, dont l'expression était facile à déchiffrer, était très malheureux. Lasbordes ne s'était pas douté que l'adolescent était amoureux d'Adrienne. À vrai dire, il n'y avait rien d'étonnant à cela : elle était belle, il la voyait tous les soirs dans une atmosphère de clandestinité qui fouettait l'imagination et il avait avec elle une relation privilégiée puisqu'elle dépendait de lui pour écouter radio Londres. De là à rêver d'autre chose, quoi de plus naturel ? Lui-même, malgré son sincère attachement pour Adèle, ne se serait pas fait prier longtemps si elle s'était intéressée à lui.

Personne n'était très attentif ce soir-là lorsqu'une nouvelle d'importance les ramena à la réalité de la guerre : les Alliés étaient entrés dans Rome. Une houle de joie les bouleversa. *C'est le début de la fin*, disait-on à la radio. *C'est le début de la fin*, répétaient les trois adultes dans le grenier.

— Allons l'annoncer à Adèle, proposa Lasbordes.

Les jeunes gens descendirent les premiers, et le facteur jeta un regard sur José qui continuait de régler nerveusement son appareil, le visage crispé, inaccessible à la joie des autres. Henri lui posa une main sur l'épaule. Il vit une larme rouler sur sa joue. José n'avait que quatorze ans et c'était son premier chagrin d'amour.

— Il va repartir bientôt, dit-il d'une voix apaisante. D'ici une semaine ou deux, il sera loin.

Le garçon renifla et s'essuya rageusement les joues du revers de la main. Lasbordes lui pressa l'épaule et s'en alla.

Sur le banc du jardin, un peu étourdis par l'air saturé du parfum des roses, Adrienne et Jacques étaient blottis l'un contre l'autre dans la nuit de juin. Le jeune homme évoquait Lucie, qui était sans doute à Rome, en train de fêter la libération de la ville qu'elle avait dû photographier toute la journée pour son agence de presse. Il lui raconta comment sa sœur s'était affranchie de la tyrannie paternelle, lui parla de sa volonté, de son courage.

Puis il dit qu'il avait quitté son pays depuis si longtemps qu'il n'aurait aucun mal à s'établir ailleurs. Il avait appris qu'il y avait à Toulouse une faculté de médecine. S'il venait étudier là, ils pourraient se fréquenter et mieux se connaître.

— Vraiment, Jacques?

— Si tu le veux.

— Bien sûr que je le veux.

Le lendemain, Jacques annonça aux Casalès qu'il ne mangerait plus chez eux le soir parce qu'Adèle se plaignait de ne pas le voir assez. Elle espérait que José s'attacherait à lui, expliqua-t-il, ce qui aiderait le jeune garçon à surmonter sa sauvagerie. L'excuse était bancale et Maria Casalès, vexée, persifla:

— La soupe doit être meilleure chez Fourment.

— Non, Madame, répliqua-t-il. Adèle cuisine bien, mais je n'ai jamais rien mangé d'aussi bon que votre soupe.

Il était si visiblement sincère que la femme se dérida un peu. Sa journée de travail terminée, lorsque Jacques enfourcha son vélo, il était l'homme le plus heureux du monde: au bout du chemin, il y avait le grenier, avec radio Londres, et ensuite, le banc du jardin.

Bien qu'ils y fussent préparés depuis le message de mise en alerte du premier juin, *Messieurs faites vos jeux*, lorsque les occupants du grenier entendirent *Le père la Cerise est verni*, ils furent frappés de stupeur, comme s'ils n'y croyaient pas. Après tant d'années d'attente, d'espoir et de découragement mêlés, était-il possible que ce soit enfin vrai? Pourtant, c'était clair: *Le père la Cerise est verni* annonçait aux initiés, dont ils faisaient partie, que le débarquement allié était pour le lendemain. Très vite, l'hébétude fit place à la joie et ils descendirent fêter ça avec Adèle qui sortit une bouteille de ratafia de noix datant d'avant-guerre. L'effet conjugué de l'alcool sirupeux et de l'excitation due à la nouvelle leur monta à la tête et José, qui était resté comme d'ordinaire dans son galetas, vint leur dire aigrement :

— C'est bien la peine de me répéter de baisser le son parce qu'on va se faire repérer : on doit vous entendre jusqu'au bout du village.

Rappelés à la prudence, ils mirent la sourdine, mais ils n'arrivaient pas à se taire ni à se séparer. Lasbordes, le plus expansif, faisait des prédictions d'avenir dans lesquelles les Alliés anéantissaient l'ennemi en quelques jours.

— D'ici la mi-juin, ils les auront repoussés jusqu'à Berlin.

Ces Allemands, dont ils avaient répété pendant toutes ces années : *Ils nous prennent tout pour l'envoyer chez eux*, ne pourraient plus s'emparer des biens de première nécessité et ce serait la fin des restrictions. Ils avaient tellement été privés qu'ils éprouvaient le besoin d'énumérer ce qu'ils étaient sur le point de retrouver.

— On aura de nouveau du tabac.

— Et du café.

— Et du sucre.

— Et du beurre.

Et, et, et… Comme c'était bon d'espérer !

Sur le banc du jardin, quand ils eurent enfin quitté la cuisine, Adrienne et Jacques se replongèrent dans leurs rêves d'avenir qui venaient de recevoir un si bel encouragement. Pendant l'été, Jacques irait visiter sa famille à Montréal, puis il reviendrait pour la rentrée s'inscrire en première année de médecine à Toulouse. Si elle le voulait, ils se fianceraient à son retour.

Elle le voulait.

— Je vais vérifier auprès de l'académie s'il n'est pas trop tard pour demander ma mutation à Toulouse. Mais si je suis obligée de rester un an de plus à Fontsavès, ce ne sera pas trop grave : avec le train, tu pourras venir tous les samedis. Adèle ne refusera pas de te loger.

XXVII

Au risque de passer pour un paresseux, Jacques ne se rendit pas chez Casalès afin de consacrer la journée à l'écoute de radio Vichy et de radio Londres avec José. Celui-ci manifestait une hostilité qu'il ne s'expliquait pas, vu qu'il lui avait remis sa bicyclette en parfait état et qu'ils ne faisaient que se croiser, la plupart du temps sans échanger une parole. Toutes les tentatives de conversation de Jacques furent reçues par un mutisme obstiné et il finit par abandonner.

Ce 6 juin 1944 fut une journée d'attente fiévreuse, de bulletin en bulletin. À dix heures, tous les émetteurs de la B.B.C. diffusèrent le communiqué suivant : *Sous le commandement du général Eisenhower, des forces navales alliées, appuyées par de puissantes forces aériennes, ont commencé le débarquement des armées alliées ce matin sur la côte nord de la France.* C'était donc confirmé : la dernière phase de cette interminable guerre se déroulait quelque part, à des centaines de kilomètres d'eux. Jacques alla le dire à Adèle qui se rendit au fond du jardin de manière à être visible depuis la cour de l'école où l'institutrice surveillait la récréation. Adrienne s'approcha, et une observatrice désœuvrée, qui se serait opportunément trouvée derrière un rideau à ce moment-là, aurait vu deux voisines en train d'échanger quelques mots. Pour faire bonne mesure, Adèle tendit à Adrienne une tête d'ail frais qu'elle venait d'arracher et dont elle frotta la terre sur son tablier. Mais pendant ce temps, au lieu de l'entretenir du beau temps qui persistait, elle lui rapportait le communiqué de la B.B.C.

À douze heures trente, c'était le journal à la radio de Vichy, et Adèle rejoignit son fils et son pensionnaire au grenier pour écouter Pétain qui parla longuement. Après que l'annonceur eut dit : *Un message du Maréchal de France, chef de l'État, à la population française,* la voix du vieillard s'éleva pour livrer un discours où il se montra fidèle à lui-même, exhortant les Français à se comporter comme si rien ne se passait.

Les circonstances de la bataille, dit-il en conclusion, *pourront conduire l'armée allemande à prendre des dispositions spéciales dans les zones de combat. Acceptez cette nécessité, c'est une recommandation instante que je vous fais dans l'intérêt de votre sauvegarde. Je vous adjure, Français, de penser avant tout au péril mortel que courrait notre pays si ce solennel avertissement n'était pas entendu.*

Adèle, qui avait émis en l'écoutant des soupirs exaspérés et de petits reniflements exprimant son indignation, qualifia ce discours d'appel à la lâcheté. À la suite du Maréchal, le président Laval, chef du gouvernement, y alla de ses propres mises en garde qui sentaient très fortement la menace. Il accusa ceux qui demandaient de cesser le travail et incitaient à la révolte d'être des ennemis du pays.

— Et surtout des Boches, commenta la logeuse.

Puis elle ajouta, dans un accès de hargne que l'on n'aurait pas attendu d'une femme aussi calme et posée :

— Ce vendu me donne des envies de meurtre. Je serais capable de l'étrangler de mes propres mains.

À dix-sept heures trente, alors que la déclaration du général de Gaulle était imminente, l'émotion était forte autour du poste de José. Le grenier comptait deux auditeurs de plus : le facteur, qui avait abandonné pour une fois ses copains de manille, et l'institutrice, qui avait laissé en plan ses corrections. Le brouillage, malheureusement, ne leur permit d'en entendre que des bribes, parmi lesquelles ils reconnurent *bataille suprême... combats... choc décisif...* Mais au fond, il importait peu de ne pas saisir l'intégralité du message : la nouvelle du débarquement avait été confirmée tout au long de la journée et rien ne pourrait amoindrir leur joie.

Ils se rassemblèrent tous dans la cuisine pour manger ensemble en attendant vingt et une heures quarante-cinq, heure de l'émission *Les Français parlent aux Français* qui les informerait de l'avancement des combats. La tablée, heureuse et surexcitée, était bruyante. La confirmation en termes clairs du message crypté de la veille effaçait les doutes qu'ils auraient pu avoir. La B.B.C. l'avait annoncé, Vichy avait réagi : le débarquement avait bien eu lieu et il avait réussi.

Dans la soirée, la voix de Jacques Duchesne leur apprit que *l'espoir est permis, les nouvelles du premier jour sont bonnes. Mais ces Allemands, enracinés depuis quatre ans chez nous, ce serait folie de penser qu'on les mettra dehors facilement.* De cette déclaration, ils ne voulurent entendre que *les nouvelles du premier jour sont bonnes,* ce qui les persuada de l'imminence de la paix.

Adrienne s'aperçut soudain qu'il était très tard.

— Je m'en vais, dit-elle, je dois corriger mes cahiers pour demain.

Jacques l'accompagna et lui demanda s'il pouvait lui tenir compagnie pendant qu'elle travaillait. Ils entrèrent furtivement dans son logement et s'enlacèrent dès la porte fermée.

Adrienne finit par repousser Jacques :

— Il faut vraiment que je travaille.

— Excuse-moi. Je suis égoïste.

Les volets clos, elle alluma la lumière, ce qui permit au jeune homme de découvrir le lieu où elle vivait. Le rez-de-chaussée était simplement constitué d'un corridor, au bout duquel un escalier menait à l'étage, et d'une unique pièce, assez vaste, qui servait à la fois de cuisine, de bureau et de salon. Le jeune homme la trouva confortable et agréablement aménagée. Très modeste par rapport à l'intérieur bourgeois du maire, elle était presque luxueuse s'il la comparait aux foyers des Casalès ou des Fourment. La cuisinière, surtout, et la porcelaine exposée sur le dressoir faisaient la différence avec les cuisines paysannes. Il y avait aussi les murs clairs, exempts de suie. Elle se chauffait pourtant au feu de bois, comme le prouvait la cheminée ; elle devait donc lessiver les parois fréquemment. Adrienne comprit au regard de Jacques qu'il était surpris et elle lui parla de l'héritage de sa tante qui la faisait paraître riche aux yeux des jeunes paysannes du village, ce qu'elle n'était pas : ses biens se limitaient à l'appareil ménager et à la vaisselle qu'il voyait.

— Moi aussi, j'ai reçu un héritage. De ma grand-mère. Il est assez important pour me permettre de passer plusieurs années sans gagner ma vie. C'est pour ça que je peux envisager de faire mes études à Toulouse.

Avant de s'asseoir dans le fauteuil, il jeta un coup d'œil aux livres alignés sur l'étagère. Des romans, surtout, rien de récent, probablement les auteurs recommandés par ses professeurs de l'école normale, mais les couvertures étaient fatiguées, preuve qu'ils avaient été lus et relus. Il prit *La Dépêche*, qu'elle n'avait même pas eu le temps de déplier, mais le journal, imprimé avant le débarquement, ne le captiva pas. Dans celui du lendemain, par contre, il serait intéressant de voir comment l'affaire serait présentée. Il faisait semblant de lire, mais en réalité, il la regardait. Elle trempait régulièrement sa plume dans la bouteille d'encre rouge et traçait avec application des modèles d'écriture pour les plus petits. Il se leva tout doucement pour regarder par-dessus son épaule. La fin de l'année scolaire était proche et les élèves en étaient à la lettre Z. Elle l'avait illustrée avec le mot « zèbre » et il se demanda combien d'enfants, parmi ces petits paysans qui n'avaient jamais visité un zoo, savaient à quoi ressemblait cet animal. Comme s'il avait formulé son interrogation à voix haute, elle lui dit :

— J'ai un livre avec des photos. Je vais le leur montrer.

Bien sûr ! Était-il idiot ! Elle formait ses lettres avec une extrême régularité, et il se demanda à quoi ressemblait sa véritable écriture.

Mais peut-être n'avait-elle que cette écriture professionnelle ne laissant rien deviner. Il faillit lui poser la question, se souvint qu'il ne devait pas la déranger et se contenta d'un baiser léger au coin de l'oreille. Elle leva la tête et lui sourit.

XXVIII

Le 7 juin au matin, à la gendarmerie de Meilhaurat, Lartigues et Deumier attendaient *La Dépêche* pour voir si elle apporterait des précisions sur ce débarquement dont le discours du Maréchal les avait avertis la veille. Ils avaient entendu la nouvelle à midi, en mangeant. Le soir, l'envie de capter radio Londres avait démangé Lartigues, mais il ne s'y était pas risqué : s'il était découvert et dénoncé, le fait qu'il soit gendarme rendrait sa violation de l'interdit encore plus grave. Les deux hommes s'étaient abstenus de parler de leurs craintes devant Berthe, pour ne pas l'alarmer, et ils n'en dirent rien non plus en présence de leurs collègues. Ils n'avaient pu partager leurs inquiétudes que pendant le court chemin qui séparait la gendarmerie du domicile du chef. Elles concernaient les dangers qui seraient encourus par le jeune Lartigues et ses compagnons si les Alliés se maintenaient sur le sol français, car les maquisards devraient jouer le rôle pour lequel ils s'étaient préparés : multiplier les coups de main et les sabotages contre les voies de communication en vue de retarder les Allemands envoyés en renfort vers le lieu des opérations. Les effectifs de la *2ᵉ SS Panzerdivision Das Reich* cantonnés à proximité seraient une cible pour le maquis de la forêt de Fontsavès et les deux gendarmes savaient à quel point les actions clandestines mettaient en péril ceux qui les perpétraient. Ils tremblaient pour Alain, fils de l'un et filleul de l'autre, pour les deux garçons de leur ami, le docteur Guiraut, et pour toute la jeunesse du canton embrigadée là-dedans.

Le facteur n'avait pas encore livré le journal que le téléphone apporta une nouvelle qui les consterna : Toulouse allait envoyer un enquêteur chargé de résoudre le meurtre du garde champêtre. Ils avaient espéré, à vrai dire sans trop y croire, que Monestié était le coupable. Ou du moins, qu'il y aurait assez de présomptions contre lui pour que la police toulousaine le garde et ne cherche pas ailleurs. Gardé, il le serait, mais pour le marché noir et pas pour le meurtre. Comme on l'expliqua à Lartigues, à qui le découragement ne permettait d'émettre que de vagues onomatopées, Monestié avait essayé de monnayer sa libération contre la révélation du lieu où était implanté un camp de maquisards. Ces salauds-là, avait-il dit, faisaient fréquemment main basse sur une partie de son élevage et ne le payaient jamais. Mais ils avaient laissé échapper le nom de l'endroit où ils étaient installés. Malheureusement pour Monestié, le fort contingent qui s'était rendu à la forêt de Bourdages était revenu bredouille, ce qui avait tellement enragé les autorités qu'il avait été envoyé aussitôt dans un camp de concentration peuplé de trafiquants et de terroristes d'où il n'avait guère espoir de sortir.

Deumier, plus enclin à s'attarder à l'aspect positif des événements, fit remarquer à Lartigues qu'il y avait là-dedans une excellente nouvelle : Monestié ne connaissait ni le nom des maquisards, qu'autrement il aurait dénoncés, ni le véritable emplacement de leurs installations. C'était maintenant à eux, les gendarmes, de s'arranger pour faire circuler ces informations de manière que les gens se méfient et soient prudents.

— Fais-moi confiance, dit-il à son chef. Je vais partir en tournée avec Puntous et je glisserai, ici et là, ce que chacun aura besoin de savoir. Et surtout, j'irai faire peur à Hortense pour qu'elle ne parle que de Monestié.

C'était le mieux, et Lartigues donna son accord.

— Commence par aller chez Maupas : on lui avait promis de le tenir au courant de l'enquête.

La visite des gendarmes au château dura peu, mais le maire, pressé de téléphoner à son beau-frère, la trouva malgré tout trop longue. Il espérait qu'il n'était pas trop tard pour que Dalby fasse jouer ses relations afin qu'on leur envoie un benêt incapable de découvrir l'existence du maquis. Avec le débarquement allié de la veille, les autorités hostiles à la résistance allaient devenir particulièrement vigilantes et si le policier toulousain découvrait le camp, ce serait la catastrophe. Surtout que le mot maquis avait été prononcé. Il le savait par le récit de Deumier. Le gendarme lui avait rapporté ce qui s'était passé avec Monestié, sa dénonciation des partisans et l'échec de l'expédition punitive.

— Cette histoire de maquis, Monestié a dû l'inventer pour se tirer d'affaire, mais ça ne lui a pas porté chance, avait conclu Deumier en partant.

Si c'était la position officielle, cela le rassurait un peu. Néanmoins, l'attention avait été attirée sur la résistance, et ils devraient être plus prudents que jamais. Il lui fallut appeler Charles Dalby à plusieurs reprises avant de parvenir à lui parler et quand il l'eut enfin en ligne, Maupas était à bout de nerfs. Son beau-frère l'apaisa en lui promettant de s'occuper tout de suite de l'affaire et de le rappeler dès qu'il saurait quelque chose.

La fenêtre du bureau où se tenait le maire donnait sur le champ où ses métayers chargeaient une charrette de foin et il pensa, en les voyant, que ce serait une bonne idée de les mettre au courant des derniers événements. Il attendit qu'ils s'arrêtent pour le petit-déjeuner et alla les rejoindre. Après s'être enquis auprès de Casalès de la qualité des foins – qui ne seraient pas fameux cette année : la réponse habituelle –, il leur apprit ce qu'il savait en cachant son inquiétude. Comme les gendarmes ne s'étaient pas manifestés depuis plusieurs jours, les faneurs croyaient l'enquête abandonnée faute de résultats et, en voyant passer Deumier et Puntous, ils avaient supposé qu'ils accomplissaient une tournée de routine. L'annonce que l'investigation allait redémarrer avec un policier toulousain les surprit. Casalès n'en fut pas autrement impressionné.

— Un étranger… se contenta-t-il de dire avec scepticisme.

Le maire comprit, au regard que Jacques et les enfants du métayer échangèrent avec lui, qu'eux, par contre, étaient conscients de ce que cela pourrait impliquer. Lorsqu'ils furent prêts à reprendre leur travail, le casse-croûte terminé, Maupas quitta les faneurs pour aller se poster à côté du téléphone bien qu'il fût trop tôt pour espérer un appel de Charles.

Pendant la sieste, Justin demanda à Jacques si, à son avis il fallait s'inquiéter de la venue du Toulousain. S'il espérait être rassuré, il fut déçu, car son interlocuteur prenait la menace très au sérieux.

— Heureusement, dit Jacques pour diminuer ses craintes, les camarades vont être informés à temps, ce qui leur permettra d'éviter Fontsavès et Meilhaurat tant que l'enquêteur sera là.

Chez Fourment, ce soir-là, la nouvelle sema l'inquiétude, même si celle-ci fut atténuée par les propos de Lasbordes. Le facteur était passé au château juste après l'appel de Dalby et le maire lui avait appris que Toulouse envoyait un policier débutant. Il n'avait jamais fait la moindre enquête et ne connaissait pas la campagne.

— Les gens ne lui diront rien et il n'en saura pas davantage quand il repartira à Toulouse qu'à son arrivée ici, affirma Lasbordes, toujours optimiste. À ce moment-là, ce sera une vieille histoire, et elle sera classée.

— Mais il y a la femme qui a dénoncé Monestié, objecta Jacques. Elle va lui parler à lui aussi.

— Je ne crois pas, répondit Adèle. Hortense se mord les doigts d'avoir informé les gendarmes de Meilhaurat. À mon avis, ça lui a servi de leçon et elle restera discrète.

Ils allèrent de Charybde en Scylla avec les nouvelles de radio Londres. Après l'enthousiasme qu'elles avaient déclenché la veille, elles produisirent l'effet d'une douche froide, car ils apprirent que Roosevelt avait déclaré : *L'optimisme qui règne au sujet des opérations en Normandie est prématuré. Les forces de débarquement se heurtent à des difficultés,* et que Churchill avait renchéri : *La bataille durera longtemps. Sachons qu'il nous reste à faire des efforts énormes.*

Adrienne et Jacques, bien serrés l'un contre l'autre sur leur banc du jardin, n'eurent pas le courage d'évoquer le futur. Ce qu'ils avaient cru possible pour l'automne semblait maintenant renvoyé à une date incertaine et ils ne voulaient pas y penser.

DEUXIÈME PARTIE

I

Dans le train qui le conduisait à Meilhaurat, Claude Riquier était morose. Il aurait dû, le soir même, aller applaudir Marguerite Pifteau dans le rôle de *Carmen* en compagnie de Julia. Bien que la jeune fille se fût laissé longuement prier avant d'accepter, il avait beaucoup espéré de cette soirée à l'opéra. Mais voilà que c'était fichu. De plus, son départ avait été tellement précipité qu'il n'avait même pas pu l'avertir de sa défection. En allant chercher des vêtements pour quelques jours, il avait croisé son frère qui partait au palais de justice et, faute de mieux, lui avait donné les billets en lui demandant de le remplacer auprès de Julia.

Riquier en voulait à son supérieur hiérarchique: il savait que Daran, malgré ses dires et son air désolé, aurait pu envoyer quelqu'un d'autre chez les bouseux, mais il avait fait exprès de le choisir pour l'embêter, parce qu'il n'appréciait pas les intellectuels. L'horreur du jeune policier pour la campagne était notoire et ses collègues s'étaient copieusement moqués de lui. Cet imbécile de Pinet, surtout, qui s'était mis à chanter à tue-tête d'une voix nasillarde: *J'aime les moutons dans la prairi-e, j'aime les moutons enrubannés...* Ils lui avaient souhaité bonne chance auprès des beautés rurales. Ma foi, se dit-il en regardant les deux passagères assises en face de lui, si elles sont toutes comme celles-ci, le désert ne sera pas trop hostile.

Elles feuilletaient ensemble un magazine et riaient de temps à autre. Il avait du mal à se concentrer sur sa propre lecture et écoutait distraitement leur bavardage. Le nom de Fontsavès lui fit dresser l'oreille. Il comprit que c'était leur destination et que la plus jeune, que l'autre appelait Marie-Pierre, y vivait. C'était dans ce village qu'avait eu lieu le meurtre pour lequel son chef avait prétendu que l'on ne pouvait se passer de ses talents. Il les reverrait sans doute au cours de son enquête. La jeune était un peu verte, mais sa compagne lui plaisait. Elle avait le même genre que Julia : moderne et émancipé. Est-ce que Julia irait au spectacle avec son frère ? Probablement pas : elle n'aimait pas André qui ne lui manifestait pas assez d'admiration. Quant à maître André Riquier, si elle refusait, il serait content, car il n'aimait ni Carmen ni Julia qui, selon lui, avaient toutes deux un tempérament excessif.

Riquier se replongea dans le rapport du chef de la gendarmerie de Meilhaurat que Daran lui avait remis. S'il ne voulait pas s'attarder loin de Toulouse, il fallait qu'il résolve cette affaire au plus vite. Il prit dans sa serviette un carnet et un crayon pour noter les éléments essentiels. Tout en lisant, il se fit la réflexion que l'auteur du rapport devait être instruit : les faits étaient clairement exposés dans une langue correcte et sans fautes. Étonnant pour un gendarme de campagne. En haut de la page de son carnet, Claude écrivit *victime*, qu'il souligna, puis il ajouta ses fonctions, *garde champêtre*, la raison probable de son assassinat, *lettres anonymes*, la cause de sa mort, *coup de fusil* et le lieu où le cadavre avait été découvert, *bois isolé*. Il passa ensuite à un deuxième titre : *suspects*. Il était censé en rester trois puisque le coupable du marché noir avait été dédouané de l'inculpation de meurtre. Après avoir jeté un rapide coup d'œil au rapport avant de quitter son bureau, il avait réclamé une copie de l'interrogatoire de ce Monestié, mais on le lui avait refusé sous prétexte que cela ne lui servirait à rien. Il avait insisté, alléguant que l'homme avait peut-être lâché par inadvertance une information qui se révélerait intéressante en cours d'enquête, mais le refus avait été maintenu et, lui semblait-il, plus sèchement que nécessaire. Sur le moment, cette curieuse attitude l'avait troublé ; avec le recul, elle lui paraissait carrément suspecte, comme si on voulait lui cacher quelque chose. Il eut une intuition de la vérité : si on l'avait choisi, lui qui débutait et n'avait aucune expérience d'enquêteur, ne serait-ce pas dans l'espoir qu'il échoue ? Il rejeta cette pensée qu'il jugea paranoïaque, mais son désir de réussir pour écourter une mission promettant surtout de l'ennui se trouva accru de la volonté de prouver qu'il n'était pas un sot.

De temps à autre, Riquier levait la tête pour voir les petits villages se succéder : Tournefeuille, Saint-Lys… À chaque gare, quelques personnes descendaient furtivement, serrant leur cabas d'un air inquiet. Des citadins qui allaient échanger dans une ferme un coupon de tissu ou une paire de chaussures contre un lapin ou une douzaine d'œufs. Ce modeste troc, destiné à apaiser un peu la faim, était sévèrement réprimé, ce qui expliquait les regards traqués. À Fontsorbes, il fallut descendre du train pour alléger la charge, car la côte était trop rude. Ils s'égaillèrent le long de la voie et le policier ralentit le pas pour rester en arrière des deux jolies passagères que leurs hautes semelles de bois compensées empêchaient d'aller vite. Gaby – c'était le nom de la plus âgée, il venait de l'apprendre – avait des jambes superbes. *Agile et noble, avec sa jambe de statue…* Il ne regretta pas que la mode ait changé depuis Baudelaire et que *le feston et l'ourlet* soient remontés d'un nombre appréciable de centimètres. Elle avait les chevilles fines et les mollets galbés. Quant aux genoux, qu'il avait pu entrevoir lorsqu'elle était descendue, ils étaient parfaits, qualité rare. Elle avait passé ses jambes au brou de noix pour donner l'illusion qu'elle portait des bas et s'était dessiné une couture au crayon noir. Il suivit en imagination cette ligne qui remontait sous la robe, se demandant où elle s'arrêtait. L'avait-elle bêtement stoppée au-dessus du genou, jugeant inutile de la prolonger là où on ne la voyait pas, ou l'avait-elle tracée jusqu'en haut, au pli de la fesse ? Il paria pour la fesse. Tout dans ses gestes et dans sa démarche disait la sensualité. Même si elle n'avait pas d'amant, et il aurait gagé que malgré ses airs affranchis elle n'en avait pas, il se plut à imaginer qu'elle réservait à son corps des soins de courtisane.

Le train les attendait en haut de la côte. Ils reprirent leurs places. Riquier observait la jeune fille à la dérobée. Elle avait des cheveux souples, bruns et ondulés, qui balayaient ses joues chaque fois qu'elle se penchait. Elle les glissait derrière l'oreille d'un mouvement machinal qui devait lui être habituel, et il pouvait voir à chacun de ses gestes l'éclat de sa bague, un bijou ancien venant sans doute d'une aïeule. Comprenant qu'elle se sentait observée et que cela la dérangeait un peu, il se détourna. La contemplation du paysage, dont la douceur monotone l'ennuyait à mourir, l'aida à se replonger dans le rapport. Le trafiquant éliminé, il restait trois coupables potentiels : le maire, qui avait déclaré que la lettre anonyme l'accusait d'adultère, un ancien militaire, qui aurait également eu une histoire de femme, et le chef de gare prétendant n'avoir rien reçu. Ce dernier lui parut le plus suspect, quoique les autres ne fussent guère crédibles puisqu'ils avaient pris soin de détruire les lettres. Lorsque Riquier sentit qu'il possédait bien tous les éléments du rapport, il rangea son carnet et ouvrit *La Dépêche* qu'il avait achetée avant de partir.

La une titrait : *L'attaque anglo-américaine contre les côtes françaises de la Manche se heurte aux contre-attaques de plus en plus violentes de la Wehrmacht.* Puis venait un communiqué allemand daté de la veille, qui affirmait avoir taillé en pièces les nombreuses formations aéroportées descendues à l'arrière des fortifications pour empêcher l'arrivée des réserves du Reich, se glorifiant d'avoir abattu cent quatre avions au-dessus des territoires où s'opérait le débarquement. Pour avoir écouté radio Londres avec quelques anciens condisciples de la faculté des lettres que son frère appréciait peu, lui qui avait gardé toute son admiration au Maréchal et à ses sbires, Claude savait qu'il y avait du vrai là-dedans. La réussite du débarquement n'était pas assurée, loin de là. Parmi les choses qui l'irritaient au sujet de la mission dont on l'avait chargé, il y avait le fait que pendant son exil campagnard il devrait se contenter du son de cloche du journal, dont l'allégeance à Vichy et à l'occupant était clairement exprimée, en des temps où il se passait des événements d'une importance capitale.

Le trajet dura longtemps. Lorsque Riquier parvint à Meilhaurat, à la fin de l'après-midi, il salua les passagères, puis alla récupérer sa bicyclette dans le compartiment prévu pour les gros bagages. En se rendant à la gendarmerie, dont le chef de gare lui avait indiqué la direction, il pensait avec amusement à la surprise qu'auraient les jeunes filles quand elles découvriraient son statut d'enquêteur. L'idée l'avait effleuré de les interroger sur les gens du village, mais il s'était abstenu parce qu'elles paraissaient trop bien éduquées pour lier conversation avec un inconnu dans le train. Quand elles le reverraient, au contraire, elles auraient l'impression de déjà le connaître et lui feraient plus facilement confiance, car elles auraient gardé le souvenir de son respect des convenances.

II

Comme il s'y attendait, les gendarmes n'appréciaient pas qu'on leur envoie quelqu'un de Toulouse. Sous leur civilité affectée, il sentit la réticence et comprit qu'ils l'aideraient uniquement s'ils ne pouvaient pas l'éviter. L'effectif était composé du chef et de trois hommes. Lartigues et Deumier devaient avoir à peu près le même âge, c'est-à-dire celui de son propre père. L'évocation du juge Riquier dans cette gendarmerie où le distingué juriste aurait été pour le moins déplacé était plutôt comique et il en fut intérieurement amusé. Les gendarmes et son père appartenaient à des mondes parallèles qui, par définition, n'avaient aucun point commun. Comme le rapport était signé de Lartigues, Claude Riquier ne se laissa pas prendre à sa comédie de balourdise : il était assurément plus malin qu'il ne voulait le montrer, et son compère Deumier, qui lui donnait la réplique à la manière d'un pioupiou de boulevard, avait l'air trop nigaud pour être honnête. En ce qui concernait les deux autres, Puntous devait être un authentique idiot, comme l'attestait son regard d'une remarquable vacuité, et Compans un sournois. Lorsque ce dernier s'adressa à lui, le Toulousain constata qu'il avait l'air content de sa présence, mais son attitude, qui traduisait une sorte de complicité servile, lui déplut davantage que l'hostilité larvée de ses collègues. Il y avait aussi un chat dans le bureau du chef. Un gros chat roux, étalé de tout son long sur une étagère. L'animal posa son regard doré sur le nouveau venu, se leva, s'étira, sauta de son perchoir et vint renifler le bas de son pantalon.

— Ce chat, admira Puntous, on dirait un chien. Il va toujours sentir les gens.

À la surprise du policier, l'animal se ramassa et bondit sur ses genoux.

— Chassez-le, dit Lartigues. Il va vous mettre des poils sur les vêtements.

— Il ne me dérange pas, répondit Riquier en caressant le chat qui, satisfait de l'accueil, s'installa commodément.

Comme il s'étonnait de son embonpoint, le chef expliqua :

— C'est ma femme qui le gave. Je l'ai avertie qu'elle a intérêt à le surveiller si elle ne veut pas qu'il finisse en civet.

Riquier, qui estimait avoir fait le tour du chapitre félin, entra dans le vif du sujet.

— J'ai lu votre rapport. Il exprime clairement la situation qui prévalait quand il a été rédigé, le 31 mai si je ne m'abuse. Il y a donc huit jours. Où en êtes-vous maintenant ?

— Mais, nulle part, répondit Lartigues. On croyait que c'était Monestié et on s'est occupé d'autre chose.

— Alors, il va falloir s'y remettre.

— Eh bien, ce sera pour demain. Il y a un petit hôtel à Meilhaurat où on vous a réservé une chambre.

— J'aurais préféré Fontsavès. Il n'y a pas moyen d'y loger ? Ça m'éviterait des va-et-vient inutiles entre les deux villages.

Lartigues et Deumier échangèrent un regard perplexe qui n'échappa pas à Riquier, mais ils durent se dire qu'il valait mieux ne pas lui mentir.

— Une veuve loue des chambres, hasarda Deumier, mais elle a déjà deux pensionnaires et je ne sais pas s'il lui reste de la place.

— Ça ne coûte rien d'aller voir.

— Vous savez, ce n'est pas très confortable pour un homme habitué aux commodités de la ville.

C'était clair qu'on voulait le dissuader, ce qui le conforta dans sa résolution.

— Peu importe : j'ai été scout, je suis capable de m'adapter.

— Dans ce cas, intervint Lartigues, Deumier vous y conduira demain.

— Pourquoi pas dès ce soir ?

— Il est déjà sept heures, c'est trop tard pour faire quelque chose.

— Mais demain, je serai tout de suite à pied d'œuvre, ce qui me fera gagner du temps.

— Moi, je peux l'accompagner, proposa Compans.

Son chef refusa.

— C'est Deumier qui le fera : il connaît mieux Adèle Fourment. Cependant, il y a une difficulté, ajouta-t-il avec une feinte compassion : le réservoir du véhicule est vide et on n'a plus de bons de carburant.

— Aucun problème : j'ai apporté ma bicyclette.

— Dans ce cas, allez-y, céda le chef à bout d'arguments.

— Très bien. Mais auparavant, je voudrais que vous me fassiez un plan du village en indiquant où sont les lieux publics et où habitent les gens nommés dans le rapport.

Deumier et Lartigues levèrent les yeux au ciel, en prenant soin tout de même que le policier toulousain ne s'en aperçoive pas. On leur avait envoyé un enquiquineur, qui plus est, un enquiquineur agité. Il y avait douze jours que le garde champêtre était mort et il était enterré depuis plus d'une semaine. Ça servait à quoi d'être si pressé ?

En chemin, Riquier demanda à son compagnon de lui parler de la pension de famille où il allait s'installer.

— Attention, l'avertit Deumier, je n'ai pas dit que c'était possible. Adèle a déjà deux pensionnaires et je ne lui en ai jamais vu davantage.

— Faisons comme si c'était acquis. C'est une veuve ?

— Oui. Veuve de guerre. Son mari s'est fait tuer en 40. Il a d'ailleurs été le seul mort du village. Il était électricien et gagnait bien sa vie. À Meilhaurat, surtout, parce qu'à Fontsavès, il n'y en a pas beaucoup qui ont l'électricité. Quand elle s'est retrouvée seule, il a fallu qu'elle trouve un moyen de vivre avec son fils. Ce n'est pas avec la pension de l'État qu'elle y arriverait.

— Quel âge a l'enfant ?

— Oh ! il est grandet maintenant, il doit aller dans les treize ou quatorze ans.

— Parlez-moi des pensionnaires.

— Il y a d'abord le facteur, qui s'est installé chez elle quand il a été nommé à Fontsavès, en 42, et depuis quelques jours, un de ses neveux de la ville.

— Il est en vacances ?

— Pas précisément. Il est venu pour faire les foins. Il dit qu'il a envie de mieux manger pendant quelque temps.

— C'est donc un jeune homme ou un adulte ?

— Il a la vingtaine passée.

— Il est arrivé avant ou après le meurtre ?

— À peu près en même temps. Mais c'est un hasard : c'est la première fois qu'il vient à Fontsavès et il n'avait jamais entendu parler de la victime.

Arrivés à la gare, ils quittèrent la route départementale et, après avoir franchi un pont, s'engagèrent dans le village. Deumier désigna à Riquier le bâtiment qui abritait à la fois la mairie et l'école, puis l'épicerie-café, la forge et la poste. Ils tournèrent ensuite dans une rue perpendiculaire et il s'arrêta tout de suite.

— C'est ici.

Ils laissèrent les bicyclettes contre un mur de pierre plutôt mal en point et Deumier poussa le portail qui grinça. Ils n'avaient pas fini de franchir la courette que la porte s'ouvrait sur une femme habillée de noir.

— Bien le bonjour, Adèle !

— Bonjour, Isidore. Quel bon vent vous amène ? Ce n'est pas votre heure.

— J'accompagne monsieur Riquier. Il est de la police de Toulouse. Il vient enquêter sur la mort d'Exupère Souquet.

Elle lui tendit la main.

— Bonjour, Monsieur Riquier.

— Bonjour, Madame.

— Il voudrait loger à Fontsavès pour être sur place, reprit Deumier. Il vous reste une chambre?

Adèle Fourment se rembrunit.

— C'est bien dommage, mais je ne peux pas. Toute la maison est occupée.

— Je me contenterai de peu, vous savez, intervint Riquier. Je ne suis pas difficile.

— Il ne me reste qu'une sorte de cagibi où je n'oserais jamais loger quelqu'un.

— Hé bien, osez! Bon. C'est entendu. Je suppose que je peux rentrer ma bicyclette dans la cour?

Sans attendre de réponse, il alla la chercher, passa devant les deux autres que l'ébahissement rendait muets, l'appuya au mur de la maison et détacha sa valise du porte-bagages. Puis il congédia Deumier en le remerciant de l'avoir accompagné et dit à Adèle avec son plus beau sourire:

— Je vous suis.

III

Adèle fit entrer Claude Riquier dans la cuisine.

— Asseyez-vous, dit-elle. Il faut que j'aille enlever les toiles d'araignées, passer un coup de balai et faire le lit : il y a des années que ça n'a pas servi. José y dormait les premières années, mais quand il a grandi, c'est devenu trop petit. C'est vous dire ! Si vous voulez, vous avez *La Dépêche* sur la table. Je vous laisse.

Il ne resta pas longtemps seul : un homme entra et ils se présentèrent. Le nouveau venu était le facteur, qui s'empressa de lui donner son avis.

— Eh bien, si je m'attendais à ça ! Toulouse envoie un enquêteur ! Ils sont pourtant capables, nos gendarmes.

— Dans ce cas précis, ils n'ont pas su trouver le meurtrier.

— On aurait cru que c'était Monestié...

— Il a été interrogé par des gens qui connaissent leur affaire. Si c'était lui, il aurait avoué.

— On a du mal à imaginer quelqu'un d'autre...

— D'après ce que j'ai lu dans le rapport de vos gendarmes, le garde champêtre était réputé pour se mêler de ce qui ne le regardait pas. Il arrive que ce soit dangereux.

— Pourtant, les gens de la campagne sont des gens simples qui n'ont pas de secrets.

Riquier se contenta d'une mimique narquoise.

— Enfin, pas de secrets pour lesquels on tue.

— Vous en avez eu la preuve.

— Ouais…

Le sujet étant épuisé, le facteur demanda :

— Vous attendez Adèle ? C'est curieux qu'elle ne soit pas là à cette heure-ci.

— Elle est en train de préparer ma chambre.

Pour le coup, le bavard resta sans paroles. Riquier expliqua :

— Je serai plus efficace sur place qu'en logeant dans le village voisin.

— Je comprends, dit Lasbordes, accablé.

Et puis soudain :

— Mais toutes les pièces sont occupées !

— À part la chambre de bébé de son fils.

Le facteur reperdit la voix.

— C'est si terrible ?

— Vous verrez par vous-même. Je n'aurais jamais cru qu'elle oserait louer ça.

— Elle ne voulait pas. C'est moi qui ai insisté.

— Là, je comprends mieux.

La conversation menaçait de languir lorsqu'un nouveau personnage arriva. Cette fois, c'était le neveu qui revenait des foins.

— Vous m'excuserez, dit-il, il faut que je me lave. J'ai transpiré toute la journée et je ne sens pas la rose.

Il prit le seau d'eau près de l'évier et s'en alla dans une pièce voisine par une porte située au fond de la cuisine que Riquier n'avait pas remarquée parce qu'elle était aussi noire que le mur. Le facteur lui dit avec un clin d'œil :

— Le soir, il préfère sentir la rose.

Il n'eut pas le temps de développer : Adèle revenait.

— J'ai fait ce que j'ai pu. Si vous voulez venir voir… Vous pouvez changer d'avis, vous savez, je ne me vexerai pas.

Il la suivit avec sa valise. La pièce avait été aménagée sur le palier du corridor en le barrant tout simplement avec une cloison.

Le lit y entrait à peine, mais il y avait tout de même une commode à trois tiroirs qui ferait également office de table de nuit. Sur ladite commode trônait une lampe à huile.

— Quand mon mari a installé l'électricité dans les autres pièces, celle-ci ne servait déjà plus, s'excusa-t-elle.

Le seul élément positif était la fenêtre qu'il avait l'intention de laisser ouverte pour chasser l'odeur de vieille poussière.

— C'est parfait, Madame Fourment. Je vais être très bien.

— Si vous le dites…

Ils redescendirent.

— Jacques est rentré? demanda-t-elle à Lasbordes.

— Oui. Il se lave.

Il apparut à ce moment-là avec une bassine d'eau qu'il s'en fut jeter dehors, puis il alla au puits remplir le seau.

— On mange, annonça Adèle en déposant les assiettes sur la table. Henri, tu veux aller chercher José?

Pendant que le facteur sortait, elle expliqua au policier:

— Il passe tout son temps à l'atelier, à bricoler je ne sais quoi.

Quand ils furent tous réunis autour de la table, Adèle servit la soupe. Riquier, qui était parti précipitamment et n'avait rien mangé depuis le matin, sentit son estomac défaillir lorsque les effluves de chou et de lard sortirent de la soupière. Le menu n'était certes pas raffiné, mais Dieu que c'était bon!

— Vous avez l'air d'aimer ma soupe, Monsieur le policier.

— En effet, elle est délicieuse. Si vous voyiez ce qu'on nous sert à la cantine de la police… Et puis, vous savez comme le ravitaillement est difficile en ville. Il y a des années qu'on mange mal.

— Ne croyez pas qu'ici, on a tout ce qu'on veut. Attendez de voir le café, demain matin! Mais c'est sûr qu'on a nos légumes et qu'on arrive à nourrir un cochon. En faisant attention, il nous dure une bonne partie de l'année.

Après l'épisode du couteau, dont le Toulousain était démuni, alors que tout homme qui se respecte en a un dans sa poche, Lasbordes attendait de lui proposer un chabrot avec une joie anticipée, car il l'imaginait incapable de boire du vin dans son fond de soupe. Mais il en fut pour ses frais.

— Ça me rappelle mon enfance, chez les voisins de ma grand-mère, dit Riquier avec un sourire attendri.

Il n'ajouta pas que sa mère aurait été durablement traumatisée si elle l'avait appris, mais ce souvenir l'amusa. À l'époque, il était très conscient que dans son milieu, cela ne se faisait pas, ce qui l'aidait à avaler le brouet, qu'il n'aimait guère. Aujourd'hui, à vrai dire, il n'en raffolait pas non plus.

Le repas à peine terminé, la porte s'ouvrit sur une jeune femme qui fut très surprise de découvrir Claude Riquier. Tout le monde se mit à parler en même temps pour expliquer la présence de l'inconnu, ce qui étonna fort le policier. C'était comme si on voulait avertir la nouvelle venue de se méfier. Il remarqua qu'elle se ressaisissait vite. Elle lui serra la main et proféra avec une certaine aisance quelques banalités au sujet de Toulouse où elle ne s'était pas rendue depuis longtemps.

Adèle intervint :

— Vous pouvez y aller, les tourtereaux, on ne vous en voudra pas.

Jacques se leva et sortit avec la jeune fille qui avait rougi.

— Ils passent leurs soirées à roucouler sur le banc du jardin, expliqua Lasbordes.

Les occupants de la cuisine sursautèrent lorsque la porte claqua sous l'impulsion rageuse de José dont la présence à table avait été si muette que Riquier avait oublié son existence. Adèle allait manifester sa réprobation quand Lasbordes la retint.

— Laisse, dit-il, il est malheureux.

D'abord ahurie, elle finit par comprendre.

— Mais, bredouilla-t-elle, c'est un enfant, ce n'est pas possible.

Il ne répondit pas et elle dut admettre l'évidence.

— Il ne manquait que ça, soupira-t-elle. Comme s'il n'était pas déjà assez mal dans sa peau.

Les trois adultes qui restaient dans la cuisine n'avaient pas grand-chose à se dire. Riquier ne voulait pas procéder à un interrogatoire officiel, du moins pas tout de suite, juste après avoir partagé leur repas. Conscient qu'il dérangeait sa logeuse et le facteur, dont il avait deviné l'intimité à cause de la façon dont l'homme était intervenu à propos du geste d'humeur du gamin, il se sentit obligé de prendre congé.

IV

Riquier, un peu désemparé, se retrouva dans son cagibi deux bonnes heures avant celle de son coucher habituel. Il alluma la lampe, qu'il éteignit aussitôt, car elle avait instantanément attiré des légions d'insectes volants en plus de dégager une odeur nauséabonde. C'était la lumière ou la fenêtre ouverte, un choix que l'atmosphère longtemps confinée de sa chambre ne lui donnait pas réellement. Il s'accouda à la fenêtre. On ne voyait rien au-dehors, seulement la vague clarté de la lune et des étoiles. La seule trace de vie se manifestait par des craquements et des bruissements furtifs, un cri d'oiseau nocturne, un miaulement éloigné. Rien à voir, rien à faire. Si cette enquête durait, il deviendrait à coup sûr neurasthénique. À moins qu'il ne soit mort d'ennui avant. Pour faire passer le temps, et aussi pour avoir le sentiment de ne pas subir son pensum sans rien tenter pour le raccourcir, il fit le point sur ce qu'il avait appris depuis son arrivée. Peu de chose, à vrai dire : les gendarmes n'avaient rien fait, soi-disant parce qu'ils pensaient Monestié coupable. Le facteur avait également affirmé croire à la culpabilité du fermier. En étaient-ils vraiment convaincus ? Peut-on tuer pour éviter d'être accusé de marché noir ? Si on en connaît les réelles conséquences, sans doute : la perspective de l'internement dans un camp mérite que l'on essaie de l'empêcher. Mais au fin fond de sa campagne, Monestié avait dû s'imaginer intouchable, compter sur l'éloignement des autorités et le silence que les paysans opposent traditionnellement aux étrangers du lieu. Seulement voilà : une vieille femme n'avait pas pu tenir sa langue et Monestié avait été arrêté. La question cependant demeurait : ses précédents interlocuteurs croyaient-ils que Monestié était le meurtrier ou voulaient-ils éviter que le policier toulousain pense à une autre possibilité ? La deuxième hypothèse supposerait une collusion entre les gendarmes et le facteur, ce qui était hautement improbable. En conclusion, Riquier n'avait pas progressé d'un iota et n'était pas en mesure d'y changer quoi que ce soit pour le moment. Alors, il laissa ses pensées s'éloigner de l'enquête.

Comment avait-il pu se retrouver dans pareille situation ? Ce qui l'intéressait, c'était la littérature. Il avait vaguement rêvé d'écrire une thèse qui ferait de lui une autorité sur un sujet abscons. Il aurait prononcé des leçons qui auraient compté dans la communauté intellectuelle, aurait enseigné dans une université parisienne, formé des disciples... Mais de cette thèse il n'avait pas écrit le premier mot. Par ennui, prétendait-il, mais au fond de lui, il se demandait si ce n'était pas la crainte de découvrir qu'il en était incapable. Il avait promené des années durant ses molles ambitions jusqu'au jour où son père l'avait sommé de gagner sa vie, en lui assénant, comme il se devait, l'exemple de son frère, avocat à la jeune carrière déjà brillante. Claude, menacé de se retrouver sans le sou, avait dû envisager un établissement. Il croyait avoir le choix, mais ne l'avait pas eu : un licencié en lettres n'intéressait personne et il ne voulait pas enseigner à des adolescents boutonneux pour qui la littérature ne présenterait aucun attrait. Après quelques semaines de vains errements, son père avait fait jouer des relations qui avaient permis à son fils d'entrer dans la police, un milieu avec lequel Claude ne se sentait aucune affinité. Il y avait presque six mois de cela.

Puisqu'il avait une bonne plume, talent peu répandu parmi ses collègues, on l'avait bombardé secrétaire, il ne savait trop de qui, un peu de tout le monde : ceux qui avaient un rapport à remettre le lui résumaient oralement et lui le rédigeait. Il s'était rendu compte qu'il occupait un poste qui n'existait pas avant son arrivée et devinait qu'on l'avait mis là faute d'avoir une autre idée, ses hautes protections empêchant que l'on s'en débarrasse. Au fait de la piètre opinion que l'on avait de lui au commissariat, il se demanda de nouveau pourquoi on l'avait choisi pour cette mission. La vérité, qui l'avait effleuré dans l'après-midi, s'imposa à lui : on voulait qu'il échoue. Eh bien, il allait leur montrer de quoi il était capable !

Sur cette forte résolution, il décida de se coucher. Il ouvrit les draps avec méfiance, mais ils semblaient propres. Il se déshabilla et se glissa dans le lit. Il avait coutume de lire avant de s'endormir, mais il n'osa pas allumer la lampe à cause des moustiques. Alors, faute de pouvoir ouvrir le livre, il se récita ses poèmes préférés des *Fleurs du mal*. Il avait failli emporter *Traduit du silence*, le dernier recueil de Joë Bousquet qu'il avait reçu la veille, mais il avait craint, en le déflorant dans de mauvaises conditions, d'en faire une lecture médiocre qui lui resterait. Alors, il avait opté pour Baudelaire, dont il connaissait par cœur de grands pans depuis l'adolescence, et qu'il n'avait même pas besoin d'ouvrir : il suffisait de le savoir là, sur la commode, à portée de main, pour que sa poésie vienne à lui.

Sans qu'il s'en doute, l'arrivée du policier toulousain avait causé des ondes de choc. Sa venue annoncée avait déjà inquiété, mais son installation chez Adèle consternait ceux qui étaient au courant et allait en perturber bien d'autres quand ils l'apprendraient. Dès que Riquier était monté dans ce qui lui servait de chambre, Lasbordes avait laissé Adèle se morfondre dans sa cuisine pour se précipiter à l'atelier de manière à rejoindre José dans son galetas en passant par l'issue d'ordinaire inemployée. Comme il le craignait, le garçon ajustait sa radio. Il lui demanda de s'en abstenir par mesure de prudence, mais José lui démontra qu'en utilisant des écouteurs, seul entendait celui qui les avait sur la tête.

— Quand même, insista le facteur, il y a la lampe qui filtre à l'extérieur.

— Mais puisqu'il est au lit, il ne peut rien voir.

— Et s'il a besoin de sortir ?

José haussa les épaules. Néanmoins, il éteignit la radio.

— Ici, c'est trop dangereux. On va trouver une autre solution.

Il quitta le grenier et s'en fut en quête des amoureux qu'il découvrit sur leur banc. Trop occupés l'un de l'autre, ils ne l'avaient pas entendu arriver et il dut tapoter le bras de Jacques pour attirer son attention. Lasbordes allait parler lorsque Adrienne lui fit signe de se taire et désigna la fenêtre du policier. Elle se leva et entraîna les deux hommes chez elle.

— Ici, on n'aura pas besoin de chuchoter.

Ils convinrent que, tant qu'il serait là, il fallait oublier la radio du galetas. Pourtant, ils ne voulaient pas se passer des nouvelles de Londres. S'ils devaient se contenter de celles de *La Dépêche*, ils n'auraient que la propagande nazie qui avait intérêt à occulter les succès alliés.

— Pourquoi José ne viendrait-il pas installer son équipement ici ? proposa soudainement Adrienne. Il y a deux chambres à l'étage. Je n'en utilise qu'une.

C'était une bonne idée, les deux hommes en convinrent. Il s'agissait maintenant de déménager discrètement l'installation, ce qui n'était envisageable que de nuit.

— On s'en occupe tout de suite, décida Lasbordes. Je vais aider José. Attendez-moi.

Le garçon se fit un peu prier, mais il ne pouvait pas dire non à un adulte que sa mère soutiendrait. Il rangea le matériel dans une vieille malle qu'ils durent d'abord vider de son contenu. Lasbordes, mal à l'aise, découvrit qu'il s'agissait de l'équipement de soldat du père. En sortant les dépouilles du mort, le visage de José, qui mobilisait toute sa volonté pour cacher sa peine, se crispa. Le facteur amorça un geste vers lui, mais l'adolescent le repoussa.

Il ne fut pas facile de descendre la malle par l'échelle : elle était grosse et lourde et ils faillirent la laisser échapper. Quand ils la posèrent enfin sur le sol de l'atelier, Lasbordes, qui avait attrapé une suée, sortit son mouchoir pour s'éponger le visage.

Avant de quitter la remise, il avertit José :

— Le policier a laissé la fenêtre ouverte. Il faut faire très doucement pour qu'il ne nous entende pas.

Adrienne les guettait derrière la porte et ils n'eurent pas besoin de frapper. Avec l'aide de Jacques, elle avait installé une petite table et une chaise dans la chambre vide et ils restèrent debout à regarder José remettre chaque fil à sa place. Quand ce fut opérationnel, l'émission de radio Londres était terminée depuis longtemps et ils n'avaient plus qu'à se séparer jusqu'au lendemain. Lasbordes, sensible au désarroi et à la douleur de José, l'entraîna rapidement, refusant d'un geste que l'institutrice les raccompagne. Adrienne et Jacques se retrouvèrent seuls dans le corridor de l'étage face à une porte fermée qui était celle de la chambre à coucher de la jeune fille.

— Tu me montres où tu dors ? demanda-t-il.

Elle ouvrit et alluma la lumière. C'était un univers douillet et strictement féminin, avec des roses et des bleus, une lampe à abat-jour drapée d'un châle fleuri, un livre, sur la table de nuit, qui attendait la dormeuse. Rien ne traînait, mais cet ordre n'était pas rigide, il ajoutait plutôt à l'harmonie du décor. Jacques faisait des yeux le tour de la pièce pour éviter de poser le regard sur le lit. Un lit double, large à souhait, capable d'accueillir un couple amoureux. Il était recouvert d'un couvre-pied blanc, immaculé, et il lui vint inopinément à l'esprit les paroles d'une vieille chanson traditionnelle qui parlait d'un lit carré orné de toiles blanches. Le violent désir qu'il éprouvait d'allonger Adrienne *dans le mitan du lit*, de se fondre en elle pour qu'elle devienne sa femme, là, maintenant, tout de suite, sans attendre le passage devant le maire et le curé, cette blancheur virginale le rendait impossible à concrétiser, retenant Jacques à quelques pas du lit, incapable de faire le geste auquel il savait qu'elle ne résisterait pas, mais qui lui donnerait, à lui, l'impression de la forcer.

— Descendons, dit-il brusquement.

Il l'embrassa à peine et disparut dans la nuit.

V

Monsieur Maupas avait pris la voiture pour aller attendre sa fille et sa nièce au train du soir. La distance n'était pas grande jusqu'au château, mais il connaissait suffisamment Gabrielle pour savoir qu'elle serait encombrée d'une valise intransportable. Il était content de la venue des jeunes filles : elles allaient mettre de la gaieté dans une maison qui en manquait singulièrement. Depuis le meurtre, tous ceux qui avaient quelque chose à cacher avaient le sentiment d'être en suspens, en attente d'une catastrophe, et sa femme, sujette à la mélancolie, ne faisait rien pour alléger l'atmosphère. Ils avaient espéré que l'arrestation de Monestié réglerait tout, mais cela ne s'était pas produit et ils allaient maintenant être aux prises avec un enquêteur toulousain.

— Ne t'en fais pas, lui avait dit son beau-frère, ils ont envoyé une nouvelle recrue qui n'a aucune formation policière et n'a jamais vécu à la campagne. Il ne va pas savoir parler aux gens et n'apprendra rien. Après quelque temps, n'ayant pas de résultats, il sera rappelé.

Le maire de Fontsavès n'avait été qu'en partie rassuré. Il ne serait tout à fait tranquille que lorsque cet homme, qui n'était pas encore arrivé, reprendrait le train en direction de Toulouse. Le chef de gare, avec qui il venait d'échanger quelques mots, pensait comme lui.

Les jeunes filles descendirent du train, joyeuses et affairées. Elles l'embrassèrent, parlèrent toutes les deux en même temps, se désolèrent du poids de leurs valises, qu'elles lui désignèrent au milieu de la masse de celles des autres passagers, lui laissant le soin de les en extraire, l'embrassèrent de nouveau pour le remercier de s'en être acquitté et pouffèrent de rire sans raison apparente. Léonce Maupas se sentait déjà mieux. Malgré leur différence d'âge, de quatre ou cinq ans, il ne savait plus, elles s'entendaient à merveille et il en fut heureux pour sa fille qui s'ennuyait à la campagne. Elle n'avait pas pu s'adapter au pensionnat et suivait des cours par correspondance sous la gouverne de sa mère. Une perpétuelle source de conflits. En réalité, Marie-Pierre n'aimait pas l'étude, pas plus que sa cousine, qui avait elle aussi cessé de fréquenter l'école depuis longtemps. Mais comme elle était trop jeune pour se marier et n'avait d'ailleurs pas de prétendant, il fallait bien qu'elle occupe ses journées. Le séjour à Toulouse avait dû lui être bénéfique. Pour l'heure, il espérait que la présence de Gabrielle inciterait sa femme à suspendre les leçons.

Depuis la voiture, Marie-Pierre, qui regardait sans cesse de tous côtés, aperçut les faneurs dans un champ.

— Ils font les foins! s'écria-t-elle. On pose nos affaires et on y va.

Son père la tempéra:

— Ça attendra demain. Ce soir, vous tenez compagnie à ta mère.

— Corne, au moins, pour que Pauline sache que je suis revenue, demanda-t-elle.

Il s'exécuta tandis que sa fille, la tête hors de la portière, faisait de grands gestes en direction du champ. Quand on lui eut répondu, elle se rencogna à sa place en exhalant un soupir déçu.

Gabrielle, cependant, s'enquérait d'un ton mondain:

— Ma tante va bien, j'espère? J'ai hâte de la voir.

— Elle aussi se réjouit de ta venue.

Ce n'était qu'à moitié vrai. Germaine Maupas trouvait sa nièce trop laissée à elle-même et craignait son influence sur Marie-Pierre.

Elle n'avait cependant personne d'autre à opposer aux paysannes qui étaient la seule compagnie de sa fille. La jeune Pauline était certes fréquentable, car sa belle-mère, qui avait servi dans une maison bourgeoise, lui inculquait quelques manières, mais elle n'était pas de leur monde. Quant à Mariette, élevée par son grand-père, elle était désespérément dépourvue d'éducation.

Germaine Maupas les attendait sur la terrasse avec des rafraî-chissements. Après l'échange de politesses avec Gabrielle, elle examina sa fille d'un œil critique, à la recherche de changements qu'elle eût désapprouvés. Mais il n'y avait pas trace de maquillage sur le visage de Marie-Pierre, qui était également coiffée et habillée comme à son départ. Rassurée, elle se détendit, et le regard de conni-vence des jeunes filles lui échappa. Marie-Pierre devait admettre que sa cousine avait eu raison de la convaincre d'oublier, au moins le jour de son retour, le khôl avec lequel elle avait pris l'habitude d'entourer ses yeux ainsi que le rouge à lèvres écarlate qui mettait son teint en valeur. Sa mère aurait poussé des cris d'orfraie et confisqué les objets du délit. Le conseil avait été sage, mais Marie-Pierre était désolée de se montrer avec sa tête d'avant, si fade, alors qu'elle avait éprouvé la séduction de la nouvelle. À Toulouse, elle attirait l'attention autant que Gabrielle – enfin, presque – tandis que, sans le secours du maquillage, elle avait l'air d'une gamine. Elle s'en était bien aperçue dans le train : ce jeune homme distingué, en face d'elles, ne lui avait pas accordé un regard alors qu'il avait eu du mal à détacher ses yeux de Gabrielle. Il allait falloir qu'elle trouve un moyen de faire accepter sa métamorphose à sa mère.

Charles Dalby, si occupé qu'il ne croisait Gabrielle qu'occasion-nellement, n'avait pas pensé à informer les jeunes filles des événe-ments de Fontsavès. Ce fut au hasard de propos anodins échangés durant le repas du soir que Marie-Pierre demanda, à la suite d'une allusion qu'elle ne comprenait pas :

— Mais enfin, qu'est-ce qui s'est passé pendant que je n'étais pas là ?

— Ton oncle ne vous a rien dit ? s'étonna Léonce.

— Non. Raconte-nous.

Son père fit un résumé dont la brièveté laissa Marie-Pierre sur sa faim. Elle posa une série de questions sur le où, le comment et le pourquoi sans obtenir autre chose que cette information brute : le garde champêtre avait été assassiné. Son désir de voir Pauline au plus tôt en fut accru mais, puisqu'elle n'avait pas pu rejoindre son amie dans le champ, elle allait devoir attendre au lendemain. En période de gros travaux agricoles, les métayers soupaient tard et se couchaient juste après. Sans compter qu'il aurait fallu affronter le visage pincé de Maria Casalès, ce dont Marie-Pierre se passait très bien.

Il était tard et les convives, qui avaient profité sur la terrasse de la douceur du soir, envisageaient d'aller se coucher quand un vélo s'engagea dans l'allée du château. Ils virent venir de loin sa petite lumière dansante et Marie-Pierre se perdit en conjectures au sujet de ce visiteur nocturne qui n'était pas attendu. Son père, se doutant qu'il s'agissait du capitaine, aurait bien voulu envoyer tout le monde au lit, mais cela aurait paru bizarre et il se méfiait de la curiosité de sa fille. Alors, il ne dit rien, et l'ancien militaire, qui s'en serait passé volontiers, dut faire assaut de civilités avant que madame Maupas déclare que les jeunes filles étant fatiguées du voyage, elles se retiraient toutes les trois.

Quand elles furent parties, Fournier apprit la catastrophe au maire : le policier toulousain s'était installé chez Adèle Fourment. Le facteur était venu l'en avertir après avoir déménagé la radio à l'école avec José.

— Au moins, dit Maupas, il ne la découvrira pas par hasard.

— Oui, mais imaginez, tous les soirs, à table, ce policier avec les deux autres pensionnaires. Sans compter Adèle et José. Les risques sont grands qu'il se dise quelque chose pouvant le mettre sur la voie.

— Jacques ne soupe pas chez Casalès après le travail ?

— Non. Il a trouvé un prétexte pour ne pas y rester : il veut arriver assez tôt pour écouter radio Londres.

— De toute façon, il ne faut pas s'inquiéter à cause de lui : il a eu une formation d'agent secret, il saura se taire.

— Mais s'ils parlent souvent ensemble, sa couverture risque d'être un peu fragile. Il n'est jamais allé à Marseille, où il est censé avoir passé une grande partie de sa vie. Si le policier connaît la ville...

— Il ne la connaît peut-être pas et ils ne se verront pas beaucoup. Vous pensez bien que les repas ne traîneront pas. Et pour les autres, je ne suis pas inquiet non plus : vous savez que Lasbordes, même s'il parle beaucoup, ne dit que ce qu'il veut.

— C'est vrai. Il est fiable.

— Je fais confiance aussi à Adèle. Quant à José, je serais surpris qu'il ouvre seulement la bouche.

— Tout ça est vrai. Mais si ce policier est malin...

— D'après mes relations, on l'a justement choisi parce qu'il ne l'est pas.

— Dans ce cas...

VI

Quand Claude Riquier s'éveilla le lendemain, tout était étrangement sombre et calme autour de lui. Au lever du soleil, incommodé par le rayon qui tombait sur son visage, il avait fermé les volets. En les rouvrant, il se rendit compte, à la qualité de la lumière, qu'il devait être tard. Agacé d'avoir fait la grasse matinée alors qu'il voulait se mettre au travail au plus tôt, il enfila ses vêtements et descendit. La pendule de la cuisine sonnait la demie de neuf heures. Comment avait-il pu dormir autant?

— Sans doute à cause du silence auquel vous n'êtes pas habitué, suggéra sa logeuse en lui servant du café.

La mixture, dont la seule qualité était d'être chaude, ne valait pas mieux que celle de Toulouse. Par contre, comme Jacques l'avait fait à son arrivée, il s'extasia sur la confiture de reines-claudes.

— Demain, Madame Fourment, il faudra me réveiller beaucoup plus tôt. Je suppose que vos deux autres pensionnaires sont partis depuis longtemps.

— Oh oui! Quand ils s'en vont, je ne suis même pas levée. Mais je pourrais vous appeler vers sept heures et demie.

— Ce sera très bien.

Riquier ne se doutait pas qu'Henri et Jacques avaient pris grand soin de ne pas l'éveiller et qu'Adèle avait aussi vaqué tout doucement à ses occupations pour les mêmes raisons. Les deux hommes étaient conscients que c'était un peu puéril, car le policier ne dormirait pas toute la journée, mais enfin, en le laissant au lit alors qu'ils s'en allaient, ils avaient au moins évité une rencontre avec lui.

Riquier procéda à ses ablutions dans la souillarde en regrettant la confortable salle de bains de la demeure familiale. Quant aux commodités, plus que sommaires, installées dans le jardin, mieux valait les oublier. Ces gens vivaient comme au XIXe siècle. Même si d'un point de vue ethnographique, c'était intéressant, il aurait préféré laisser à d'autres l'expérimentation et se contenter d'en lire les résultats. Après avoir étudié le plan établi d'après les indications des gendarmes, il décida de se rendre chez le maire. Mais comme la gare était sur son chemin, il s'y arrêterait pour entendre le chef de gare qui prétendait ne pas avoir reçu de lettre anonyme.

Avant cela, cependant, il voulut téléphoner à son frère pour savoir comment s'était passée la soirée à l'opéra. Madame Fourment l'envoya à la poste où se trouvait la seule cabine publique du village. André lui apprit qu'il n'avait pas vu *Carmen* parce que Julia s'était désistée sous prétexte d'être souffrante.

— Mais dans la soirée, quand je l'ai rencontrée en compagnie d'Hervé Soulanges, elle dansait avec l'énergie d'une bien portante. Si tu veux mon avis, mon cher frérot, tu aurais avantage à sortir avec quelqu'un d'autre.

Riquier le remercia et l'assura qu'il allait tenir compte de ses conseils. En roulant vers la gare, il pensait à ce qu'il venait d'apprendre. Le coup était rude. Depuis des semaines qu'il courtisait Julia, elle pratiquait avec lui la méthode de la douche écossaise : un jour elle l'aguichait et lui laissait espérer une progression significative de leur intimité ; le lendemain, elle l'accueillait froidement. Mais sortir avec Hervé était le pire qu'ils pouvaient lui faire l'un et l'autre : Hervé était son ami depuis le collège et il croyait pouvoir compter sur sa loyauté. Quant à Julia, elle connaissait cette amitié. Après avoir promis à son frère d'écouter ses conseils, promesse destinée à éviter le sermon que celui-ci n'aurait pas manqué de lui servir dans le cas contraire, il se dit que finalement c'était peut-être la meilleure attitude à adopter. Julia se moquait de lui, c'était clair. Quand il arriva en vue de la gare, il était parvenu à la conclusion que rompre le peinerait, mais continuer de fréquenter Julia ne le rendrait pas plus heureux.

Ne voyant personne dehors, Riquier frappa à la porte. Une femme lui ouvrit et il aperçut, derrière elle, un homme assis à sa table devant un verre fumant. Il se présenta et elle le fit entrer. L'homme se leva et lui tendit la main.

— Je suis le chef de gare, Alphonse Coustet, et c'est ma femme. Léopoldine, fais chauffer du café pour Monsieur.

Tandis qu'elle ranimait le feu et posait sur un trépied une casserole à l'extérieur noirci, Coustet tirait une chaise pour le policier.

— Vous vous doutez, je suppose, de la raison pour laquelle je suis venu ?

— Pas encore pour cette lettre anonyme ? J'ai dit aux gendarmes que je n'en ai pas reçu et c'est vrai. Je ne peux pas vous raconter autre chose.

— Et nous, on ne peut pas vous croire. Tous ceux qui avaient leur nom barré sur la liste ont admis l'avoir reçue. Il n'y a pas de raison que le garde champêtre ait barré le vôtre s'il ne vous l'avait pas remise.

— Pourtant, c'est la vérité. Je ne peux pas inventer une lettre que je n'ai pas eue.

— C'est vrai, ce qu'il dit, intervint sa femme en versant une boisson terreuse dans le verre qu'elle avait posé devant le policier. La lettre, il ne l'a pas eue. Mais elle est arrivée quand même.

Les deux hommes la regardèrent, interloqués.

— Tu déparles ou quoi, Léopoldine ?

— Non.

— Alors, explique-toi. On n'y comprend rien.

— C'est simple. J'ai trouvé la lettre, je l'ai lue et je l'ai brûlée.

— Sans me le dire ! Mais pourquoi ?

— Pourquoi ? Tu veux le savoir, pourquoi, espèce d'ordure ?

La femme s'était mise à crier, en proie à une crise de rage.

— Madame Coustet, essaya d'intervenir Riquier, calmez-vous et expliquez-nous.

Elle se retourna vers lui.

— Vous, ne vous en mêlez pas, ça ne vous regarde pas.

— Mais enfin, Léopoldine... bafouilla le chef de gare qui n'en menait pas large.

Riquier eut l'impression que l'homme avait quelque chose à se reprocher et il sentait venir une scène de ménage dantesque.

— Tu devines de quoi elle t'accusait, la lettre?

— Pas du tout.

Elle avait un torchon à la main et se mit en à asséner des coups sur la tête de son mari qui essayait de se protéger avec ses bras levés.

— Menteur! Salaud! Aller trafiquer avec cette salope d'Henriette!

— Mais c'est pas vrai!

— Tu parles si c'est pas vrai! Le Souquet, il était au courant de tout. Il vous aura vu faire vos cochonneries derrière une haie. Elle a intérêt à aller prendre le train ailleurs, ton Henriette: si elle se montre ici, je lui arrache la tête. Et toi, je te tiens à l'œil: si je te vois traîner de son côté, c'est autre chose que je t'arrache.

Riquier quitta les lieux sans demander son reste, Coustet sur ses talons, lui répétant que ce n'était pas vrai, qu'il n'avait jamais trompé sa femme.

— Je vous laisse régler cette question vous-même, lui répondit le policier en enfourchant son vélo.

Lorsqu'il fut assez loin, le chef de gare retourna dans la cuisine où il embrassa sa femme.

— Tu sais, Léopoldine, s'ils engagent au théâtre du Capitole, tu peux te présenter. Je suis sûr que leurs comédiennes ne sont pas aussi fortes que toi.

— Et pense à la tête d'Henriette s'il va lui poser des questions, dit-elle en riant, ravie de créer des ennuis à leur vieille ennemie.

Riquier venait de perdre un suspect. Coustet était certainement coupable d'adultère, mais il ne se savait pas découvert. Elle allait les lui faire expier, sa mégère, les moments de plaisir passés avec Henriette ! Au vu de la colère de la femme, il se demandait même comment elle avait pu attendre si longtemps pour les lui reprocher. Le garde champêtre était mort depuis presque deux semaines, ce qui signifiait que la lettre était plus ancienne. Un doute commença de le titiller. Est-ce que par hasard ces deux-là lui auraient joué la comédie ? Il revécut la scène en tâchant de garder un esprit critique. Sur le moment, elle l'avait parfaitement convaincu, mais il se demandait maintenant si elle n'était pas trop outrée. L'attitude des deux protagonistes induisait que Léopoldine Coustet menait la barque et que son mari était un être sournois et lâche qui avait peur d'elle. Il lui faudrait se renseigner sur le caractère du chef de gare pour voir s'il collait à cette veulerie. Quoique, cela ne prouvait rien : certains hommes passant pour des foudres de guerre dans leur métier filaient doux à la maison. Le juge Bienvenu, par exemple, qui était la terreur des prétoires, obéissait au doigt et à l'œil à sa minuscule épouse. Bien qu'il y ait pensé tout le long du chemin, lorsque le policier fut en vue du château de Maupas, il ne s'était pas arrêté à une opinion définitive. Tout ce qu'il savait, c'était qu'il était prématuré d'exclure Coustet de la liste des suspects.

VII

Quand le chien aboya pour signaler l'arrivée d'un visiteur, les habitants du château, assis sur la terrasse, levèrent les yeux pour regarder qui venait. Celle qui attendait le plus d'une visite, c'était Marie-Pierre : en effet, sa mère avait exigé qu'elle travaille à ses cours le matin et elle peinait sur un devoir d'arithmétique, qu'elle n'avait pas envie de comprendre, sous le regard vigilant de sa mère qui tricotait. Le nouveau venu lui permettrait peut-être d'échapper à la corvée et d'aller, enfin, se faire raconter le meurtre par Pauline.

— Il ne ressemble à personne que nous connaissons, remarqua madame Maupas.

— Il est possible que ce soit le policier de Toulouse, répondit son mari qui tourna nerveusement la page du journal de la veille, Lasbordes n'ayant pas encore apporté celui du jour.

— Moi, je le reconnais ! s'exclama Marie-Pierre lorsqu'il se fut rapproché. Il était dans le même compartiment que nous. J'ai raison, hein, Gaby ?

— Je crois que oui, répondit-elle en levant nonchalamment les yeux du livre qu'elle ne lisait pas.

— Il avait l'air de beaucoup s'intéresser à toi, ajouta-t-elle malicieusement.

— Vous avez parlé avec un inconnu dans le train? demanda Germaine Maupas, choquée.

— Mais non, mère! Il est très bien élevé: il ne nous a pas adressé la parole. J'ai seulement remarqué qu'il levait souvent la tête de son dossier pour regarder Gaby, c'est tout.

Comme il était désormais à portée de voix, l'échange s'interrompit et Claude Riquier entra dans la cour du château sous le regard méfiant de madame Maupas.

Les présentations faites, le maire invita le policier à l'accompagner dans son bureau.

— Vous êtes arrivé hier? lui demanda-t-il.

— Oui. Par le même train que votre fille et votre nièce.

— L'hôtel de Meilhaurat est très modeste. Vous êtes quand même bien installé?

— Je suis à Fontsavès, chez madame Fourment.

— Ah bon? Je n'aurais pas cru qu'elle avait autant de chambres.

— Elle a réussi à me caser. Vous savez que Monestié a été innocenté du meurtre?

— Les gendarmes me l'ont dit. Ils m'en ont informé parce que Monestié est un de mes administrés.

— Je vois. Il reste donc trois suspects dont vous faites partie, Monsieur le Maire.

— Enfin, c'est insensé! Je le répète: non seulement l'accusation portée contre moi dans la lettre anonyme est fausse, mais je n'étais menacé de rien et je ne savais même pas qui me l'avait envoyée avant que le chef de la gendarmerie me l'apprenne. Il est absurde de me croire impliqué là-dedans.

— Les autres disent la même chose.

Maupas opposa au policier un silence buté et celui-ci changea de sujet.

— Quel genre de personne est le capitaine Fournier?

— Un ancien militaire. Un peu rigide. Il s'est installé à Fontsavès après sa libération du stalag. Il vient parfois me rendre une visite de courtoisie. Pour tromper son ennui, je suppose.

— Et le chef de gare?

— Lui, il est du pays.

— Sa femme aussi?

— Il l'a prise dans le village voisin. Autant dire qu'elle est d'ici.

— Une femme autoritaire?

— Je ne crois pas. Ils ont l'air de bien s'entendre.

— Quels sont leurs rapports avec Henriette?

Maupas éclata de rire.

— Aussi mauvais que possible. Qui vous a parlé de ça?

— Peu importe. Ils sont fâchés, donc?

— Oui, et ce n'est pas récent: ça date des parents de Coustet. J'ai dû connaître la raison de la brouille, mais je ne m'en souviens même plus.

— Revenons à vous.

— Je vous ai tout dit.

— Pas le nom de votre supposée maîtresse.

— Je ne peux pas. La réputation de cette personne serait compromise alors qu'il n'y a rien de vrai là-dedans.

— La vôtre aussi risque de souffrir.

— Je ne comprends pas.

— Si vos administrés apprennent que vous êtes entendu à Toulouse pour l'affaire du meurtre, même si on ne vous retient pas, il en restera quelque chose.

Maupas se leva, incapable de contenir son indignation.

— Monsieur, je ne vous permets pas!

— Je vais en référer à mes supérieurs. Ce sont eux qui décideront s'il est opportun de vous convoquer. En attendant, j'aimerais m'entretenir avec madame Maupas.

— Je ne veux pas qu'elle soit mêlée à ça.

— Que craignez-vous qu'elle dise?

— Mais rien, voyons!

— Dans ce cas, je ne comprends pas pourquoi vous vous y opposez.

— Pour éviter qu'elle soit troublée par vos questions.

— C'est de moi qu'il s'agit ?

Les deux hommes se retournèrent, surpris de l'intrusion de madame Maupas qu'ils n'avaient pas entendue arriver.

— Mon mari veut me protéger de tout ce qui est laid, mais je suis assez forte pour affronter ces choses. Interrogez-moi, Monsieur, je vous répondrai.

— Bien, Madame. Avez-vous eu connaissance de la lettre anonyme reçue par votre mari ?

— Il m'en a parlé.

— Lorsqu'il l'a reçue ?

— Non. Quand les gendarmes ont découvert son existence. Il ne voulait pas que je l'apprenne fortuitement.

— Cette lettre, il vous l'a montrée ?

— Il l'avait détruite dès sa réception.

— Vous connaissez son contenu ?

— Oui.

— Pouvez-vous me dire le nom de la femme qui lui était associée ?

— Germaine, ne répondez pas !

— Pourquoi ? Vous vous mettez dans une situation délicate en refusant de le faire. Il n'y a aucune raison.

— À part protéger la réputation d'une femme qui n'a rien à se reprocher.

— Voire… commenta madame Maupas d'un ton sibyllin.

— Ridicule !

— Madame, je vous écoute.

— C'est l'institutrice, mademoiselle Lascours.

Pour la deuxième fois de la matinée, Claude Riquier quitta une maison où un couple était prêt à s'écharper à la suite de son intervention. Il était parti en prétextant qu'il devait aller à Meilhaurat rencontrer les gendarmes et annonça son retour plus tard dans la journée pour voir l'endroit où on avait trouvé le cadavre et s'entretenir avec ceux qui étaient présents. En réalité, il avait besoin de réfléchir.

VIII

Au château, le passage du facteur, suivant de près celui du policier, finit de semer la consternation. Maupas lui raconta la malheureuse initiative de sa femme et Lasbordes lui apprit que c'était pire que ce qu'il croyait : l'institutrice avait un amoureux, nul autre que le parachutiste, avec qui elle passait toutes ses soirées sur le banc du jardin, et le policier était au courant.

— Comment peut-il déjà le savoir ?

— Parce que personne ne s'attendait à ce qu'il s'installe chez Fourment et qu'on n'a pas pu avertir Adrienne. Quand elle s'est présentée pour écouter radio Londres, il était là. Pour que son arrivée ait l'air naturelle, Adèle a dit quelque chose du genre : *Allez, les amoureux, on ne vous retient pas,* et ils sont sortis ensemble.

— C'est fâcheux.

— Vous pouvez le dire. En plus, Adrienne était toute rouge : c'était la première fois qu'on y faisait allusion. Jusque-là, on avait fait semblant de ne rien remarquer. Après avoir vu son air de vierge effarouchée, le policier ne croira jamais que c'est une dévergondée qui a eu une liaison avec un homme marié. Qu'est-ce qui lui a pris, à votre dame, de dire ça ?

— Elle a toujours été jalouse. Dès qu'il y a une femme séduisante dans les environs, elle se sent en danger.

— Eh bien, maintenant, c'est nous qui le sommes. Figurez-vous que l'épouse du chef de gare en a fait une belle aussi. Je viens de l'apprendre. Coustet, qui avait prétendu ne pas avoir reçu de lettre, s'est rendu compte que cette position était intenable. Alors, avec Léopoldine, ils ont monté une comédie, comme quoi c'est elle qui aurait ouvert la lettre et l'aurait jetée au feu.

— Et que disait cette lettre?

— Je vous le donne en mille: qu'il couchait avec Henriette! Il suffira qu'il parle avec deux ou trois personnes pour comprendre que c'est impossible.

— C'est déjà fait.

— Comment ça?

— Il m'a posé des questions sur les relations du couple Coustet et sur leurs rapports avec Henriette. J'ai répondu sans me méfier.

— Nous voilà bien. S'il n'est pas tout à fait idiot, ce policier va comprendre que toutes ces histoires de cul ne tiennent pas debout. On a intérêt à être discrets, avec Adèle, si on ne veut pas détruire aussi la trouvaille du capitaine.

— Ah… Parce qu'Adèle et vous…

— Eh oui, Adèle et moi.

Après le départ du facteur, Léonce Maupas ne put s'empêcher de s'en prendre à sa femme.

— Chère amie, conclut-il après lui avoir résumé la situation, quand on viendra m'arrêter pour appartenance à un groupe terroriste, vous pourrez vous flatter d'en être directement responsable.

Sur ces paroles vengeresses, qui ne l'avaient même pas soulagé, il l'abandonna à ses remords et tandis qu'elle allait enfermer sa migraine derrière les volets fermés de sa chambre, il partit dans les bois brûler sa colère en marchant. Au passage, il délivra Marie-Pierre qui boudait devant son devoir d'arithmétique. Ainsi, il sortirait au moins un petit plaisir de ce gâchis.

La jeune fille ne perdit pas de temps à essayer de convaincre son indolente cousine de la suivre. Elle fonça vers le champ où Pauline, juchée sur une charrette, disposait avec adresse les fourchées de foin que les hommes lui lançaient. En voyant son amie, la jeune paysanne s'arrêta pour échanger quelques mots, mais son père la ramena à l'ordre : fille du maître ou pas, le travail devait continuer.

— Ça va bientôt être l'heure du casse-croûte, lui dit Justin pour la consoler.

Marie-Pierre proposa d'aller le chercher, ce qui convenait à Casalès : non seulement elle ne retarderait pas Pauline en bavardant, mais elle leur ferait gagner du temps à tous en évitant à sa fille de s'interrompre pour se rendre jusqu'à la maison prendre le panier préparé par sa femme.

Quand Marie-Pierre atteignit la cour de la ferme, Maria la quittait avec les vaches.

— Bonjour, Madame Casalès, je viens pour le casse-croûte.

— Il est sur la table.

Les amabilités n'allèrent pas plus loin. La belle-mère de Pauline, fâchée que la fille des maîtres serve de commissionnaire pour les fermiers *parce que ça ne se faisait pas,* tenait à le montrer par sa froideur. Elle était, sur ce point, en parfait accord avec *Madame,* qui tentait sans succès de faire entrer dans la tête de Marie-Pierre la nécessité de garder une distance avec ces gens-là. La jeune fille répondait *Oui, Mère,* mais continuait comme avant. Soulagée d'avoir à peine croisé Maria Casalès, elle s'empara du panier et repartit comme une flèche vers le chêne où les faneurs se mettraient à l'ombre. Libérée des sandales à semelles compensées qu'elle avait portées pendant tout son séjour à Toulouse, elle se sentait libre et légère dans ses espadrilles. Elle avait aimé être en ville, sortir avec Gabrielle, fréquenter les cinémas et les cafés, faire l'élégante, mais elle devait s'avouer qu'elle n'était jamais aussi heureuse ailleurs qu'ici. Lorsque sa mère consentait à la lâcher, bien sûr.

Pauline ne connaissait pas le jeune homme qui travaillait avec les Casalès et en fut étonnée. D'où sortait-il ? À une époque, les nouveaux venus, réfugiés de toute provenance, n'étaient pas rares, mais il y avait longtemps de cela. Elle avait hâte de questionner Pauline, ce qui, malheureusement, ne pourrait pas se faire en la présence des trois hommes.

Plus grand que les natifs de la région, l'inconnu avait un corps de sportif. Même s'il maniait sa fourche avec une aisance égale à celle de Justin, il ne ressemblait pas à un paysan. En s'approchant, elle remarqua les yeux bleus et les sourcils clairs, qui contrastaient bizarrement avec ses cheveux presque noirs, ainsi que la cicatrice à la tempe que l'effort avait fait rougir. Il lui plaisait bien. Plus que le policier qui venait de repartir après s'être enfermé avec son père. Le Toulousain n'était pas mal, mais c'était plutôt le genre de Gaby, qui aimait les hommes élégants aux manières mondaines. Connaissant bien les gendarmes de Meilhaurat, qui passaient fréquemment au château, Marie-Pierre n'aurait jamais imaginé qu'un policier puisse avoir cette allure.

Pauline se chargea des présentations.

— Jacques est le neveu d'Adèle Fourment. Il fait les foins avec nous.

— Comment trouvez-vous Fontsavès? lui demanda-t-elle.

Il répondit que le village était agréable, ses habitants aussi, et il vanta les vertus de la soupe de madame Casalès.

— On mange tellement mal, en ville.

— Quelle ville? Je ne reconnais pas votre accent.

— Je viens de Marseille, mais j'ai été élevé en Normandie.

— C'est pour ça. Je ne suis jamais allée en Normandie. À Marseille non plus, d'ailleurs, ajouta-t-elle en riant, mais l'accent, je le connais grâce aux films de Pagnol.

— Allez, intervint Casalès, au travail!

Après que Marie-Pierre et Pauline eurent convenu de se revoir à l'heure de la sieste, la fille du château rentra chez elle.

— Si tu avais été moins paresseuse, dit-elle à sa cousine, tu aurais vu un jeune homme intéressant.

— Vraiment? répondit Gabrielle sans y croire.

IX

Riquier, finalement, allait à Meilhaurat comme il l'avait dit. En moins d'une heure, il avait obtenu de deux suspects des réponses qu'ils n'avaient pas données aux gendarmes lorsque ceux-ci les avaient interrogés et il lui fallait en parler avec eux. Il avait également découvert où habitait la jeune fille du train. Gabrielle lui plaisait et il avait été agréablement surpris d'apprendre qu'elle était toulousaine. Peut-être pourrait-il la revoir? Il était assez lucide pour se rendre compte que c'étaient ses points communs avec Julia qui l'attiraient chez la jeune fille, mais il se disait qu'un flirt avec elle pourrait l'aider à surmonter sa déception.

À la gendarmerie, où les quatre hommes prenaient connaissance d'une directive de la préfecture que Lartigues lisait à haute voix, on fut surpris de le voir.

— Je croyais que vous alliez enquêter, s'étonna le chef.

— C'est ce que j'ai fait.

Il rapporta la scène de la gare et celle du château.

— Félicitations! Voilà de l'efficacité.

— Je ne suis pas sûr que ça m'avance à grand-chose.

— Qu'est-ce que vous voulez dire?

— D'abord, croyez-vous que le garde champêtre était vraiment au courant de tout ce qui se passait au village ou bien a-t-il pu inventer des faussetés?

— Pour tout savoir, il savait tout! s'exclama Puntous. Chaque fois qu'il nous a lâché une information, on a pu constater que c'était vrai. J'ai pas raison, Isidore?

— Il pouvait quand même se tromper, marmonna l'autre, visiblement contrarié.

— À ma connaissance, jamais, insista le gendarme.

— Dans ce cas, reprit le Toulousain, ce matin, on m'a raconté des salades.

— Comment ça?

— Vous y croyez, vous, à une liaison entre le maire et l'institutrice?

— Pourquoi pas? répondit Deumier. C'est la seule du village que je pourrais imaginer avec le châtelain. Elle est très bien, mademoiselle Lascours: jolie, distinguée.

— Eh bien moi, je n'y crois pas du tout. Cette jeune fille n'a rien à voir avec monsieur Maupas. Elle est amoureuse du neveu de madame Fourment.

— Vous alors, s'exclama Puntous, vous êtes comme le garde champêtre, vous savez tout!

— J'espère que je ne vais pas finir comme lui, répliqua Riquier pince-sans-rire.

— Bien sûr que non, ce n'est pas ce que je voulais dire, s'empressa l'autre, confus.

— Félicien, intervint Lartigues, tais-toi un peu, s'il te plaît.

L'interpellé se pinça les lèvres.

— Qu'elle soit amoureuse du Marseillais ne prouve pas qu'elle ne fréquentait pas le maire: la lettre anonyme est arrivée avant qu'elle connaisse ce garçon.

— Je l'ai vue rougir quand il lui a pris le bras et je peux vous assurer que ce n'est pas l'attitude d'une coureuse. Quant au chef de gare avec la dénommée Henriette, c'est également suspect. J'ai appris qu'ils sont fâchés depuis deux générations : ce n'est pas avec elle qu'il aurait trompé sa femme.

Puntous était prêt à ouvrir la bouche de nouveau, mais un regard de son collègue l'en dissuada.

— Et j'ai également des nouvelles pour vous en ce qui concerne les relations de madame Fourment et du capitaine. Je n'ai pas eu l'honneur de rencontrer ce monsieur, mais par contre j'étais à table avec Adèle et le facteur, et je peux vous dire qu'ils sont très intimes. À moins qu'elle aussi ne coure deux lièvres à la fois, ce n'est pas avec le capitaine qu'elle a une liaison.

Les gendarmes étaient anéantis par cette avalanche de déductions qui démolissait ce qu'ils avaient cru solide. Ils avaient eu raison de craindre la venue du Toulousain.

— Alors, reprit celui-ci, qu'est-ce que vous en pensez? Tous ces gens-là nous ont pris pour des imbéciles, n'est-ce pas?

Il considéra l'absence de réponse comme un acquiescement et ajouta :

— Reste à savoir ce que tous ces faux adultères veulent nous cacher. Vous n'auriez pas une idée?

Non, ils n'en avaient pas. Ce fut, du moins, ce qu'ils affirmèrent.

— Je vais retourner à Fontsavès et essayer d'en apprendre davantage. Mais en attendant, vu qu'il est midi, il vaut mieux que je mange ici. Je suppose qu'il y a un restaurant?

— Je vous accompagne, s'empressa Compans qui intervenait pour la première fois. J'y vais tous les jours.

— C'est gentil à vous. Après le repas, dit-il à Lartigues, je partirai directement. Je pourrais vous téléphoner depuis la poste pour faire le point?

— Surtout pas! s'exclama Deumier. Le postier écoute les communications et les raconte à tout le monde.

Ainsi, les villageois allaient apprendre que la jeune fille avec qui il sortait avait passé la soirée avec un autre. Il essaya de se souvenir sans y parvenir vraiment de ce qu'il avait répondu à son frère. Ce dont il était sûr c'est qu'il n'avait pas fait état de ses sentiments pour ne pas alimenter la verve d'André. Peut-être qu'après tout il ne serait pas la risée de Fontsavès.

Marcel Compans était ravi de s'exhiber au *Café du commerce* avec le policier toulousain. Il le présenta à la patronne comme un crack qu'on leur avait envoyé pour résoudre le mystère du crime de Fontsavès et qui allait y parvenir en deux coups de cuillère à pot.

— Il n'est arrivé qu'hier soir, et déjà ce matin…

— Je me suis mis au travail, l'interrompit Riquier, mais ceci est soumis au secret de l'enquête. Mes hommages, Madame.

Puis, pendant que la femme, à qui on ne s'était jamais adressée ainsi, frétillait de plaisir, il proposa à Compans :

— Nous pourrions nous installer un peu à l'écart.

Le gendarme rappelé à l'ordre devint cramoisi.

— Je n'aurais rien dit, ne vous en faites pas.

— Ça vaudrait mieux pour tout le monde. Mes supérieurs exigent la discrétion et ils n'apprécieraient pas qu'il y ait des fuites.

C'était faux : personne n'avait pris la peine de lui donner ni ordres ni conseils, mais son vis-à-vis n'avait pas besoin de le savoir. Avant de s'asseoir, Compans avait dit à la patronne :

— Vous nous soignez, hé ?

Effectivement, le repas fut savoureux et abondant. Comme Riquier s'en étonnait, l'autre lui fit un clin d'œil complice.

— Je suis bien dans la maison.

Et la maison est bien dans le marché noir, pensa Claude. Il était quand même surpris qu'on lui fasse confiance aussi facilement. La raison en était qu'il avait été introduit par Compans, bien sûr, mais pourquoi un simple gendarme jouissait-il d'autant de crédit ? Il eut l'explication un peu plus tard : quatre hommes arrivèrent avec des airs de conquérants et Compans, qui s'était excusé pour aller les saluer, ce qu'il avait fait avec une servilité manifeste, confia à Riquier :

— Ce sont des amis. Ils sont de la milice.

— Vous en faites partie aussi ?

— Pas vraiment : étant gendarme, je ne peux pas, mais je les fréquente et ils m'estiment comme si j'étais un des leurs.

— C'est la même chose pour vos collègues de la gendarmerie ?

— Pensez-vous ! Ils sont trop bêtes pour comprendre où est leur intérêt. Vous savez qu'à peu de chose près, ils sont illettrés. Vous avez dû rire à Toulouse en voyant le dernier rapport : il devait être plein de fautes. D'habitude, c'est moi qui les rédige, mais là, j'étais occupé ailleurs et Lartigues était pressé. Il a été obligé de l'écrire lui-même. Je regrette de ne pas l'avoir lu, je me serais bien amusé.

Il lui confia ensuite qu'il préparait un concours en vue d'une promotion et qu'il ne moisirait pas dans ce trou de Meilhaurat. Riquier voulut l'orienter vers l'enquête sur le meurtre du garde champêtre, mais Compans ne savait rien de plus que ce qui était dans le rapport. Ils se quittèrent, apparemment enchantés l'un de l'autre, et le gendarme aurait été surpris d'apprendre qu'il n'avait inspiré que du mépris à son commensal. Pour Riquier, il était clair que Compans était tenu en dehors de l'enquête, ce dont il ne se doutait même pas. L'affaire du rapport le prouvait : puisque Lartigues n'était pas capable de l'écrire lui-même, il avait demandé ce service à quelqu'un d'autre, et non à son subordonné qui s'en acquittait d'habitude. Cela signifiait qu'il se méfiait de lui. Pourquoi ? Sans doute à cause de ses entrées dans la milice. Tout cela était à creuser. Il fallait qu'il y réfléchisse.

En repartant vers Fontsavès, sous l'ombre agréable des platanes de la route, Claude Riquier réalisa qu'à sa grande surprise il ne s'ennuyait pas du tout. Au contraire, cette enquête l'intéressait et il avait envie de découvrir le fin mot de l'histoire.

X

M adame Maupas ne parut pas à table, ce qui permit d'écourter le repas au grand plaisir de Marie-Pierre. Ainsi, elle put rejoindre plus vite Pauline à la charmille où elles avaient coutume de se retrouver pendant que Gabrielle regagnait sa chambre pour échapper à la chaleur. Avec la volubilité qui faisait le désespoir de sa mère, Marie-Pierre assaillit son amie de questions sur l'assassinat et sur l'inconnu qui fanait avec eux.

— Par quoi je commence?

— Par l'ouvrier agricole. Non, par le meurtre. Ah, je ne sais plus! Comme tu voudras.

Pauline lui parla d'abord du garde champêtre.

— C'est toi qui l'as découvert! Comme c'est excitant!

Le silence de son amie la ramena à une plus juste appréciation de la réalité.

— Enfin, je suppose que non. C'était terrible?

— Oui.

— Tu l'as vu?

— Non. Rien que son sabot qui dépassait. Mais il puait telle-ment… Depuis, chaque fois que je sens une bête morte, je suis prise de panique. J'ai l'impression que je vais trouver un autre cadavre.

— Ça te passera, tu finiras par ne plus y penser.

— J'espère…

— Et on ne sait pas qui l'a tué ? Les gens doivent bien raconter des choses ?

— Souquet écrivait des lettres anonymes. Les gendarmes pensent que c'est pour ça qu'on l'a tué.

— On sait à qui il en avait envoyé ?

Pauline, gênée, ne répondit pas.

— Eh bien, insista-t-elle, dis-le-moi !

— Monestié, Coustet, le capitaine…

— Et ?

— C'est tout.

— Je te connais, Pauline : tu ne sais pas mentir. Qui d'autre ?

— … Ton père.

— Mon père ! Mon père a reçu des lettres anonymes ! Mais pourquoi ?

— Il n'a pas voulu le dire.

De manière tout à fait exceptionnelle, Marie-Pierre se tut. Son amie tenta de la réconforter :

— Ne t'en fais pas, il ne lui arrivera rien. C'est pas lui qui l'a tué.

Elle la regarda comme si elle était folle.

— Évidemment que c'est pas lui !

Et elle s'enfuit, mais pas assez vite pour cacher à Pauline qu'elle était bouleversée. La jeune paysanne resta à l'ombre des charmes jusqu'à ce que vienne l'heure de reprendre le travail. Elle avait espéré qu'une fois calmée son amie reviendrait, mais elle ne la revit pas.

Marie-Pierre essaya d'obtenir des explications de son père qui fumait dans son bureau en faisant semblant de lire le journal. Il la renvoya en lui disant de ne pas se mêler des affaires des adultes. En désespoir de cause, elle se glissa dans la chambre de sa mère, mais celle-ci, allongée dans le noir, ne bougea pas, signifiant ainsi que sa présence était importune. Alors, elle alla secouer Gabrielle qui sommeillait et lui fit le récit de ce qu'elle avait appris. Faute de savoir quoi lui dire, sa cousine lui servit de vagues paroles rassurantes qui n'atteignirent pas leur but. Marie-Pierre, n'obtenant de personne le réconfort qu'elle espérait, se réfugia dans sa chambre en plein désarroi.

Jacques profita de la sieste pour se rendre au château. Il avait vu passer le policier toulousain et voulait savoir ce qu'il en était. Comme il n'y avait personne sur la terrasse ni dans le vestibule, il supposa que tous les habitants des lieux se reposaient et s'apprêtait à faire demi-tour quand il entendit une toux sèche de fumeur provenant du bureau de Maupas. Il alla frapper à sa porte et le maire, qui ruminait ses soucis en solitaire, parut soulagé de pouvoir en parler à quelqu'un. Cependant, ayant appris les relations de Jacques avec l'institutrice, il préféra passer sous silence les accusations de sa femme. Le récit de la kyrielle d'erreurs et de maladresses accumulées par les partisans atterra Jacques au point qu'il fut persuadé que Riquier allait fatalement découvrir l'existence du maquis.

— Le seul moyen de l'en empêcher serait de lui livrer le coupable, dit-il au maire.

— Oui, sauf que ce n'est pas possible.

— Pourquoi ?

— Mais parce qu'on ne sait pas qui c'est.

Jacques n'était pas sûr que Maupas lui disait la vérité, mais il était conscient que si le garde champêtre avait été exécuté par des résistants, ces derniers étaient obligés de le cacher. Et si le coupable était quelqu'un d'autre, ils n'avaient pas davantage d'éléments que les gendarmes pour le trouver.

— Croyez-moi, lui dit le maire en le raccompagnant, je suis aussi inquiet que vous.

Jacques n'en doutait pas. Maupas était soucieux pour lui-même, mais aussi pour sa famille, qui subirait les conséquences de son engagement s'il était découvert. De la même façon, le jeune homme craignait pour Adrienne, dont le sort était lié à celui de tous ces gens. Il ne voulait pas qu'il lui arrive du mal, mais il ne savait pas comment s'y prendre pour la protéger.

Lorsque Claude Riquier revint au château, son arrivée apparut à Marie-Pierre comme une distraction bienvenue jusqu'à ce qu'elle se souvienne de la raison de sa présence qui représentait une menace pour son père.

Le policier les salua et accepta l'invitation à s'asseoir de Gabrielle.

— Vous avez sans doute soif après avoir fait du vélo par cette chaleur, lui dit-elle.

Marie-Pierre comprit qu'en tant que jeune fille de la maison, elle devait proposer un rafraîchissement et s'en fut le chercher. Quand elle revint, les deux Toulousains étaient en plein papotage mondain. Ravis de découvrir qu'ils fréquentaient les mêmes lieux, ils s'étonnaient de ne s'y être jamais rencontrés. Le marivaudage dura jusqu'à l'arrivée de monsieur Maupas. Sa fille l'avait averti de la présence du policier, et il avait retardé un peu son arrivée après avoir constaté, depuis la fenêtre de son bureau, que le jeune homme prenait plaisir à converser avec Gabrielle, ce qui ne pouvait pas nuire.

La vue du maire rappela ses devoirs à Riquier qui lui exprima son désir de voir les lieux du crime, ou du moins de sa découverte, et de s'y rendre avec tous ceux qui avaient été présents.

— Allons-y, consentit Maupas.

Comme Marie-Pierre et Gabrielle faisaient mine de leur emboîter le pas, il allait protester, mais le policier le devança.

— Elles ne nous gêneront pas et il ne reste rien de traumatisant sur les lieux.

Le maire haussa les épaules et elles suivirent.

— Les Casalès ne sont pas loin, précisa Maupas, mais on ne les voit pas parce que le champ est derrière le château.

— Qu'est-ce qu'ils font? demanda Riquier, plus pour meubler le silence que par véritable intérêt.

— Ils sont en train de faner.

Faner? Qu'était-ce? Cela lui évoquait toutefois quelque chose, une vague réminiscence scolaire qu'il s'efforça d'exhumer. Il retrouva d'abord le souvenir d'un professeur de français, monsieur

Frelon, un grand personnage maigre et voûté avec une barbe blanche, qui semblait sorti d'une caricature du XIXe siècle. Dans son dos, il l'appelait *Bzz, Bzz,* comme le faisaient ses camarades, et il n'aurait jamais exprimé une opinion positive à son sujet devant eux, mais en secret, il admirait le vieil érudit et avait retenu nombre de textes qu'il leur faisait étudier par cœur. Il lui devait, en particulier, la découverte de Baudelaire. Mais pour la fenaison, le souvenir était ténu. Soudain, il lui en revint un fragment. C'était une lettre de madame de Sévigné qui écrivait à monsieur de Coulanges :

Savez-vous ce que c'est que faner ? Il faut que je vous l'explique : faner c'est la plus jolie chose du monde, c'est retourner le foin en batifolant dans une prairie ; dès qu'on en sait tant, on sait faner.

Le décalage entre la définition de la marquise et la réalité lui apparut clairement lorsqu'ils eurent rejoint les faneurs au milieu d'un champ écrasé de soleil. Dégoulinants de sueur, ils transportaient au-dessus de leurs têtes d'énormes fourchées pour les lancer ensuite sur une charrette où une jeune fille – qui ne pouvait être que Pauline, celle qui avait trouvé le cadavre – les disposait selon une méthode permettant d'assurer l'équilibre du chargement. Quand les nouveaux venus furent à proximité, les faneurs s'arrêtèrent et s'essuyèrent le front d'un geste las de l'avant-bras. C'était bien d'une aristocrate, pensa-t-il, de considérer que fenaison et batifolage étaient synonymes.

— Monsieur Riquier est un policier de Toulouse et nous devons l'accompagner à la garenne pour lui montrer où était le garde champêtre et lui raconter ce que nous savons, annonça Maupas à son métayer.

— Maintenant ? demanda Casalès, peu aimable.

— Oui, maintenant.

— L'orage menace et on risque de ne pas rentrer le fourrage à temps si on traîne.

— On va essayer de se dépêcher et après, je vous aiderai.

Comprenant qu'il n'avait pas le choix, Casalès planta sa fourche dans un tas de foin. Les deux jeunes gens l'imitèrent et Pauline glissa de la charrette, ce qui fit remonter sa robe et révéla un instant des cuisses fermes et blanches que les tiges dures de l'herbe sèche avaient zébrées d'égratignures. Tout le monde la regardait et elle tira sur le tissu fané en rougissant. Riquier pensa qu'il y avait décidément beaucoup de jolies demoiselles dans ce coin de campagne.

Pressé d'en finir, Casalès menait le cortège d'un pas rapide. Les jeunes filles formaient une arrière-garde qui perdait peu à peu du terrain à cause de Gabrielle et de ses chaussures de ville. La distance qui les séparait des hommes leur permettait de parler sans être entendues et Marie-Pierre, qui s'était ressaisie depuis le tête-à-tête de la charmille et dont la curiosité au sujet du cadavre était sur le point d'être assouvie, voulait tout savoir de Jacques. Pauline lui servit la version officielle, pour laquelle son interlocutrice se passionna, en grande partie à cause du passé de la prétendue mère du faux Marseillais. Elle connaissait l'histoire comme tout un chacun à Fontsavès et se demanda, à l'instar du reste du village, en quoi la venue de ce parent inattendu pourrait changer l'existence des Monestié. Marie-Pierre aurait trouvé la vérité sur Jacques bien plus excitante et Pauline se sentait un peu coupable de la lui cacher. Mais elle avait promis de se taire et s'y tiendrait, car elle devait admettre que sa meilleure amie était une bavarde invétérée ayant à son actif quelques gaffes commises en parlant sans réfléchir. Néanmoins, ces cachotteries la mettaient mal à l'aise.

— Il s'en passe, des choses, à Fontsavès, hein ? dit Marie-Pierre à sa cousine.

— En effet, répondit Gabrielle, rien moins que convaincue.

L'ouvrier agricole, qui paraît-il était notaire, n'était sans doute pas mal mais, habillé comme un paysan, avec des auréoles de transpiration sous les bras, il lui faisait peu d'effet, et si elle consentait à se tordre les chevilles sur ce terrain impossible, c'était à cause du Toulousain qui, par contre, lui plaisait beaucoup.

À l'approche de la garenne, Pauline devint silencieuse. Marie-Pierre, étonnée qu'elle ne lui donne plus la réplique, la regarda avec attention.

— Qu'est-ce que tu as ? Tu es toute pâle.

— C'est à cause du mort.

— Il y a longtemps qu'il n'y est plus.

— Je sais bien, mais j'ai du mal à m'en approcher.

— Donne-moi la main et serre-la fort. Il faut que tu sois capable d'y retourner : pense que c'est l'endroit où tu trouves les plus beaux cèpes.

Son amie avait raison. De toute façon, elle n'avait pas le choix : les hommes étaient déjà dans la ravine, et c'était elle que le policier attendait pour qu'elle lui livre son témoignage.

XI

La reconstitution de l'arrivée de Pauline à la garenne et de sa trouvaille fut brève. Casalès prit le relais, puis le maire, et il n'y eut plus rien à dire : cet endroit qui avait recelé un homme mort depuis plusieurs jours ne présentait rien de particulier. Aucun indice n'avait été trouvé par les gendarmes et s'il y en avait eu qui leur avaient échappé, il était désormais trop tard pour les découvrir. Ce qui intéressait le policier, c'était la distance séparant cet endroit des habitations les plus proches. Le château, on pouvait l'oublier : il était trop loin pour qu'ils aient pu entendre, d'autant plus que la façade n'était pas orientée de ce côté qui présentait un mur aveugle. Quant à la métairie, elle était au-delà du château. Par contre, deux toits étaient visibles.

— Je suppose que la première maison est celle d'Élie Pradet ? demanda Riquier qui avait étudié son dossier.

— C'est bien ça, confirma le maire.

— Le rapport dit seulement qu'il n'a rien vu ni rien entendu. C'est quel genre de personnage ?

— Un mauvais coucheur qui ne fréquente personne.

— Il n'avait pas de relation particulière avec le mort ?

— Non.

— Mais si, dit Marie-Pierre. Vous savez bien que le garde champêtre prétendait être le fils naturel du père d'Élie Pradet et que ça le rendait furieux.

Monsieur Maupas, sidéré par l'intervention de sa fille, lui demanda :

— Comment sais-tu ces choses-là ?

— Tout le monde les sait.

— Ça ne figure pas dans le rapport. Les gendarmes étaient au courant ?

— Oui, dit Casalès, je leur en ai parlé.

— Ils ont dû juger que ce n'était pas important, reprit le maire. C'était une inimitié vieille de près de cinquante ans, il n'y a pas de raison qu'elle ait dégénéré maintenant.

— Je vais quand même aller le voir. Je vous remercie de m'avoir donné de votre temps, Messieurs Dames, je vous laisse retourner à votre travail.

Tandis qu'il se dirigeait vers la ferme de Pradet, le groupe de Maupas repartit.

— Il peut s'attendre à être bien reçu, le Toulousain, commenta Casalès, ce qui fit ricaner tous ceux qui connaissaient l'acariâtre voisin.

Justin laissa son père et le maître prendre un peu d'avance pour confier son inquiétude à Jacques : il craignait que Pradet ne parle du parachutage au policier.

— Si j'ai bien compris, lui répondit l'envoyé de Londres, les gens ne font pas beaucoup confiance aux étrangers. Pradet doit être comme les autres, il devrait se taire.

— Je l'espère. Comment tu le trouves, ce policier ?

— Difficile à dire. Il a l'air consciencieux et connaît bien son dossier, mais ça ne signifie pas qu'il va aboutir à un résultat.

— Qu'est-ce que ça tombe mal, tout ça ! Vivement qu'il reparte à Toulouse !

Comme ils arrivaient à la ferme, monsieur Maupas commanda à sa fille :

— Marie-Pierre, va chercher deux fourches qu'on donne un coup de main. Tu excuseras ta cousine de te faire faux bond, Gabrielle?

— Je peux peut-être aider aussi? proposa-t-elle languissamment.

Son oncle la regarda de la tête aux pieds, de sa coiffure impeccable à ses orteils laqués d'un rouge assorti aux chaussures haut perchées, et tandis que les Casalès se retenaient à grand-peine de rire, il lui répondit le plus sérieusement du monde:

— Non, Gabrielle, on te remercie, mais on n'a pas le temps de t'expliquer la technique de la fenaison. C'est très compliqué et l'orage menace.

Quand ils furent hors de portée d'oreille de la citadine, il ajouta:

— Vous ne m'en voulez pas trop, Casalès, de vous priver de cette aide?

— On va essayer de s'en tirer quand même, répondit le fermier, que l'orage inquiétait trop pour être d'humeur à plaisanter, mais qui se sentait obligé de se mettre au diapason à cause de l'appréciable coup de main que le maître et sa fille allaient lui donner.

Marie-Pierre, prise entre sa loyauté envers une cousine qu'elle admirait lorsque celle-ci était dans son élément et l'envie de rire provoquée par le trait d'humour de son père, hésita un peu, mais elle finit par se joindre aux rieurs. Elle était contente de faner. Quand elle était enfant, elle suivait Pauline partout et participait à tous les travaux de la ferme, mais depuis qu'elle était jeune fille, sa mère ne le voulait plus. Là, elle ne risquait pas de se le faire reprocher puisqu'elle avait la bénédiction de son père. De toute façon, sa mère, confinée dans sa migraine, n'en saurait rien. Il ne faudrait pas oublier de prévenir Gabrielle de ne pas vendre la mèche.

Ils travaillèrent fort tout le reste de l'après-midi et l'orage, qui ne cessa de rôder de manière inquiétante, finit par s'éloigner. Lorsque le foin fut rentré, monsieur Maupas et sa fille retournèrent chez eux.

— Dépêche-toi, Marie-Pierre, lui dit son père, tu as une demi-heure pour ressembler à ta cousine.

Ils échangèrent un regard complice et affectueux, et la jeune fille constata avec plaisir que son père paraissait moins soucieux. Faire les foins lui avait été bénéfique.

Après sa visite à Pradet, Riquier était allé à l'autre ferme proche de la garenne où il était tombé sur un sourd qui n'aurait pas entendu un avion atterrissant dans sa cour. Quant à la petite-fille du bonhomme, elle semblait futée, mais n'avait rien à dire. Il s'était ensuite arrêté au château récupérer sa bicyclette et avait de nouveau passé un moment avec Gabrielle. Elle lui avait appris qu'elle était là pour une durée indéterminée, qu'elle allongerait ou raccourcirait à son goût, selon sa capacité à résister à l'ennui de la campagne. Elle aimait beaucoup sa jeune cousine, mais il n'y avait décidément rien à faire chez Maupas, à part lire. Il jeta un coup d'œil à la couverture de son roman. C'était *La voix humaine*, de Jean Cocteau, dont elle lui parla avec une finesse qu'il apprécia. Cette jeune fille n'était pas seulement jolie, elle était aussi intelligente. Il ne repartirait pas de Fontsavès sans lui demander de la revoir et il était persuadé qu'elle ne refuserait pas. Leur bavardage lui avait appris qu'elle aimait l'opéra, contrairement à Julia qui ne consentait à l'y accompagner qu'après bien des supplications. Il n'était pas exclu qu'elle ait un chevalier servant attitré, ou même, pire, un fiancé. Il n'avait pas osé le lui demander. Dommage qu'il ne puisse pas se ménager un entretien particulier avec sa cousine : il ne lui faudrait pas grand temps pour apprendre tout ce qu'il voulait. C'était à elle qu'il devait la seule information quelque peu intéressante de cette reconstitution, par ailleurs inutile. Une information qui ne le mènerait probablement nulle part, mais qui méritait tout de même de s'y arrêter.

En effet, Élie Pradet, le voisin de la garenne, pourrait être considéré comme un suspect crédible. Riquier l'avait trouvé dans sa cour avec une fourche à l'épaule, revenant d'un champ, et il l'avait reçu là où il était, sans l'inviter à entrer chez lui, ni même à se mettre à l'ombre du grand chêne tout proche. L'homme ne s'était pas départi d'une méfiance hargneuse pouvant s'expliquer par le fait qu'il s'adressait à un inconnu, mais peut-être aussi par son désir de cacher quelque chose. Aux questions du policier sur ce qu'il aurait pu voir et entendre au moment du crime, et dont il affirma ignorer tout, il n'avait répondu que par monosyllabes, d'un ton bourru, mais sans passion. Par contre, lorsque son interlocuteur s'était aventuré sur le terrain d'une possible parenté avec le garde champêtre, il s'était mis dans une violente colère et avait même agité sa fourche dans la direction de Riquier qui avait prudemment battu en retraite. Le sujet était pour le moins sensible, mais était-ce suffisant pour perpétrer un meurtre ? Difficile à dire. De plus, Pradet ne figurait pas sur la liste des envois anonymes et il était hasardeux d'imaginer que la victime ait été supprimée à cause d'une ancienne rancune alors qu'elle avait commis un forfait récent impliquant plusieurs personnes. Après réflexion, le policier conclut que, pour aussi antipathique qu'il fût, le paysan n'avait probablement rien à voir dans l'assassinat de Souquet.

Claude Riquier n'avait plus qu'à rencontrer le capitaine Fournier et Hortense pour avoir fait le tour des personnes citées dans le rapport. Son plan lui indiquait que ces deux-là étaient voisins. Il se rendit d'abord au fond de l'allée où se trouvait la maison du militaire et frappa en vain. Soit il n'y avait personne, soit on ne voulait pas lui répondre. Il revint vers la vieille femme assise devant sa porte sur une chaise basse, se présenta et lui demanda si elle avait vu le capitaine. Méfiante, elle prétendit être trop sourde et avoir la vue trop mauvaise pour savoir ce que fabriquaient ses voisins. Le policier, sûr du contraire, l'appâta en se plaignant d'être fatigué après toutes ses allées et venues du matin qui, fort heureusement, avaient été utiles et lui avaient permis d'apprendre beaucoup de choses. L'éclair dans le regard de la femme montra qu'elle était dévorée de curiosité et il donna l'estocade.

— Là, j'ai vraiment besoin d'une pause. Il y a un café, je crois, au village ?

Déjà, elle était debout.

— Entrez donc vous asseoir dedans.

Elle referma la porte derrière lui après avoir jeté un coup d'œil inquiet dans la rue. Ses racontars aux gendarmes ayant abouti à l'arrestation de Monestié avaient dû lui valoir des ennuis, et elle préférait laisser les gens ignorer qu'elle fraternisait également avec le policier toulousain. Toutefois l'envie de savoir avait été trop forte pour qu'elle lui résiste. Riquier se retrouva devant un verre de piquette qui n'allait pas être facile à boire. Il fut tenté de l'avaler d'un coup, pour s'en débarrasser, mais il craignit qu'elle ne le reserve et il se condamna à le siroter. Hortense était une curieuse, mais aussi une bavarde résistant mal au désir de raconter ce qu'elle savait. Elle lui apprit pour commencer que Fournier était parti à bicyclette tôt le matin.

— Mais il devrait revenir dans la journée ou ce soir. Quand il s'en va pour plusieurs jours, il a une valise sur le porte-bagages.

Il la brancha ensuite sur le chef de gare et sa femme. Elle lui révéla que Léopoldine Coustet était affable et qu'il n'existait aucun ragot faisant état de disputes que le couple aurait eues en public. Il ne se murmurait rien non plus au village d'un éventuel adultère de Coustet. Lorsque le policier glissa à ce propos le nom d'Henriette, Hortense ne put s'empêcher de ricaner.

— Je ne sais pas qui vous a raconté ça, mais c'est quelqu'un qui s'est moqué de vous. Alphonse et Henriette ne se parleraient pour rien au monde. Elle fait même trois kilomètres pour aller prendre le train au village voisin. Pourtant, la gare, elle ne lui appartient pas, à Coustet.

Le policier en conclut que la scène de ménage à laquelle il avait assisté était une mise en scène qui lui était destinée. Sur la possible parenté entre la victime et Élie Pradet, Hortense ne pouvait rien dire de ferme. C'est vrai qu'ils se ressemblaient quand ils étaient enfants, et le vieux Pradet était marié avec le genre de femme qui donne envie d'aller voir ailleurs. Quant à l'Exupère, sa mère l'avait bien fait avec quelqu'un. Mais enfin, on n'était sûr de rien. Elle confirma, par contre, que Pradet était furieux parce que l'autre racontait partout qu'il était son demi-frère, et qu'à ce titre, il devrait lui revenir la moitié de la ferme familiale. Riquier dressa l'oreille.

C'était nouveau cette allusion à une prétention du garde champêtre à l'héritage de Pradet, qui se trouvait être voisin de la garenne où le cadavre avait été trouvé. Il tenait peut-être là un mobile de meurtre. Mais la vieille femme l'anéantit aussitôt : Exupère Souquet n'avait jamais été reconnu et n'avait donc aucun droit à l'héritage. Le policier quitta la bavarde avant qu'elle ait eu le temps de se rendre compte que c'était elle et non lui qui avait donné de l'information.

XII

Comme Riquier arrivait chez madame Fourment, le facteur s'apprêtait à sortir de la cour.

— Je vais boire un canon au café, lui dit-il. Vous venez avec moi?

Lasbordes présenta le policier à Louise Amagat et à ses copains de manille. En lui servant son verre, la cafetière lui demanda :

— Vous avez eu une bonne journée?

— Bonne, je ne sais pas, mais occupée, certainement.

— Vous allez découvrir qui a fait ça au garde champêtre?

— J'espère bien. C'est bizarre que personne ne l'ait aimé, cet homme. Il devait quand même avoir des amis?

— Pas à ma connaissance.

Il se tourna vers les joueurs de cartes qui confirmèrent : Souquet était un solitaire, un aigri. Ses manières étaient déplaisantes et, en sa présence, on ressentait un malaise. Il rôdait en espionnant les gens et faisait ensuite des allusions à des choses privées devant tout le monde.

— Quel genre de choses?

Là, plus personne ne se souvenait.

— Vous savez, dit Lasbordes, en général, on ne comprenait pas ce qu'il voulait dire.

— Mais ceux qui étaient concernés comprenaient ?

— Probablement.

— Vous connaissez quelqu'un à qui c'est arrivé ?

Évidemment, ils avaient oublié. Ils prétendirent que cela n'avait pas été assez précis pour qu'ils en gardent le souvenir. Leurs propos étaient volontairement vagues et confus, et Riquier, qui de toute façon ne s'était pas attendu à autre chose, eut la confirmation que ces gens prenaient soin de ne rien lui apprendre.

Le facteur et le policier retournèrent à la pension de famille pour le repas du soir. Comme la veille, ils ne se mirent à table que lorsque le neveu de la logeuse fut rentré et se fut lavé. Pour éviter que le silence s'installe, Adèle posa des questions à Jacques sur l'avancement des foins.

— Monsieur Maupas et sa fille nous ont aidés à cause de l'orage qui menaçait. Je ne m'attendais pas à ce que cette jeune fille travaille aussi bien et aussi fort qu'une vraie paysanne.

— Elle a toujours aimé ça, expliqua Lasbordes, et elle les aide chaque fois qu'elle peut. Enfin, c'était vrai jusqu'à ces dernières années. Sa mère, qui veut en faire une demoiselle, a mis le holà.

Riquier aurait bien aimé poser quelques questions sur Gabrielle, mais il n'osa pas : cela aurait paru bizarre qu'il s'intéresse à une personne n'ayant rien à voir avec les raisons de sa présence à Fontsavès. Il valait mieux qu'il essaie de faire progresser son enquête. Dans l'espoir de susciter des confidences, il leur raconta qu'Élie Pradet l'avait mal reçu.

— Ce n'était pas spécialement dirigé contre vous, lui dit Adèle : il n'est pas plus aimable avec les gens qu'il connaît. Et comme voisin, il n'est pas commode : toujours à surveiller pour voir s'il n'y a pas une vache qui pose la patte chez lui.

— Finalement, c'est le même genre de caractère que le garde champêtre.

Il y eut un silence, puis Adèle reprit :

— Je n'y avais pas pensé, mais c'est vrai. Quand même, ça ne prouve rien : des mauvais caractères, il y en a d'autres.

— La femme du chef de gare, par exemple ?

Avant que Lasbordes ait eu le temps de confirmer le mauvais caractère de Léopoldine, Adèle avait déjà répliqué :

— Oh non, pas elle ! C'est une gentille.

Le repas était terminé et les dîneurs s'égaillèrent : Adèle plongea ses mains dans le chaudron de la vaisselle, Jacques s'en alla vers le jardin, José partit à l'atelier et Lasbordes le suivit pour graisser sa bicyclette. En un clin d'œil, le policier se retrouva seul avec la perspective d'une interminable fin de soirée. Il prit *La Dépêche* qu'il n'avait pas encore lue. On y faisait état de combats acharnés qui continuaient sur les côtes normandes. *La défense allemande*, se réjouissait le journaliste, *se poursuit avec vigueur.* Et il ajoutait : *Seule une victoire allemande à l'ouest peut arrêter les dévastations.* Riquier aurait tellement voulu être à Toulouse pour savoir ce que disait radio Londres ! Ce n'était pas avec ce journal qu'il pourrait être informé du réel déroulement du débarquement. Et il ne pouvait même pas téléphoner à un de ses amis pour le lui demander : tout le village apprendrait aussitôt qu'il contrevenait à l'interdiction d'écouter le poste anglais et cela finirait par se rendre à Toulouse. Il imagina les réactions de ses collègues... Évidemment, parmi eux, certains devaient en faire autant, mais ils étaient assez malins pour ne pas être pris. Il était condamné à ronger son frein. Pour s'occuper, et ne pas risquer d'oublier des détails, il décida de noter tout ce qu'il avait appris dans la journée. Du coin de l'œil, Adèle, inquiète, le regarda remplir plusieurs pages de son carnet.

Quand il le referma, ne pouvant plus résister, elle lui demanda :

— Vous avez progressé ?

— Oui. Mais pas vers la vérité.

Devant son incompréhension, il précisa :

— J'ai pu établir que tout le monde ment. Mais je ne sais pas encore pourquoi.

Sur cette flèche du Parthe, il lui souhaita le bonsoir. L'expérience de la veille avait appris à Riquier qu'il ne devait pas allumer la lampe sous peine d'offrir un festin aux moustiques. Il s'accouda à la fenêtre, l'esprit occupé de la synthèse qu'il venait d'écrire.

Personne n'aimait le garde champêtre, mais il n'y en avait qu'un seul à afficher une véritable haine : Élie Pradet, avec qui la victime prétendait être apparentée, ce que l'autre niait farouchement. De plus, la proximité du vieil antipathique avec le lieu du crime attirait l'attention sur sa possible culpabilité. Mais le garde champêtre n'avait pas été reconnu par son père, quel qu'il fût, et la ferme n'était pas en danger d'être partagée. Il était peu probable que Souquet ait été tué par quelqu'un qui le haïssait depuis des décennies et qui n'avait rien à craindre de lui. Dommage : Pradet aurait fait un coupable qui eût convenu à tout le monde et l'enquête serait terminée. Restaient les trois hommes qui avaient reçu une lettre anonyme, dont eux seuls connaissaient le contenu et au sujet de laquelle ils pouvaient dire n'importe quoi. Les histoires de sexe qu'on lui avait servies étaient cousues de fil blanc et aucune ne tenait la route. Qu'est-ce que ces hommes avaient à cacher pour préférer étaler une fausse vie privée dont la divulgation risquait de leur nuire ainsi qu'aux femmes concernées ? Se pouvait-il qu'ils soient associés à un événement compromettant, même si, à pre-mière vue, ils n'avaient rien en commun ? Ils pourraient avoir commis ensemble quelque vilenie, ou être membres d'une conjura-tion, comme *Les treize* de Balzac. Le garde champêtre l'aurait décou-vert et les aurait menacés de rendre l'histoire publique. Il faudrait orienter les recherches dans cette direction, mais il n'avait pas la moindre idée de la façon de s'y prendre. Sans compter qu'il ne devait pas se faire d'illusions : personne ne se confierait à lui et Hortense lui avait déjà livré tout ce qu'elle savait. En fait, depuis son arrivée, il n'avait eu que des rapports contraints avec les gens. Sauf avec Gabrielle, mais elle n'était pas de Fontsavès et n'avait rien à voir avec le crime qui avait perturbé le village.

Julia et Gabrielle se confondaient un peu dans la vision qu'il avait de son avenir sentimental et il ne savait plus trop laquelle il avait envie de fréquenter. Sans vraiment s'en rendre compte, Riquier passa beaucoup de temps à la fenêtre, perdu dans de vagues rêveries où les deux jeunes filles n'en faisaient plus qu'une. Il en fut tiré par un mouvement insolite qui attira son attention. Cela venait du fond du jardin. Il scruta la nuit et finit par distinguer deux silhouettes qui se rapprochèrent et disparurent dans l'atelier. Il avait reconnu Lasbordes et José. D'où venaient-ils à cette heure-là? Et en se cachant? Il se promit de les surveiller le lendemain soir pour vérifier s'ils recommençaient et, éventuellement, éclaircir le mystère, puis il se coucha, ce qui l'empêcha de voir rentrer Jacques.

Henri et Jacques, qui étaient venus en avance chez Adrienne, la mirent au courant de ce qu'ils savaient des investigations de Riquier. Ils étaient inquiets, même le facteur, pourtant naturellement porté à l'optimisme.

— Si chacun s'était contenté de ce qu'il avait prétendu au début, ce policier n'aurait probablement pas insisté, faute de pouvoir aller plus loin, mais là, il va s'apercevoir qu'on lui a raconté des choses invraisemblables et il creusera. Tout le monde lui dira qu'il est impossible que Coustet cocufie sa femme avec Henriette. Quant à madame Maupas, elle aurait mieux fait de se taire.

— Qu'a-t-elle dit? demanda l'institutrice.

— Des bêtises, marmonna Lasbordes, mal à l'aise.

— Quelles bêtises? insista-t-elle.

Jacques insista avec elle, et Lasbordes dut s'exécuter.

— Elle a prétendu que le garde champêtre accusait son mari d'avoir une liaison avec vous.

— Avec moi? dit Adrienne, interloquée.

— Évidemment, ajouta-t-il, on sait bien que ce n'est pas vrai.

La jeune femme jeta un regard un peu égaré vers Jacques qui répéta, en prenant ses mains dans les siennes:

— On sait bien que ce n'est pas vrai.

Revenue de sa surprise, Adrienne se dégagea pour arpenter rageusement la pièce, survoltée par l'indignation.

— Pourquoi m'a-t-elle mise en cause? fulmina-t-elle. C'est insultant! Honteux! Qu'est-ce que les gens penseront de moi quand ils le sauront? Ils ne voudront plus me confier leurs enfants. C'est trop injuste! Mais enfin, qu'est-ce qui lui a pris d'inventer une histoire pareille?

— Son mari m'a dit qu'elle était jalouse, expliqua le facteur.

— Jalouse de moi?

— Jalouse de toutes les jolies femmes.

— Je n'ai jamais rencontré le maire en privé. Elle est complètement folle.

— Allez, allez, ne vous inquiétez pas, il n'y a que le policier et nous qui sommes au courant.

— Vous savez comment ça se passe : dans deux jours, la nouvelle aura fait le tour du village.

— Les gens ne le croiront pas.

— Dès qu'il y a quelque chose de laid, ils sont prêts à le croire.

José arriva, et ils s'interrompirent. Les nouvelles de Normandie, en ce troisième jour après le débarquement, parlaient toujours de résultats indécis et ils ne trouvèrent pas là de quoi se remonter le moral. Dès la fin de l'émission, Lasbordes entraîna l'adolescent et le couple se retrouva seul comme la veille.

Pour la consoler, Jacques répéta les paroles d'Henri, mais elle aussi redit la même chose. Elle le fit plus calmement, l'abattement ayant remplacé la colère.

— Tu n'imagines pas ce qu'est la vie d'un village. Certains me soutiendront, bien sûr, mais d'autres diront qu'il n'y a pas de fumée sans feu. Je vais subir des remarques perfides et des attaques frontales. Je crois déjà entendre la bonne du curé! Elle sera la première à m'agresser. Ensuite, une âme bien intentionnée écrira à l'académie pour informer ma hiérarchie de ma conduite scandaleuse et on me déplacera dans un endroit perdu dont personne ne veut, avec en prime une mauvaise note dans mon dossier. Quant à la mutation pour Toulouse, elle ne viendra jamais. Avoir des ennuis parce que j'écoute radio Londres et que je diffuse ce que j'entends, je l'accepterais, j'en ai pris le risque, mais voir mon avenir gâché à cause d'une névrosée…

Ne sachant que dire pour la réconforter, il l'entoura de ses bras et lui répéta qu'il l'aimait et que tout s'arrangerait.

— Moi aussi, je t'aime. Viens!

Elle l'avait pris par la main et l'entraîna vers sa chambre.

— Quand ils raconteront que j'ai un amant, ils auront raison. Mais ce sera celui que j'ai choisi.

Elle ôta le couvre-pied immaculé et ils s'allongèrent côte à côte.

— Tu sais, ajouta-t-elle dans un sourire tendre, ce n'est pas à cause d'eux. La nuit dernière, j'ai regretté de ne pas t'avoir retenu et j'ai attendu ce moment toute la journée.

XIII

Bien qu'il fût encore embrumé de sommeil, lorsque le facteur vit apparaître Jacques le lendemain matin, il devina à l'expression de son visage qu'Adrienne s'était laissé consoler. *Tant mieux pour eux*, pensa-t-il. En ces temps où tout pouvait arriver, il ne fallait pas rater les chances d'être heureux. Les maquisards multipliaient les interventions et les représailles allemandes pouvaient survenir en tout temps. Le camp des partisans était heureusement assez éloigné des points névralgiques auxquels ils s'attaquaient et l'ennemi n'avait pas repéré d'où les saboteurs venaient, mais il suffirait qu'un malintentionné les dénonce pour que les SS interviennent et fassent subir aux combattants clandestins et aux gens du village, qu'ils soupçonneraient de les aider, les atrocités dont ils avaient coutume de marquer leur passage. Depuis le débarquement, qui avait donné le signal du harcèlement des troupes nazies, le capitaine demeurait à la base pour coordonner les coups de main et parfois y participer. Germain, l'aîné des Coustet, y restait désormais lui aussi en permanence, ainsi que Roger, le fils du postier. Pour expliquer sa disparition à ses parents, ce dernier avait inventé l'histoire un peu abracadabrante d'un copain inconnu d'eux qui lui aurait demandé de l'aider à la ferme parce que son père s'était cassé une jambe. Lasbordes, le maire et le chef de gare n'avaient pas de nouvelles de ces hommes qui couraient de grands dangers. Eux ne pouvaient rien faire, à part les accueillir en cas de besoin, et cela les frustrait. De plus, l'inaction leur donnait le temps d'imaginer toutes sortes de choses, y compris le pire. Ils redoutaient que Riquier ne découvre la vérité. L'enquêteur faisait partie de la police, et la police, c'était Vichy. S'il comprenait ce qui se passait à Fontsavès et en avertissait ses supérieurs, les Allemands ne tarderaient pas à s'abattre sur la commune.

Claude Riquier commença sa journée par Fournier, mais n'eut pas plus de succès que la veille. Alors, il s'arrêta chez Hortense qui n'était pas devant sa porte, mais en sentinelle derrière ses volets entrouverts. Il lui demanda si elle avait vu le capitaine. D'après la vieille, il n'était pas revenu. *À moins que je l'aie raté*, nuança-t-elle, mais le policier ne croyait pas possible qu'un mouvement de son voisin ait pu lui échapper et il tint pour acquise l'absence de Fournier. Elle lui répéta que d'ordinaire, il avait une valise sur son vélo quand il partait à Toulouse et que là, il n'en avait pas.

— Il va à Toulouse à bicyclette ?

— Non, pensez-vous ! Il la laisse à la gare pour l'avoir au retour.

Riquier refusa le café d'Hortense, qui avait la même odeur que celui de madame Fourment dont il avait gardé le goût amer dans la bouche, et repartit. Il s'arrêta à la forge où il y avait déjà deux clients. Le forgeron, qui tapait sur un bout de fer avec un marteau d'une taille impressionnante, esquissa un vague salut sans même le regarder, mais les deux autres l'accueillirent poliment. Ils ne lui apprirent rien qu'il ne savait déjà : la propension de la victime à se mêler de tout, le fait qu'elle n'avait pas eu d'ami, sa relation conflictuelle avec Pradet qui datait de l'enfance. Sur ces sujets qui ne les engageaient pas, ils étaient diserts, mais à part cela, nul n'avait rien à dire. Le policier s'abstint de mentionner les adultères, car il était sûr que c'était pure fabulation, et il ne voulait pas passer pour un idiot en ayant l'air d'y croire. En quittant la forge, il se trouva un peu désorienté. Que faire maintenant ? Il décida d'aller à Meilhaurat parler avec les gendarmes.

Quand il arriva à proximité de la gare, il vit l'agitation provoquée par l'arrivée prochaine d'un train. Au lieu de se diriger tout de suite vers le chef-lieu du canton, il se rendit jusqu'au quai pour attendre le convoi : peut-être le capitaine y serait-il ?

— Vous prenez le train, Monsieur le policier ? lui demanda Coustet.

— Non. Si je le prenais, ce serait en direction de Toulouse, mais pour les distances que j'ai à couvrir, la bicyclette convient. Au fait, si j'ai besoin d'y aller, est-ce que je peux la laisser à la gare ?

— Bien sûr, tout le monde fait ça. Regardez !

Il lui montra un appentis sous lequel il y avait trois vélos, mais le policier n'eut pas le temps de lui demander si celui du capitaine était du nombre, car le train s'annonçait. Le chef de gare recommanda à Justin Casalès et au neveu d'Adèle qui attendaient sur le quai de garder une distance prudente, plus pour signifier son importance que par réelle nécessité. Un seul passager descendit du train et aucun n'y monta. Le voyageur entreprit de donner des directives à Coustet et aux deux hommes pour le déchargement d'un curieux colis. Il s'agissait d'un long boudin relativement souple qui, à cause de sa longueur, que Riquier évalua à au moins une dizaine de mètres, n'avait pas pu être placé à l'intérieur du train et avait été arrimé aux marchepieds. Quand toutes les cordes furent déliées et le boudin précautionneusement posé à terre, le train repartit.

— Qu'est-ce que c'est ? demanda Riquier.

— Une toile, répondit le voyageur sans donner plus d'explications.

Il alla chercher une des bicyclettes. Jacques et Justin prirent les deux autres. Justin se mit avec son vélo à une extrémité de la toile, Jacques au milieu et le voyageur à l'autre bout.

— On va la soulever tous en même temps en faisant bien attention, dit celui qui dirigeait l'opération.

Coustet se mit dans l'un des intervalles et Riquier, voyant qu'une aide ne serait pas de trop, se plaça dans l'autre. Au signal, ils soulevèrent le boudin qui pesait lourd et le déposèrent sur les bicyclettes. Ensuite, le chef de gare l'attacha aux guidons avec des cordes pendant que les cyclistes tenaient fermement les vélos qui servaient de support. Le voyageur remercia Riquier de son aide et le policier se présenta avant de lui demander où il se rendait en tel équipage. L'homme lui apprit qu'il allait chez Maupas. Le châtelain avait eu l'amabilité de mettre les combles à sa disposition. Ainsi, il aurait assez de place pour étaler sa toile et peindre la fresque destinée au mur du fond de l'église.

— Je vous accompagne, décida Riquier, intéressé. Vous me raconterez en chemin.

Le convoi s'ébranla. Les trois hommes poussaient les bicyclettes et, au début, il fallut ajuster le pas. Riquier marchait à côté du peintre. Hubert Carral avait été engagé dans les commencements de la guerre par le curé Trescamp qui avait décidé que l'église de Fontsavès, un bâtiment gothique bien conservé du XIVe siècle, méritait d'être décorée. Le peintre nourrissait une forte admiration et une reconnaissance plus grande encore envers son commanditaire.

— C'est un miracle de rencontrer un homme comme lui dans une campagne aussi reculée, affirma-t-il, presque extatique.

Carral avait déjà réalisé plusieurs peintures, pour le retable, les deux côtés du chœur et les deux chapelles latérales. Il en était à l'œuvre maîtresse, le martyre de saint Laurent, que le curé voulait voir au fond de son église quand il prêcherait. Le peintre, qui bégayait légèrement, avait un débit fluide lorsqu'il parlait de son œuvre future. Habité par son projet, il brûlait de se mettre à l'ouvrage.

— Est-ce que les peintures terminées sont installées?

— Oui, on l'a fait dès qu'elles ont été sèches. Si elles vous intéressent, allez à la messe demain.

— Je n'y manquerai pas.

Casalès et sa fille, qui fanaient dans un champ proche du chemin, posèrent leurs fourches pour rejoindre le convoi lorsqu'ils le virent passer. Il était convenu avec monsieur Maupas qu'ils aideraient à hisser la toile jusqu'aux combles. Ce ne fut pas aisé, car elle était lourde et peu maniable. Il ne fallait surtout pas la plier et les coudes des escaliers mettaient le peintre dans des angoisses qui accentuaient son bégaiement. Chaque fois qu'il dérapait sur la première syllabe de *Attention!* qu'il criait à tout moment, Marie-Pierre disait entre haut et bas *Ttrroop tttaard*, et Pauline réprimait difficilement un fou rire. Riquier, qui était assez proche de l'impertinente pour l'entendre, avait lui aussi du mal à garder son sérieux. Quand le précieux colis fut en lieu sûr, Carral essuya son visage trempé de sueur et remercia tout le monde. Pendant qu'ils hissaient la toile, madame Maupas et Gabrielle, les seules à ne pas avoir participé au transport, avaient préparé des rafraîchissements. Les Casalès, pressés de se remettre au travail, burent debout et repartirent aussitôt. Jacques profita de ce que le policier était occupé à faire le joli cœur avec la nièce de monsieur Maupas pour échanger quelques mots avec celui-ci à propos d'Adrienne. Il lui dit à quel point la jeune femme était affectée par l'accusation de madame Maupas. Le maire, mal à l'aise, déplora la jalousie pathologique de son épouse qui l'accusait de le tromper avec toutes les femmes qu'elle jugeait désirables.

— Mais rassurez-vous, elle n'en parle pas ailleurs. Cette invention ridicule ne s'ébruitera pas.

— Vous oubliez le policier. S'il demande au village si vous avez une liaison avec l'institutrice, la nouvelle ne tardera pas à se répandre. D'après Adrienne, quelqu'un finira par en informer sa hiérarchie, ce qui aura des conséquences désastreuses pour la suite de sa carrière.

— Pour ça, répondit le maire, soulagé de pouvoir amener un élément positif, j'ai des relations, et j'interviendrai s'il y a un problème.

Jacques remarqua que Riquier le regardait avec curiosité et s'en alla. En retournant au champ, il pensait qu'il pourrait rassurer Adrienne en lui apprenant que l'affaire était moins grave que ce qu'elle craignait. Il avait hâte à la fin de la journée pour la retrouver et, en attendant, il travaillait comme un automate sans rien percevoir de ce qui l'entourait. Après l'amour, la veille, il avait demandé à Adrienne de l'épouser à la fin de la guerre et elle avait accepté. Dans son monde intérieur, tout ce que Jacques entendait était la voix de la jeune fille lui disant qu'elle l'aimait.

— Le neveu de madame Fournier voulait des explications au sujet de l'institutrice? demanda au maire le policier qui profitait de l'absence de Gabrielle et de Marie-Pierre occupées à débarrasser.

— Pas du tout. La jeune femme l'intéresse?

— Je crois, oui. Et j'ai l'impression que c'est réciproque. À mon avis, votre maîtresse vous trompe, monsieur Maupas.

— Mais ce n'est pas ma maîtresse! Tout ça est pure invention.

— Alors, pourquoi le garde champêtre vous en aurait-il accusé? Les témoignages concordent: il était au courant de tout. Je ne comprends pas pourquoi il aurait inventé de faux adultères.

Le maire haussa les épaules en signe d'ignorance.

— En tout cas, continua le policier, en ce qui concerne le chef de gare, je suis certain que ce qu'a dit sa femme n'est pas vrai: les gens à qui j'ai parlé ont trouvé risible l'idée qu'il puisse être l'amant de la dénommée Henriette. Quant au capitaine Fournier, qui semble avoir disparu, son histoire avec Adèle ne tient pas davantage. N'oubliez pas que je loge chez elle: j'ai pu observer son intimité avec le facteur. J'en conclus donc que toutes ces fausses déclarations sur le contenu de lettres que vous ne pouvez montrer ni les uns ni les autres sont destinées à m'égarer. En réalité, je pense que vous êtes tous les trois responsables de ce meurtre et qu'il a été commis à cause de ce que la victime avait découvert. Je ne sais pas encore de quoi il s'agit, mais je vais le trouver.

À mesure qu'il parlait, il était clair que Maupas accusait le coup. Il resta néanmoins sur ses positions et affirma:

— Je vous assure que vous faites fausse route.

— On verra.

Satisfait d'avoir semé l'inquiétude chez le maire, Claude Riquier reprit sa bicyclette dans l'intention de s'arrêter à la gare avant d'aller à Meilhaurat. Il demanda à Coustet s'il avait vu Fournier récemment.

L'autre, qui ne voulait pas faire de tort au capitaine, hésita à lui répondre.

— Alors ? Il y a tellement de voyageurs que vous ne vous en souvenez pas ?

— Si, je me souviens. C'était il y a quelques jours.

— Vous fréquentez toujours Henriette derrière les haies ?

— Je vous ai dit que ce n'était pas vrai.

— C'est bien ce que je pense.

Riquier s'en alla vers Meilhaurat, laissant le chef de gare aussi décomposé que le maire.

XIV

De la rencontre du policier toulousain avec les gendarmes
ruraux ne sortit pas la lumière. Selon ce qu'il déclara, Lartigues
n'arrivait pas à imaginer ce que les trois destinataires des lettres
anonymes, un riche propriétaire terrien, un employé des chemins
de fer et un ancien militaire, pouvaient avoir en commun, et ses
subalternes pas davantage. Les suggestions de Riquier tombaient
l'une après l'autre. Le meurtre ne pouvait être lié à un secret
d'enfance, car le capitaine n'était pas originaire du village; pour
les mêmes raisons, il fallait écarter une frasque de jeunesse. Est-
ce que les trois hommes faisaient partie du conseil municipal?
Si c'était le cas, il pourrait y avoir une magouille dans les affaires
de la commune. Mais là non plus, cela ne marchait pas: Maupas
était maire, Coustet conseiller municipal, mais le capitaine n'était
pas dans l'équipe. Et le village était trop petit pour qu'il y ait une
quelconque association.

— À moins que... dit tout à coup Riquier.

Les autres étaient suspendus à ses lèvres, trois d'entre eux pleins
d'inquiétude et le quatrième prêt à admirer l'esprit de déduction
de l'homme dont il espérait beaucoup pour l'aider à sortir de
Meilhaurat.

— Se pourrait-il qu'ils fassent partie d'un groupe de résistants?

— Ça, c'est pas possible, répondit Compans. Dans le canton, il n'y en a pas. Les miliciens sont partout et ils voient tout : s'il y en avait, ils s'en seraient aperçus.

Riquier ne remarqua pas le soulagement de Lartigues et de Deumier. *Finalement*, pensa le chef, *je vais finir par être content de l'avoir, cette punaise de Compans*. D'un air désolé, il dit à l'envoyé de Toulouse :

— J'ai l'impression qu'on ne saura jamais le fin mot de l'histoire.

— Je vais quand même continuer de chercher, répondit Riquier. Je n'ai commencé qu'hier.

Il retourna manger au restaurant de la veille, accompagné du même Compans avec qui il s'efforça d'être aimable bien que son obséquiosité le hérissât. La patronne, séduite par ses manières, lui servit un repas aussi bon que le jour d'avant et il se dit qu'à son retour au commissariat, il allait faire baver ses collègues, qui s'étaient tellement moqués de lui à cause de sa mission chez les bouseux, en leur décrivant en détail, couleurs et odeurs comprises, le jambon de pays, l'omelette aux cèpes et les pommes de terre au lard qui avaient transité dans son assiette, sans oublier la soupe aux choux de madame Fourment. On n'était pas si mal à la campagne. Évidemment, il y avait les soirées…

À ce propos, Compans, qui savait à quoi s'en tenir sur les attraits de la vie nocturne de Fontsavès, lui proposa de venir le chercher en voiture pour une petite fête avec ses amis miliciens. C'était l'anniversaire de leur chef et ils seraient honorés de le compter parmi eux. Riquier, qui ne voulait pas se commettre avec la milice, trouva une raison de refuser liée à l'enquête. Il n'en avait pas parlé à la gendarmerie, parce qu'il n'était sûr de rien, prétendit-il – en réalité, il avait oublié –, mais il avait remarqué des allées et venues bizarres, la veille, dans la soirée, et il devait vérifier ce que c'était. L'autre fut déçu, mais il ne put qu'approuver quand le policier lui dit :

— Le devoir passe avant le plaisir, n'est-ce pas ? Vous m'excuserez auprès de vos amis.

Dans l'après-midi, Riquier, qui avait demandé aux gendarmes la clé de la maison du garde champêtre, s'en fut la visiter. Il ouvrit les volets pour laisser entrer la lumière et découvrit sur la table de la cuisine la colle, les ciseaux et les fragments des journaux découpés par Souquet. Il se représenta l'homme en train de rédiger ses lettres, rongé par la méchanceté et le désir de nuire. Durant son enfance, on l'avait traité de bâtard, peut-être en lui lançant des pierres. Alors, pour être comme les autres, il s'était inventé un père, qui se trouvait être aussi celui de l'un de ses camarades. Mais le fils légitime ne voulait pas le partager et une longue inimitié s'était ensuivie. Avait-elle débouché sur un meurtre? Riquier avait écarté cette hypothèse, jugeant peu probable que cela se produise après tant d'années de chicane, mais la colère de Pradet à l'évocation d'une possible parenté avec le mort était tellement excessive qu'elle revenait le tracasser sporadiquement.

Dans l'âtre, sur un trépied, une marmite semblait attendre que quelqu'un veuille bien se mettre à table. Riquier souleva le couvercle. Il le regretta aussitôt : le contenu avait pourri et dégageait une odeur pestilentielle. Dans l'évier traînait la vaisselle sale d'un repas. Par terre, il y avait des miettes, et dans le buffet, un reste de pain que les souris avaient rongé en partie, laissant des crottes comme preuve de leur passage. Tout était malpropre, à l'exception de la table qui avait été nettoyée avec soin pour ne pas risquer de tacher les lettres anonymes. Le policier passa à la chambre. En se levant, le dernier jour de sa vie, le garde champêtre avait rabattu les draps sans prendre la peine de les tirer. Il devait faire ainsi tous les jours, et tous les soirs se replonger dans la literie sale et en désordre. Dans le tiroir de la table de chevet, Riquier ne trouva qu'une boîte de pastilles Valda à moitié vide et un bonnet de nuit crasseux. Il fouilla ensuite l'armoire où il découvrit un petit coffret de bois caché parmi les draps. Il contenait, sous une mèche de cheveux et une médaille de la Vierge accrochée à une chaînette d'argent, un extrait de naissance au nom d'Exupère Souquet, né le 28 juillet 1892 de Baptistine Souquet et de père inconnu. Si le vieux Pradet avait été son père, il n'y en avait aucune trace officielle, sinon le garde champêtre l'aurait conservée dans ce coffret. Les gendarmes ne l'avaient pas trouvé, ou plutôt, ne l'avaient pas cherché, sans quoi ils auraient mis la main dessus sans plus de difficultés que lui. Mais après avoir découvert les lettres anonymes, ils avaient jugé inutile d'investiguer davantage et sans doute avaient-ils eu raison. Le policier remit le coffret en place, referma les volets et quitta la maison. C'était la dernière du village, et au-delà, il n'y avait qu'un chemin de terre qui menait dans les bois. Il avait pensé, en arrivant, qu'il devait être fréquenté par des promeneurs à pied, amoureux en quête de tranquillité ou cueilleurs de champignons, mais il eut la surprise d'apercevoir, à l'orée des arbres, un homme penché sur une bicyclette. Il alla à sa rencontre, curieux de savoir où menait le chemin.

— Une crevaison? demanda-t-il en l'abordant.

— Oui. Une de plus. Les pneus sont usés jusqu'à la corde.

— Je suis surpris que vous rouliez dans un chemin comme celui-ci avec des pneus en mauvais état.

— Et vous avez raison de l'être. Je me demande pourquoi j'ai été aussi bête. Je pouvais aussi bien venir à pied, je n'ai que ça à faire.

— Ce chemin mène quelque part?

— Non. Il se perd très vite.

— Vous vous promeniez?

— J'allais chercher des cèpes. Tout le monde prétend qu'il n'y en a pas, mais j'ai senti que quelqu'un en faisait cuire en traversant le village. L'odeur, on ne peut pas la cacher. Mais je ne vous connais pas, Monsieur?

— Claude Riquier, policier envoyé de Toulouse pour enquêter sur le meurtre du garde champêtre.

Son vis-à-vis essuya sa main tachée de cambouis sur un chiffon avant de la lui tendre.

— Joseph Fournier. Les gens m'appellent le capitaine.

— Ça tombe bien: il y a plusieurs jours que je voulais vous voir.

— Il fallait venir chez moi.

— Ce que j'ai fait. Deux fois. Mais vous n'étiez pas là.

— Vous m'étonnez : je n'ai pas bougé depuis deux ou trois jours. C'est vrai que...

— Que ?

— Ça me gêne un peu de vous le dire, mais on est entre hommes, n'est-ce pas, et je peux compter sur votre discrétion ?

Riquier hocha vaguement la tête, ce que l'autre put interpréter comme il le voulait.

— Voilà. Je suppose que vous êtes au courant pour Adèle : je l'ai raconté aux gendarmes et ils ont dû vous le répéter. Je pensais l'épouser. J'avais eu du mal à me décider après cinquante ans de célibat, mais Adèle, elle me plaisait : toujours souriante, bonne cuisinière... Il y a trois jours, j'ai appris qu'elle couchait avec le facteur. Ça m'a fait un choc. Je dois vous avouer que je me suis saoulé comme ça ne m'était pas arrivé depuis l'armistice. Quand vous êtes venu, je devais cuver. J'ai eu du mal à émerger.

Après cette confession, il se remit à l'ouvrage. Riquier resta à le regarder sans commenter ce qu'il lui avait dit. Lorsque la réparation fut terminée, Fournier déclara :

— Tant pis pour les champignons : j'ai besoin de me changer les idées, je vais faire un tour à Toulouse. Je retourne au village avec vous.

Il ne remonta pas sur son vélo qu'il poussa sur le chemin en marchant au pas du policier.

XV

Les Casalès mangèrent tard : à l'heure normale du repas, il ne restait qu'une demi-charrette de foin à charger et ils préfé-rèrent en finir que d'être obligés de s'y remettre l'après-midi. La tablée fut plus joyeuse que d'habitude. Même Maria arborait un visage détendu.

— On a réussi à le rentrer sans qu'il se mouille, se réjouit son mari. Il va bien se conserver et on en aura pour tout l'hiver.

À la fin du repas, il servit à Justin et Jacques ce qu'il appelait *une petite goutte* et qui était, en réalité, une bonne rasade d'un alcool si fort qu'il leur mit les larmes aux yeux.

— De l'eau-de-vie de prunes. C'est moi qui l'ai faite. Elle est goûteuse, hé ?

Sa femme, qui s'était renfrognée, lui reprocha :

— Il ne faut pas en parler, c'est interdit de distiller.

— Allons, personne ne dira rien.

Elle jeta un regard en coulisse au neveu d'Adèle, prouvant, une fois de plus, qu'elle ne désarmait pas. Dans les champs, avec seule-ment le père et les deux enfants, Jacques avait eu l'impression d'être accepté, mais la femme ne lui avait jamais laissé oublier sa condition d'étranger.

— Je n'ai plus de travail pour vous jusqu'à la moisson, continua Casalès. Ce ne sera pas avant trois semaines, un peu plus même, si le temps n'est pas beau. Sans doute que Monsieur va vous trouver quelque chose en attendant. Dans le parc, il y a toujours des bricoles à faire.

C'eût été le moment pour Jacques d'annoncer qu'il avait reçu une lettre de Marseille lui demandant de rentrer mais, dans ce cas, il eût été logique qu'il prenne le prochain train, ce qui était impossible puisque le capitaine, qui devait s'occuper des contacts, n'avait pas reparu depuis plusieurs jours. Il n'arrivait pas à le regretter, car cela signifiait qu'il passerait un peu plus de temps avec Adrienne.

— J'irai voir monsieur Maupas tout à l'heure, répondit-il à Casalès.

Pendant leur dernière sieste à l'ombre, Justin se désola :

— Tu es sur le point de nous quitter, n'est-ce pas ?

— Oui. Ma mission est terminée depuis un bout de temps. Je ne suis resté que pour éviter des ennuis à Adèle qui aurait eu du mal à expliquer pourquoi un neveu venu faner s'en était allé avant le début du travail. Je partirai dès que mon départ sera organisé.

— Et moi, je n'aurai plus personne pour parler de tout ça : Germain ne revient plus au village, Roger non plus. Eux, ils font des choses importantes ; moi, je reste à l'écart, comme un imbécile dont personne n'a besoin.

Jacques lui répéta que son rôle lors du parachutage avait été essentiel et que, sans lui, les armes ne seraient pas arrivées à destination. Mais c'était de l'histoire ancienne et le jeune homme aspirait à accomplir autre chose.

— Ils savent qu'ils peuvent compter sur toi et je ne serais pas surpris qu'ils te mettent de nouveau à contribution, prétendit-il pour le consoler.

L'heure la plus chaude étant passée, Jacques pouvait se présenter au château. Il donna l'accolade à Justin.

— On se reverra : je reviendrai à Fontsavès après la guerre.

Dans la charmille, Marie-Pierre et Mariette, qui essayaient de faire dire à Pauline pourquoi le bal clandestin prévu pour la Saint-Antoine n'aurait pas lieu, ne voulaient pas se contenter de sa réponse : *À cause du débarquement.*

— Qu'est-ce que le débarquement vient faire là-dedans ? argumentait Marie-Pierre, incrédule. C'est en Normandie, à des centaines de kilomètres d'ici.

— Justin a appris à Meilhaurat que depuis mardi, la milice n'arrête pas de patrouiller partout. Ce serait trop risqué. Si on était pris, on se retrouverait tous dans un camp, Dieu sait où.

— Les miliciens ne viennent jamais à Fontsavès. En plus, la maison de la Monge est loin du village : personne ne s'apercevrait de rien.

— Tu oublies le policier de Toulouse qui fouine partout.

— C'est vrai qu'on le voit beaucoup, admit Marie-Pierre. Mais je ne sais pas si c'est à cause de l'enquête ou de Gaby.

— Il s'intéresse à ta cousine ? demanda Mariette, alléchée.

— Oui. Dans le train, il était assis en face de nous et il n'arrêtait pas de la regarder. Et chaque fois qu'il vient, c'est pareil.

— Alors, lui non plus ne va pas trouver qui a tué Souquet, regretta Pauline.

— Qu'est-ce que ça peut faire ? s'étonna Marie-Pierre. On s'en fiche du garde champêtre.

— Moi, je n'aime pas penser qu'il y a un assassin en liberté dans un coin où je garde les vaches. Depuis que j'ai trouvé ce mort, j'ai peur quand je suis seule.

— Tu crois qu'on est en danger ? s'inquiéta Mariette, voisine elle aussi du lieu du crime.

— Je ne sais pas, mais je me sentirais plus tranquille si le coupable était enfermé.

— Avec tout ça, on n'a pas notre bal, insista Marie-Pierre qui se résignait mal. J'aurais bien dansé avec le neveu d'Adèle, moi.

— La guerre sera bientôt finie, la consola son amie, et on dansera sur la place du village.

— Oui, mais un bal clandestin, quand même... Et puis, le Marseillais sera peut-être reparti.

Jacques se présenta chez le maire et la bonne le conduisit à son bureau où il était avec le capitaine qui venait d'arriver. Ils s'entretenaient de Riquier qui leur donnait du souci.

— Il n'est pas idiot, déplorait Maupas. Pourtant, mon beau-frère m'avait assuré qu'avec lui on ne risquait rien. C'est sans doute parce qu'il est nouveau que ses chefs ne le connaissaient pas bien.

— Il ne trouvera probablement pas la vérité sur le meurtre, ajouta Fournier, mais il va finir par découvrir l'existence du maquis. Aujourd'hui, j'ai failli me faire prendre : il sortait de chez Souquet quand je revenais du camp. J'ai raconté une histoire de champignons, mais je ne sais pas s'il m'a cru.

— Et qu'avez-vous inventé pour expliquer votre absence ?

— Que j'étais là, mais trop saoul pour l'entendre frapper. Je lui ai dit que je m'étais saoulé parce que j'avais appris qu'Adèle couchait avec le facteur.

— ...

— Je préfère passer pour cocu que d'attirer l'attention sur le bois d'où il m'a vu venir. Je lui ai dit aussi que j'allais à Toulouse pour me changer les idées. En fait, précisa-t-il à l'adresse de Jacques, je vais régler les détails de votre départ. Les foins doivent être à peu près terminés ?

— Oui. On vient de finir.

— C'est parfait. D'ici mardi ou mercredi, vous pourrez partir.

— En attendant, lui dit le maire, prenez votre dimanche et venez lundi. Je vous trouverai quelque chose de tranquille à faire dans le parc pour vous sortir du village et de la proximité du policier.

Jacques retourna chez Fourment. Les enfants étaient en récréation dans la cour de l'école toute proche et il alla s'asseoir sur le banc du jardin pour le plaisir de les entendre et d'imaginer Adrienne au milieu d'eux en train d'arbitrer une querelle, apaiser un chagrin ou soigner un bobo. Au bout d'un moment, une cloche au son aigrelet couvrit les cris et les rires qui s'éteignirent peu à peu. Le silence lui permit d'entendre Adrienne leur demander de chanter le refrain appris plus tôt dans la semaine. Elle-même se chargerait des couplets puisqu'ils ne les savaient pas encore. Ce furent les enfants qui commencèrent, chantant de leurs voix haut perchées l'histoire d'un papillon couleur de neige qui devait se marier par devant un vieux mûrier. Puis ils se turent, et la voix basse et chaude d'Adrienne prit le relais et vint caresser Jacques de l'autre côté de la haie.

Le capitaine avait dit qu'il devrait partir mardi ou mercredi, ce qui signifiait qu'il leur restait à peine trois ou quatre nuits à passer ensemble. Ensuite, il la quitterait pour un temps peut-être long. Les Alliés, qui avaient du mal à s'implanter en Normandie, étaient très loin de la prise de Berlin sans laquelle il n'y aurait pas de reddition allemande. D'ici là, tant de choses pouvaient arriver. Pour patienter et garder courage, dans les jours, les semaines ou les mois à venir, il n'aurait, en souvenir de ces deux semaines d'intimité et de promesses échangées, que l'écho de sa voix lui répétant, comme la nuit dernière, qu'elle l'aimait plus que tout.

XVI

L e dimanche matin, Riquier partit pour l'église avec madame
Fourment, son fils et son neveu. Il était curieux de voir le curé,
cette espèce de docteur Jekyll qui avait en charge les âmes de la
paroisse. La veille, afin d'animer le souper, il avait raconté pour ceux
qui n'y avaient pas assisté, c'est-à-dire tous les convives à l'exception
de Jacques, l'arrivée spectaculaire de la toile du peintre.

— Vous avez de la chance, avait-il conclu, d'avoir un prêtre qui
veut enrichir le patrimoine culturel du village.

Sa remarque enthousiaste était tombée à plat et il avait compris
qu'il y avait un problème. Cherchant à savoir lequel, il avait
demandé si ça coûtait trop cher aux contribuables. Lasbordes lui
avait répondu que non.

— Le peintre se contente d'être hébergé et nourri, à peu de
chose près. Il y a le matériel, bien sûr, mais c'est le curé qui s'en
charge. L'évêché doit l'aider. De toute façon, les villageois ne sont
pas riches et ils ne comprendraient pas qu'on leur demande de
payer pour ça.

— Alors, vous n'aimez pas les peintures de Carral?

— C'est le curé que les gens n'aiment pas.

Adèle avait pris le relais pour lui raconter comment cet
amoureux des arts traitait les enfants.

— Je suis allée au catéchisme avec lui et j'en ai toujours peur. Pourtant, c'était il y a longtemps. Et je ne suis pas la seule! Il fait trembler même des hommes de mon âge.

Riquier avait cherché une confirmation du côté du facteur et celui-ci avait approuvé. L'image ne correspondait en rien à celle du mécène éclairé que lui avait décrit le peintre et il voulait découvrir le phénomène de ses propres yeux.

Il allait également à la messe pour voir réunis la plupart des habitants du village. Certains n'y allaient pas, mais ceux-là, selon Lasbordes, se retrouvaient au café et il les y rejoindrait ensuite. Non qu'il espérât faire avancer l'enquête, mais pour avoir le sentiment d'avoir fait tout ce qui était en son pouvoir. Lorsque le maire arriva avec sa famille, il admira Gabrielle. Très élégante, elle tranchait sur cette assemblée de villageois où les femmes étaient invariablement en noir, portant le deuil d'un père, d'un mari ou d'un frère tombé à la guerre d'avant, celle qui aurait dû être la dernière. Madame Maupas aussi était bien habillée, de même que Marie-Pierre, mais plus discrètement : Gabrielle semblait vêtue pour une garden-party avec son chapeau fleuri assorti à son fourreau qui, quand même, concession à la messe, n'était pas décolleté. Quant à l'institutrice, beaucoup moins spectaculaire dans sa modeste robe d'été, elle attirait l'attention parce qu'elle était l'image même du bonheur. Riquier jeta en coulisse un regard à Jacques et surprit une expression semblable sur son visage. Ces deux-là s'aimaient très fort et il les envia.

Le curé arriva sur sa bicyclette, la soutane retroussée découvrant le fond d'un pantalon resserré par une pince à linge afin qu'il ne se coince pas dans le pédalier. Il traversa les groupes de paroissiens sans ralentir ni les saluer tandis qu'ils s'empressaient de bouger pour le laisser passer. Il appuya le vélo contre le mur de l'église et entra. Ils lui emboîtèrent le pas et s'installèrent pendant qu'il disparaissait dans la sacristie. Il reparut peu après, revêtu des habits sacerdotaux, et la messe commença. À première vue, le prêtre ressemblait plus à la description d'Adèle qu'à celle du peintre.

Du fond de l'église, Riquier n'entendait que des bribes de l'office et suivait le mouvement quand les gens s'asseyaient ou se levaient. Il eut tout loisir de regarder les peintures et de se faire une opinion. Carral avait du talent : il savait dessiner et son traitement de la couleur était intéressant. Il aurait aimé découvrir ses œuvres profanes dont la fresque d'une des chapelles donnait un indice : la lumière dominait dans la blondeur du soleil et des blés ainsi que dans les bleus du ciel et des étoffes.

Riquier délaissa l'art pictural pour écouter l'abbé Trescamp lorsque celui-ci monta en chaire. Elle était en fer forgé, belle pièce flambant neuve dont Adèle lui avait appris qu'elle était l'œuvre de Daguzan. Le forgeron au rude caractère était un habile artisan et le curé, qui lui avait commandé la chaire, avait su le deviner. Avant de prendre la parole, il regarda ses paroissiens un à un. Sans aucun doute, il aimait dominer l'assemblée. Riquier les vit baisser les yeux, à l'exception du maire, le seul qu'il ait honoré d'un infime mouvement de tête. Lorsqu'il parvint à Riquier, le policier ne broncha pas. Cela dura quelques fractions de seconde, puis le prêtre commença de parler. Riquier comprit l'ascendant que cet homme pouvait avoir sur ses paroissiens qu'il avait terrorisés dès l'enfance : il avait une voix autoritaire qui véhiculait une forte volonté. Le policier eut la surprise de constater que le curé semblait avoir décidé de l'aider avec son homélie dont le thème était le sixième commandement *Tu ne tueras point*. Il parla longuement du jugement de Dieu, qui vaudrait pour l'éternité, mais qui serait plus indulgent si le coupable se livrait à la justice des hommes et expiait son forfait sur cette terre. Il s'exprimait avec autant de conviction que s'il imaginait que l'assassin, convaincu par son prêche et touché par le remords, irait se livrer à la sortie de la messe. Riquier, pour sa part, n'y croyait pas et, sans s'en rendre compte, cessa d'écouter. Il pensait à la soirée de la veille, qui lui avait appris des choses intéressantes mais, une fois de plus, inutiles pour son enquête.

Dès que le facteur avait quitté la cuisine pour se diriger vers l'atelier, comme la veille, Riquier, prétextant la fatigue, était monté à sa chambre et s'était discrètement posté à la fenêtre pour guetter d'éventuels déplacements suspects. Il n'avait pas été déçu : peu après, José et Lasbordes sortaient furtivement de la remise et se dirigeaient vers le jardin. Riquier descendit, répondit au regard anxieux d'Adèle qu'il se rendait aux lieux d'aisance et suivit le même chemin que les deux silhouettes. Il n'y avait qu'une issue au jardin : un trou dans la haie derrière les latrines. Au-delà de la haie, c'était la cour de l'école. Le garçon et le facteur avaient disparu. Soit ils étaient chez l'institutrice, pour une raison qui restait à déterminer, soit l'école n'avait été qu'un lieu de passage pour se rendre ailleurs sans être vus. Le policier se glissa dans la brèche, non sans s'égratigner les mains aux épines, traversa la cour en prenant soin de ne pas faire de bruit et s'approcha du logement de l'institutrice. Le rez-de-chaussée était sombre, mais à l'étage filtrait un léger rai de lumière entre les volets. Peut-être était-elle simplement couchée ? Il pensa soudain que Jacques Duprat devait être avec elle. S'ils étaient dans la chambre, c'était vraisemblablement pour faire l'amour. Et lui, il était là, dans le noir, à les épier comme un voyeur ! Il en éprouva une telle honte qu'il décida de repartir. Ce fut à ce moment-là qu'il entendit un grésillement reconnaissable entre tous : le brouillage des ondes. Il comprit alors qu'ils étaient tous chez l'institutrice à essayer de capter radio Londres. La main déjà levée pour frapper à la porte, dans le but de leur demander de le laisser écouter les nouvelles avec eux, il se ravisa : il était policier et ce que faisaient ces gens était illégal. S'il s'avérait qu'ils écoutaient bien radio Londres, et il n'en doutait pas, son devoir serait de les dénoncer. Or, il n'avait pas envie de leur créer des ennuis : lui aussi avait écouté la radio interdite et sa conscience ne le lui reprochait pas. Le facteur, l'institutrice, son amoureux et l'adolescent renfrogné n'avaient aucun lien avec le crime qu'on l'avait chargé d'élucider et il décida de les laisser en paix. Peu pressé de retourner dans sa chambre, il s'assit un moment sur le banc des amoureux, mais il s'y sentit tellement solitaire qu'il préféra rentrer.

À la sortie de la messe, les châtelains saluèrent l'institutrice et bavardèrent avec elle. Ceux qui étaient au courant des accusations de madame Maupas, et qui observaient la scène avec intérêt – Jacques, Adèle, le policier –, devinèrent que le maire l'avait exigé de sa femme pour couper court à d'éventuels bavardages. Mais il n'y eut pas de ragots : Riquier n'avait rien dit et, bien entendu, les autres non plus. Adrienne, qui le comprit, en ressentit un intense soulagement. Elle allait pouvoir profiter de son dimanche sans qu'il soit assombri par la crainte des conséquences que la sotte jalousie de la châtelaine aurait pu engendrer.

Les paroissiens bavardaient par petits groupes. Certains jetaient des regards curieux, ou carrément suspicieux, au policier toulousain qu'ils n'avaient pas encore eu l'occasion de rencontrer, mais personne ne l'aborda, bien sûr, et il ne leur parla pas non plus, ne sachant que leur dire. Cette enquête n'aboutirait pas, comme ses supérieurs semblaient le souhaiter. Il avait espéré élucider le crime, mais les gens étaient décidés à se protéger les uns les autres et il n'apprendrait rien. Il était inutile de s'attarder à Fontsavès : le lendemain, à la première heure, il appellerait Daran pour l'informer de son échec et il supposait que son chef ne le lui reprocherait pas. Mais en attendant, on était dimanche et il fallait passer la journée.

Ce fut le maire qui résolut le problème en l'invitant.

— Monsieur Riquier, lui dit-il, si vous n'êtes pas déjà pris, voulez-vous déjeuner avec nous ? L'abbé Trescamp vient manger au château tous les dimanches et Hubert Carral sera aussi des nôtres.

XVII

A drienne et Jacques devaient se retrouver, comme le dimanche précédent, à quelque distance du village pour passer la journée ensemble. Ce serait la dernière. Jacques avait appris à la jeune femme que le capitaine était à Toulouse pour organiser son départ et qu'il ne leur restait, outre cette journée, que deux ou trois nuits. La perspective de cette future séparation les angoissait et, même s'ils se disaient pour s'encourager que la fin de la guerre approchait et qu'après la guerre ils seraient réunis, c'était plus un vœu qu'une certitude. Les Alliés connaissaient quelques succès, mais c'était insuffisant pour apporter la certitude que les Allemands ne les repousseraient pas à la mer. Leurs positions normandes étaient fragiles et l'espoir de ceux qui comptaient sur eux l'était aussi.

Cette fois, la jeune fille avait choisi comme destination une fontaine qui avait la réputation d'être miraculeuse : ceux qui buvaient de son eau obtenaient la protection de saint Fragulphe, décapité en ce lieu. La source avait jailli à l'endroit où sa tête était tombée et l'on prétendait que l'on pouvait voir dans le fond du bassin où elle s'écoulait trois gouttes de sang du bienheureux. Le curé et ses ouailles y venaient en procession une fois l'an et, de temps à autre, des amoureux s'égaraient dans ses alentours. La source dispensait une fraîcheur qui serait agréable en ce jour très chaud et ils pourraient même se baigner dans le bassin.

Adèle fit un casse-croûte, comme le dimanche d'avant, mais Lasbordes s'abstint de proposer sa compagnie. Après le départ de Jacques, Adèle soupira :

— Dieu sait quand ces deux-là pourront se retrouver...

— Bientôt, affirma Henri, montrant plus d'assurance qu'il n'en ressentait. Cette guerre va finir. Moins vite qu'on l'espérait, peut-être, mais bientôt quand même.

— En attendant, il va retourner se battre, et on n'en revient pas toujours.

Ce constat, venant d'une veuve de guerre, était difficile à contredire. Lasbordes préféra parler d'autre chose.

— Puisque le policier est au château, profitons-en nous aussi pour passer une belle journée. Tu ne m'avais pas dit qu'il fallait tailler la glycine ?

Adèle, contente qu'il propose une aide qu'elle réclamait depuis longtemps, s'empressa d'accepter. Après la glycine, elle avait l'intention de profiter de sa bonne volonté pour lui faire exécuter quelques autres petits travaux.

— Et cet après-midi, ajouta-t-il avec un clin d'œil, on fera la sieste.

Va pour la sieste, se dit-elle, *il faut prendre le plaisir qui passe.*

En roulant vers le domicile des Maupas, Claude Riquier ne put s'empêcher de penser que l'invitation du maire était probablement destinée à le neutraliser : pendant qu'il se consacrerait aux mondanités, il ne risquerait pas de découvrir ce qu'on tenait tant à lui cacher. S'il avait su quoi faire pour élucider le mystère de l'assassinat du garde champêtre, il aurait refusé d'aller manger au château, mais il n'avait pas la moindre idée de ce qu'il aurait pu entreprendre : il avait interrogé les personnes impliquées, ou du moins mêlées à la découverte du cadavre et liées au mort d'une manière ou d'une autre, et elles lui avaient menti à peu près toutes. Mais découvrir qu'elles cachaient la vérité ne lui avait donné aucun indice sur ce qui s'était passé ni aucune piste pour le trouver. *Au diable l'enquête, se dit-il, et profitons de cette journée avec des personnes civilisées si opportunément pourvues d'une nièce.*

La fontaine de saint Fragulphe était entourée de chênes, et les jeunes gens purent pique-niquer à l'ombre. Lorsque les miettes du repas furent secouées, la couverture qui avait fait office de nappe servit pour la sieste. Les alentours étaient déserts et ils purent s'aimer en toute liberté.

— Je n'arrive pas à t'imaginer autrement que brun, regretta Adrienne en caressant du doigt le duvet blond de la poitrine de Jacques. Quelle est la vraie couleur de tes cheveux ?

— Plutôt châtain clair, mais en été, si je vais au soleil, je suis carrément blond.

— Et cette cicatrice, si près de l'œil, d'où vient-elle ?

— Ce n'est rien de glorieux : une branche cassée que je n'avais pas vue lors d'un entraînement en forêt.

— J'aurais aimé avoir une photo de toi pour la mettre sur ma table de nuit pendant que nous serons séparés. Évidemment, ce n'est pas possible.

— Les seules que j'ai sont sur mes faux papiers. Toi, par contre, j'espère que tu peux m'en donner une.

— Bien sûr ! Je l'ai déjà choisie. Tu l'auras ce soir.

Adrienne apprit à Jacques qu'elle avait refusé une invitation de sa sœur à passer le dimanche avec elle à Toulouse et qu'elle lui avait envoyé une longue lettre où elle parlait de lui et de leurs projets.

— Je suis sûre qu'elle l'a déjà dit à notre mère. C'est en quelque sorte l'officialisation de nos relations.

— C'est très bien ainsi. S'il y a beaucoup de gens qui m'attendent, ça forcera le destin à me ramener plus vite. Moi aussi, je vais annoncer la nouvelle à ma famille. Ma sœur va être contente. Je suis sûr que vous allez vous aimer toutes les deux.

— Parle-moi de chez toi...

Jacques décrivit Montréal, une ville bien plus grande que Toulouse et très différente. D'après les renseignements qu'on lui avait fournis avant de partir, Toulouse était une cité aux rues étroites et souvent tortueuses alors que Montréal avait des voies larges et aérées. La ville était très étendue et les divers quartiers plutôt juxtaposés : les quartiers pauvres, où la tuberculose sévissait de manière endémique, se tassaient au pied de la montagne, dans les fumées malsaines des usines, tandis que les beaux quartiers, comme celui où il avait été élevé, étaient sur les hauteurs, là où l'air était bon et où il y avait des arbres.

— Mes parents vivent dans une grande maison qui vient de ma grand-mère, mais ils ont aussi un chalet à la campagne, au bord d'un lac. Avant la guerre, on y passait les vacances. Nos amis étaient dans un chalet voisin. L'été, on se baignait dans le lac et on empruntait la voiture familiale pour aller jouer au tennis sur les terrains d'une auberge du village voisin. Tout ça paraît maintenant tellement irréel.

Ils se baignèrent dans l'eau très fraîche de la fontaine puis s'allongèrent au soleil pour se sécher tout en parlant de l'après-guerre, qui suscitait en eux espoir et enthousiasme, évoquant leur future maison et les enfants à venir. Auraient-ils les cheveux blonds et les yeux bleus de leur père ou les cheveux bruns et les yeux noirs de leur mère ?

— On aura un blond aux yeux noirs et un brun aux yeux bleus, affirma Adrienne en riant.

Puis elle fit mine de se lever.

— Il commence d'être tard, il faut retourner au village.

Mais il l'attrapa par la cheville, la fit tomber dans ses bras et roula sur elle.

— Restons encore un peu.

Quand Claude Riquier rentra du château, où on l'avait retenu tout l'après-midi, Lasbordes s'apprêtait à partir au café et il l'accompagna. Comme c'était dimanche, il y avait un peu plus de monde qu'en semaine, mais les adeptes de la manille ne dérogeaient pas pour autant à leurs habitudes. Le policier s'assit seul à une table où un verre de vin lui fut versé d'autorité. Les conversations l'ennuyèrent vite. Les hommes ne parlaient que des foins, du bétail, et surtout du temps : celui qu'il faisait, celui qu'il avait fait et celui qu'il allait faire, avec des rappels du passé sur lesquels ils avaient parfois des souvenirs divergents. La grêle qui avait ravagé la rive gauche du Savès et avait haché les vignes, le maïs et les pommes de terre – heureusement, la moisson était terminée – avait eu lieu en 32 selon les uns, en 34 d'après les autres. La cafetière les départagea avec un argument imparable : c'était en 33, le 12 août. Elle en était sûre, car sa cousine Alphonsine avait accouché de jumeaux ce jour-là.

— Et ils n'ont pas vécu, les pauvres. Je ne serais pas surprise que l'orage y ait été pour quelque chose. Tous ces éclairs et ce tonnerre, c'est pas bon.

Ils approuvèrent gravement et revinrent aux récoltes pendant que Riquier se souvenait du parfum de Gabrielle. Au repas, elle avait été placée à côté de lui et ils avaient fait de nombreux apartés, parfois un commentaire ou même un simple regard complice leur prouvant qu'ils étaient sur la même longueur d'onde. Le curé avait montré son autre face, se révélant un convive presque plaisant si on faisait abstraction de sa propension à l'autorité sans réplique. Ce qui le passionnait, c'était la réfection de l'église de Fontsavès pour laquelle il avait de nouveaux projets : il voulait faire modifier l'autel, un énorme monument de marbre beaucoup trop haut à son goût. Il loua aussi le travail du peintre, tellement intimidé par les compliments qu'il ne pouvait aligner deux mots, ce qui ne manqua pas de provoquer l'ironie de Marie-Pierre. Elle n'avait pas besoin de parler pour être comprise : placée à côté du malheureux, qui ne la voyait pas parce qu'elle se penchait un peu en arrière, elle imitait les contorsions de sa bouche au bénéfice de sa cousine, du policier et de son père dont l'expression réprobatrice ne suffisait pas à la faire cesser. Le curé, heureusement, n'était pas en face d'elle. Quant à madame Maupas, elle traversa le repas en silence avec un visage douloureux et un regard absent. Riquier supposa qu'elle ne s'était pas réconciliée avec son mari depuis le dévoilement de la prétendue liaison de celui-ci avec l'institutrice. Après le repas, Gabrielle proposa de lui montrer la charmille en compagnie de sa cousine et elle en profita pour lui glisser un papier sur lequel elle avait inscrit son numéro de téléphone et *De retour à Toulouse dans une huitaine.* Riquier, qui avait presque oublié Julia, se demanda quel opéra on donnerait cette semaine-là.

Le soir, à la table d'Adèle, tout le monde avait l'air content, excepté José dont la mine sombre semblait plaquée sur son visage comme un masque. Le policier vit partir Jacques, puis le facteur et l'adolescent, et fit semblant de ne pas le remarquer. Il lui restait une interminable soirée à passer seul dans cette maison, mais c'était la dernière. Le lendemain, il irait à la gendarmerie et déclarerait forfait à la satisfaction de tous. Même s'il était déçu d'avoir échoué, il se rendait compte qu'il n'avait jamais eu la moindre chance de réussir.

XVIII

Lartigues tendit la main au policier toulousain.
— Vous êtes matinal, Monsieur Riquier.
— Il faut que j'appelle mes supérieurs et vous m'avez déconseillé la cabine du village.
— Vous avez eu des résultats?
— Rien de définitif. Je dois prendre des instructions.

Le gendarme désigna l'appareil fixé au mur à côté de la table chargée de paperasses.
— Allez-y. J'ai à faire avec Deumier, je vous laisse.

Riquier s'approcha du téléphone et le gros chat roux, installé à l'extrême bord de la table, s'en trouva incommodé. Il se leva et feula en direction du policier.
— C'est une bête féroce que vous avez là.
— Il agit comme si c'était nous qui étions chez lui. Du balai! ordonna-t-il à l'animal en donnant un coup de journal sur la table.

Le chat, indigné, regarda Lartigues de ses yeux jaunes et, avant de sauter à terre, il fit tomber d'une patte vengeresse une boîte oblongue dont le contenu s'éparpilla sur le sol, puis il s'en alla, fouettant l'air de sa queue.
— Sale bête! Je me demande pourquoi je la supporte.

Riquier s'accroupit pour aider à ramasser les papiers épars. Il s'agissait d'enveloppes marquées de vieilles taches d'humidité.

— C'est les enveloppes de Souquet, expliqua le chef.

— Regardez! dit Riquier en lui montrant la boîte.

Dans le fond, glissée sous un carton qui s'était décoincé en tombant, il y avait une lettre. Le policier posa précautionneusement la feuille sur le bureau et les deux hommes la lurent ensemble. Elle était datée du 11 avril 1904 et disait ceci :

Moi, Pradet Auguste, je veux, avant de mourir, reconnaître que je suis le père de l'enfant Souquet Exupère. Qu'il reçoive sa part de mes biens comme mon autre fils Pradet Élie.

L'écriture était soignée – celle d'un prêtre ou d'un médecin? – et la signature maladroite et tremblée, comme s'il avait fallu que quelqu'un tienne la main à cet homme qui avait été pris de remords à la toute fin de sa vie.

— Eh bien voilà, dit Lartigues. On a la réponse. La mère de Souquet avait préféré ne rien demander, mais elle n'avait quand même pas détruit la lettre. Elle l'avait gardée dans cette boîte, probablement entre deux enveloppes. Souquet sera tombé dessus après avoir écrit les premières lettres anonymes.

— Il est allé réclamer sa part d'héritage à Pradet, continua Riquier, et l'autre lui a répondu avec son fusil puis il a traîné son corps à la garenne.

— Sans le chat, on n'aurait jamais su le fin mot de l'histoire.

— En effet. Je propose qu'il ait de l'avancement pour son intervention décisive dans la résolution de l'affaire Souquet.

Les trois gendarmes qui étaient dans la pièce à côté apparurent derrière la porte vitrée, intrigués par les rires qui provenaient du bureau du chef. Celui-ci ouvrit et les fit entrer.

— Nous savons qui a tué le garde champêtre. C'est le chat qui l'a découvert.

Il jouit un instant de leur tête ahurie puis les mit au courant. Riquier remarqua à quel point Lartigues et Deumier étaient satisfaits du dénouement et il se demanda une fois de plus ce que contenaient les lettres anonymes sur lesquelles il avait, à tort, focalisé son enquête. Ce n'était pas à cause d'elles que Souquet avait été tué. Du moins, pas directement : c'était parce qu'il avait eu besoin des enveloppes qu'il avait trouvé le document par lequel son père le reconnaissait et lui laissait la moitié de ses biens, ce qui avait entraîné son assassinat par l'autre héritier qui ne voulait pas partager. Puisque l'enquête était finie, ces lettres anonymes tomberaient aux oubliettes et il ne saurait jamais ce que les destinataires tenaient tant à cacher.

Le chef prit le commandement de l'opération.

— On y va tous pour l'arrêter parce que ça m'étonnerait qu'il se laisse faire. Je suppose que vous êtes des nôtres et que vous téléphonerez après, Monsieur Riquier ?

— Bien sûr.

— Compans et Puntous, vous partez à vélo. Nous, on prend la voiture. Comme on est trois, ça laisse une place pour Pradet. On se retrouve au château et on emmènera le maire.

Ils sortaient de la gendarmerie lorsque Lartigues se tapa le front.

— J'ai failli oublier ! Félicien, va chercher les menottes.

L'interpellé le regarda, abasourdi.

— Vous avez des menottes ? Je les ai jamais vues. Et elles sont où, ces menottes ?

— Dans le tiroir du milieu de mon bureau. Dépêche-toi et vérifie qu'il y a les clés.

Puntous revint avec l'objet qui suscita une certaine curiosité.

— Voyons si ça marche, dit Deumier, un brin sceptique.

— Pourquoi ça marcherait pas ? rétorqua son chef. Ça n'a jamais servi.

— Justement…

La clé tournait, mais avec difficulté.

— Une goutte d'huile ne lui ferait pas de mal.

— Abrège, Isidore.

— Juste un peu d'huile, pour être sûrs qu'on sera pas embêtés. Félicien, va chercher la burette du vélo !

Quand la voiture pénétra dans la cour du château, le maire, qui l'avait entendue arriver de la départementale et remonter l'allée, les attendait devant le perron. Marie-Pierre, y voyant une occasion de délaisser ses mathématiques, l'avait suivi et se tenait à ses côtés.

— Monsieur Maupas, claironna Lartigues tandis que Deumier balançait les menottes à bout de bras, on vient procéder à l'arrestation du coupable.

Le maire devint très pâle et resta silencieux. Sa fille lui prit la main et la serra fort. Ne s'apercevant de rien, Lartigues continua :

— Cette affaire va être réglée, et ce ne sera pas trop tôt.

Riquier, comprenant que Maupas croyait que les gendarmes étaient là pour lui, eut pitié de sa détresse et le détrompa.

— C'est Élie Pradet qui a tué le garde champêtre.

Lartigues jeta un regard étonné au policier, puis il vit que le maire reprenait couleur peu à peu et réalisa qu'il lui avait fait une belle peur.

— Comment l'avez-vous découvert ? demanda Maupas qui retrouvait la faculté de parler.

— Par hasard. Mais voilà les renforts qui arrivent. Je vous le raconterai plus tard.

Les quatre gendarmes, le policier et le maire se dirigèrent vers la ferme d'Élie Pradet. Marie-Pierre avait voulu les suivre, mais son père lui avait fait signe que non et elle n'osa pas braver l'interdiction. À la place, elle courut au pré où Pauline gardait ses vaches pour la mettre au courant des derniers développements.

— Tu te rends compte, c'est Pradet ! dit-elle à son amie tout excitée. Toi qui déjà en avais peur, si tu avais su que c'était un assassin !

— Ils l'ont emmené ?

— Ils y vont juste maintenant. J'aimerais voir ça ! Où on pourrait se mettre pour regarder sans qu'ils le sachent ?

— Nulle part. On reste ici. C'est pas un jeu, il peut y avoir du danger. De toute façon, je ne peux pas laisser les vaches.

— Si elles vont dans le champ de Pradet, pouffa son amie, il ne pourra pas te le reprocher.

Pauline sourit, mais le cœur n'y était pas. L'idée qu'elle avait côtoyé un meurtrier de si près lui donnait la chair de poule. Marie-Pierre ne prenait rien au sérieux. *Après tout,* se dit-elle, *c'est peut-être elle qui a raison.*

XIX

L'escouade trouva Élie Pradet en train d'atteler une paire de vaches. Le chien signala l'arrivée des hommes et Pradet, devant le déploiement de forces, devina qu'il était démasqué. Avec une rapidité que l'on n'aurait pas attendue d'un boiteux, il lâcha tout et entra dans l'étable dont il ferma la porte. Peu après, le temps qu'il parvienne à l'intérieur de la maison qui communiquait avec l'étable, ils l'entendirent barricader la porte d'entrée, puis ils le virent fermer les volets de la cuisine. Quand les forces de l'ordre arrivèrent devant la maison, il s'y était retranché et on ne voyait plus signe de vie, à l'exception des vaches à moitié jointes qui s'agitaient et du chien qui grognait en montrant les dents sans oser s'approcher des intrus.

— Élie Pradet, dit Lartigues d'une voix forte, nous savons que c'est vous qui avez tué Exupère Souquet. On vient vous arrêter. Sortez !

Rien ne bougea.

— Si vous n'ouvrez pas, on entre de force !

Un volet claqua à l'étage et apparurent, dans l'ordre, le canon d'un fusil et une tête résolue.

— Essayez, pour voir.

Et il tira un coup vers le chêne, ce qui fit tomber une pluie de feuilles et provoqua la débandade dans la cour.

— On n'est pas au bout de nos peines, commenta Deumier quand ils furent à l'abri derrière une grange. Il va continuer de tirer tant qu'il aura des munitions.

Lartigues était du même avis.

— On va le mettre en colère pour qu'il tire et qu'on en finisse plus vite.

Les mains en porte-voix, il cria, passant au tutoiement :

— C'était bien ton frère, le garde champêtre. On a trouvé la lettre de ton père qui le reconnaît.

Cette fois, Pradet tira deux coups, mais pas en direction du chêne. Les hommes désormais visés se félicitèrent de s'être mis à l'abri.

— Il t'a réclamé la moitié de la ferme, l'Exupère, et tu l'as tué.

Nouveau coup dans leur direction, mais mieux ajusté. Riquier avait l'impression d'assister à un western : le dépaysement n'était pas moindre, l'action non plus, mais le confort des spectateurs laissait à désirer. Le citadin aurait bien des choses à raconter à son retour à Toulouse. À moins qu'il n'en ait pas envie. L'homme ne se rendrait pas et cette histoire risquait de mal finir.

Pauline et Marie-Pierre, qui étaient à une faible distance de chez Pradet, sursautèrent au premier coup de feu.

— Ils l'ont peut-être tué, dit Pauline.

— Je les ai vus partir : ils n'avaient pas de fusils. C'est Pradet qui a tiré. S'il s'est suicidé, tout est terminé.

Les deux coups suivants vinrent infirmer l'hypothèse. Les deux filles, terrorisées, n'osaient plus bouger. Casalès, qui arriva en courant, les trouva blotties l'une contre l'autre.

— Vous savez ce qui se passe ?

Marie-Pierre lui raconta.

— Ne restez pas là. Appelle les vaches, Pauline. Je vais les pousser. Rentrez à la maison.

Lorsque le troupeau fut docilement engagé sur le chemin de la ferme, lui-même prit la direction de chez Pradet, bientôt rejoint par Jacques qui coupait des broussailles à proximité. Les deux hommes avaient espéré rejoindre le maire et les gendarmes, mais il aurait fallu avancer à découvert et ils durent rester en retrait. Il y eut un quatrième coup de feu et la voix de Lartigues reprit ses provocations :

— Si tu es un homme, descends au lieu de te cacher !

Après un nouveau tir, Pradet répliqua :

— Vous feriez mieux de vous occuper des terroristes et de laisser tranquilles ceux qui défendent leurs biens.

— Quels terroristes ? lui cria Compans.

— Ceux qui ont saccagé ma récolte avec le parachutage.

— Quel parachutage ? insista le gendarme.

— Il y a une quinzaine de jours. Le maire devait payer les dégâts, mais il ne l'a pas fait. Tous des menteurs ! Tous des voleurs !

Et il ponctua sa diatribe d'un nouveau coup de fusil.

— Où ils sont ces terroristes ? continua Compans.

— Est-ce que je sais, moi ? Cherchez-les puisque vous êtes si forts.

— Il invente n'importe quoi, ricana Lartigues. Des terroristes ! On aura tout entendu.

— Et cette histoire de dégâts ? s'informa Compans.

— Les vaches de la métairie s'étaient échappées, expliqua Maupas.

Compans sembla s'en contenter, Riquier se dit qu'il y réfléchirait plus tard et il n'y eut pas de commentaires. Pradet reprit, alors que personne ne s'y attendait.

— Moi, je sais bien où je chercherais…

— Où ? demanda Compans.

— Dans la forêt de Fontsavès, du côté de l'ancien pavillon de chasse.

— Si tu crois nous faire partir avec tes inventions, intervint Lartigues, tu te trompes. C'est pour toi qu'on est là et c'est parce que tu as tué ton frère. C'était ton frère, le garde champêtre. C'était le fils de ton père et ton père l'avait reconnu sur son lit de mort. Tu n'as pas respecté les dernières volontés de ton père et tu as tué ton frère.

Furieux, Élie Pradet hurla :

— C'était pas mon frère ! Je vous interdis de dire que c'était mon frère ! La lettre, elle est fausse ! Regardez ce que j'en fais de cette ordure d'Exupère !

— Il a mis quelque chose au bout du fusil, annonça Puntous qui regardait entre deux planches.

Le nouveau coup de feu éparpilla des débris dans toutes les directions. Deumier trouva dans la grange un outil à long manche dont il se servit pour récupérer un morceau qui n'était pas très éloigné d'eux, mais à découvert. Ils l'examinèrent : c'était la casquette du garde champêtre.

— Il avait dû la garder en guise de trophée, supposa Riquier.

Des pas derrière eux attirèrent leur attention : c'était Compans qui revenait de la direction du château. Personne ne l'avait vu partir.

— D'où tu viens ? demanda Lartigues.

— Je suis allé pisser.

Pradet s'était remis à crier et le chef oublia son subordonné.

— Vous ne m'aurez pas vivant, hurlait-il.

— Il en est à sa dernière cartouche, prédit Deumier.

— Rends-toi, répéta Lartigues.

— Jamais !

Un coup de feu éclata, peut-être le dernier. Pour ne pas courir de risques, il continua de l'appeler et de le provoquer, mais il ne se passa plus rien.

— On va quand même faire attention, recommanda Lartigues.

Ils approchèrent précautionneusement de la maison et tombèrent sur le cadavre du chien. Avant de mourir, Pradet avait supprimé son unique compagnon. Du côté de l'étable, il n'y avait plus trace des vaches que la fusillade avait dû effrayer. Deumier lança des cailloux sur la fenêtre d'où Pradet avait tiré et rien ne se passa.

— Je crois qu'on peut y aller.

Ils trouvèrent une échelle et l'appuyèrent au mur.

— Félicien, vas-y, et viens nous ouvrir la porte.

Quand Puntous apparut peu après, il était livide.

— Quelle saloperie! bredouilla-t-il. Il y a du sang partout, j'ai même marché dedans.

XX

Tout le monde était réuni sur la terrasse du château où madame Maupas, aidée des jeunes filles, servait à boire. Le docteur Guiraud s'était ajouté au groupe. Son rapport serait simple à rédiger : suicide au moyen d'une arme à feu. Après la tension du matin, les gens se détendaient. Casalès et Maupas se demandaient ce qu'il adviendrait des terres de Pradet.

— De bonnes terres, disait le métayer.

— En effet, de bonnes terres, confirmait le châtelain.

Ils s'étaient compris à demi-mot : si les héritiers les mettaient en vente, elles viendraient gonfler celles du château.

Madame Maupas parlait à voix basse avec le docteur, l'entretenant de ses dernières migraines tandis qu'il hochait la tête d'un air compatissant.

Claude Riquier et Gabrielle évoquaient un spectacle de Charles Trenet auquel ils avaient assisté tous les deux l'année d'avant au Capitole.

Le facteur, qui venait d'arriver, faisait le plein de nouvelles auprès des gendarmes de manière à pouvoir les colporter avec son courrier pendant le reste de sa tournée.

Finalement, même s'ils n'avaient pas soupçonné Pradet d'avoir tué le garde champêtre, personne n'en était vraiment étonné maintenant qu'ils connaissaient le fin mot de l'histoire : réclamer à un paysan la moitié des terres qu'il cultivait depuis l'enfance, et dont il était sûr qu'elles lui appartenaient en propre, ne pouvait que déboucher sur un drame. Il était inconcevable pour Pradet de donner une partie des biens familiaux à un homme dont il avait toute sa vie refusé l'idée qu'il lui fût apparenté.

En contrebas, le train siffla et entra en gare.

— Le train de onze heures qui vient de Toulouse, constata Deumier.

— À quelle heure passe-t-il dans l'autre sens ? demanda Riquier.

— Quatre heures. Vous allez le prendre ?

— Oui. L'affaire est résolue, je n'ai plus de raison de rester ici.

Il reporta son regard sur Gabrielle et se dit qu'il pourrait en avoir une, mais elle allait bientôt retourner à Toulouse elle aussi.

Faute d'interlocuteur, Marie-Pierre avait rôdé d'un groupe à l'autre. Elle avait hâte de faire part à Pauline de la pensée qui lui était venue : puisque le policier toulousain ne serait plus là, il n'y aurait plus de raison d'annuler le bal clandestin. Elle regardait vaguement en direction de la gare quand elle s'exclama tout à coup, faisant sursauter tout le monde :

— Regardez là-bas !

Madame Maupas allait lui reprocher son manque de tenue, mais lorsqu'elle vit ce que sa fille désignait, elle se tut. Les autres aussi se turent en découvrant ce que le train avait caché : une file de camions allemands qui venaient de Lannemezan et tournaient vers Fontsavès. L'épais silence qui s'était abattu sur l'assemblée fut rompu par les accents triomphants de Compans qui s'exclama :

— Ils n'ont pas traîné !

Avant que quiconque ait pu réagir, il s'était précipité sur son vélo et l'avait enfourché en disant :

— J'y vais, je ne veux pas manquer ça.

Riquier observa tous les gens réunis sur cette terrasse. À part Puntous, qui ne comprenait rien, et les jeunes filles, qui étaient sensibles à l'angoisse ambiante, mais n'avaient pas l'air de savoir ce qu'il fallait craindre, il était clair que tous les autres étaient au courant. Le vieux Pradet avait dit vrai : il y avait un camp de maquisards dans le bois. Les gendarmes étaient au courant, le maire et sa femme aussi, et également le facteur et le médecin. Même le neveu d'Adèle savait. Les lettres anonymes cessaient d'être un mystère.

— Qu'est-ce qui se passe ? demanda Marie-Pierre.

Personne ne lui répondit. Elle insista.

— Tu le vois, dit son père d'une voix tendue : les Allemands vont au village.

— Pour quoi faire ? Pourquoi tout le monde est-il inquiet ?

— Tais-toi, Marie-Pierre !

Surprise par la dureté du ton, elle obtempéra. Justin et Pauline vinrent se joindre au groupe, le visage grave. Marie-Pierre alla près de son amie qui lui prit la main. Elle l'interrogea du regard, mais n'obtint pas un mot. Le drame était inéluctable, ils le savaient tous, et l'attente était insupportable. Elle ne dura pourtant pas longtemps, car le maquis n'était pas loin du village. Les premières rafales les firent sursauter. Elles furent suivies de bien d'autres, et ils réagissaient à chacune par un mouvement spasmodique incontrôlé. Il y eut ensuite une explosion.

— La cache de munitions, dit le maire.

C'étaient les premiers mots prononcés depuis le début de la fusillade. Une fumée noire et épaisse s'éleva au-dessus de la forêt.

— Ils font brûler les bâtiments, devina Justin.

Son père lui jeta un regard étonné, mais ne releva pas. Quand la fusillade cessa, quelqu'un fit remarquer que cela n'avait duré qu'une demi-heure. Pourtant, ils avaient l'impression d'être là depuis des heures. Puis ils entendirent des bruits de moteur : les camions repartaient. Ils n'allaient pas tarder à les voir. C'est alors qu'éclatèrent deux nouvelles rafales, toutes proches. Au village.

— Il faut y aller ! cria le docteur.

Le maire le retint.

— Attendons qu'ils soient partis. Ça ne sert à rien de nous faire tuer nous aussi.

La colonne de camions reparut bientôt et tourna sur la route départementale en direction de Lannemezan. C'est alors que les cloches sonnèrent.

— Il est midi? s'étonna Riquier.

— C'est le glas, rectifia Lartigues. Allons-y.

Tous les hommes se précipitèrent vers les véhicules, laissant les femmes figées sur la terrasse, tordues d'angoisse et d'incertitude. Le maire et le docteur prirent chacun leur propre voiture et les gendarmes et le policier celle de la gendarmerie. Casalès, Justin, Jacques et Lasbordes, qui avaient sauté sur leurs bicyclettes, étaient déjà à mi-chemin de l'allée.

Ils trouvèrent les premières traces du massacre au centre du village, devant le monument aux morts : les SS avaient fauché au passage une vieille qui rentrait de sa visite quotidienne au cimetière. Comme elle n'y voyait presque plus, elle s'y rendait à l'heure la plus claire du jour. Elle n'irait plus. Guiraut le confirma d'une phrase brève avant de remonter en voiture pour foncer en direction de la forêt. Les cyclistes arrivèrent à ce moment-là et le suivirent, à l'exception de Jacques, qui sentait un besoin irrationnel d'être rassuré au sujet d'Adrienne. Renonçant sans même y penser à la discrétion qui avait été de mise jusque-là, il pénétra dans la cour de l'école où les enfants étaient massés contre la grille. Certains pleuraient, d'autres étaient prostrés. Il ne la vit pas et courut jusqu'à la classe. Vide aussi. Il ressortit.

— Où est votre maîtresse? demanda-t-il aux enfants.

— Elle est allée chercher de l'eau à la pompe pendant qu'on restait sages, répondit une voix de fillette. Mais on a entendu un gros bruit et elle revenait pas, alors on est sortis.

— Où est la pompe?

Toutes les mains se tendirent, le doigt pointé vers un jardinet dont un des côtés bordait la rue. Il comprit qu'elle était morte avant même de se pencher sur elle. Elle n'aurait pu survivre à tant d'impacts, à tant de sang perdu. Le broc qu'elle était allée remplir avait roulé plus loin, percé de trous. En passant, un soldat avait dû l'apercevoir du haut de son camion. Il avait jugé qu'il n'avait pas fait assez de victimes ce jour-là et qu'il devait également assassiner cette jeune fille qui puisait de l'eau, comme il s'était senti obligé de tuer la vieille qui cherchait du bout de sa canne le chemin de sa maison. Jacques voyait qu'Adrienne était morte, mais il ne voulait pas le savoir.

C'est Adèle qui le trouva auprès d'elle. Il tremblait de tout son corps, mais il lui tenait la main en lui disant qu'ils auraient un enfant blond aux yeux noirs et un brun aux yeux bleus. À quelques pas de là, José, accroupi, les bras entourant ses genoux, se balançait, le regard vide.

XXI

La nuit tombait lorsque Lartigues, Deumier et Guiraut se diri-gèrent vers le domicile de Compans. Ils avaient fait bien des choses durant cette interminable journée, mais il leur en restait une à accomplir. Le jeune gendarme n'était pas encore rentré. Il devait fêter avec ses complices miliciens le succès de sa trahison. Sa porte n'était pas verrouillée et les trois hommes purent entrer sans effraction. Ils prirent des chaises, sortirent leur paquet de tabac et s'installèrent pour l'attendre. Ils l'attendraient toute la nuit s'il le fallait.

Au camp des partisans, il y avait eu un véritable carnage. Les premiers morts qu'ils avaient découverts furent les deux sentinelles hachées par une rafale, puis il y eut les autres, tous les autres. À leur arrivée, le bâtiment brûlait encore et la fumée, épaisse et noire, les empêcha de s'approcher. Comme ils s'en rendirent compte par la suite, il n'y avait personne à l'intérieur : lorsqu'ils avaient entendu arriver les camions, les partisans étaient sortis se battre. Mais ils n'en avaient pas eu le temps : l'attaque était inattendue et ils n'étaient pas prêts à la repousser. Les SS les avaient tous tués. La plupart des résistants étaient au camp ce jour-là. Lartigues et Guiraut, qui avaient espéré jusqu'au bout que leurs fils étaient absents, envoyés en mission ailleurs, loin de tout ça, les trouvèrent parmi les autres morts, comme ils trouvèrent Germain, le fils du chef de gare, Roger, le fils du postier, et tous ces garçons de Fontsavès et de Meilhaurat que le docteur Guiraut avait mis au monde. Et il y avait également ceux qui venaient d'ailleurs et qui avaient aussi des parents à qui il faudrait l'annoncer. Pas un n'avait réchappé.

Ils avaient dû serrer les dents pour accomplir ce qui devait être fait. Les gens de Fontsavès n'avaient pas tardé à les rejoindre et ce fut au milieu des cris et des larmes qu'ils réunirent et alignèrent les cadavres qui furent ensuite transportés jusqu'au village sur des charrettes tirées par des vaches. On les mit dans la salle des fêtes. Justin, le visage ruisselant de larmes qu'il ne sentait même pas couler, menait un attelage. À la place des munitions qu'il leur avait apportées quelques jours plus tôt pour délivrer le pays, il ramenait ses amis avec qui il ne rirait jamais plus. À mesure que les corps arrivaient dans la salle où la vieille et l'institutrice avaient été déposées en premier, des femmes leur fermaient les yeux, leur lavaient le visage et leur croisaient les mains sur la poitrine, essayant de donner une illusoire sérénité à ces morts avant que leurs mères les découvrent. Certaines étaient déjà là : Léopoldine Coustet, que la douleur rendait muette, et Félicité Burgat, qui hurlait comme une folle en secouant la dépouille de Roger. Elle criait que ce n'était pas possible, que son fils ne pouvait pas être là. C'était une erreur. Roger n'était pas un terroriste. Il était chez un ami, loin de Fontsavès. Après avoir vainement essayé de la calmer, son mari abandonna, la laissant s'épuiser. Quand enfin elle n'eut plus la force de crier, la vérité, qu'elle avait repoussée de toutes ses forces, s'insinua en elle pour la coloniser et elle s'effondra, anéantie, auprès de l'enfant qui n'était plus.

Tout le monde aida, Riquier comme les autres. À la fin de la journée, lorsque tout fut en place pour la veillée funèbre et que le curé eut commencé les prières qui dureraient toute la nuit, il passa chez Adèle prendre ses affaires et profita de la voiture de la gendarmerie pour se rendre à Meilhaurat. Il dormirait à l'hôtel et retournerait à Toulouse par le train du lendemain. C'était Lartigues qui conduisait. Il allait chercher sa femme pour qu'elle puisse veiller leur fils. Quand il lui serra la main, après un trajet silencieux, Riquier avait la gorge nouée.

Des heures plus tard, lorsque les guetteurs entendirent les pas hésitants d'un homme pris de boisson, ils se mirent en place. Compans poussa la porte et hésita, alerté par un détail anormal, la fumée, peut-être, qui emplissait la pièce.

— Il y a quelqu'un? demanda-t-il, pas encore vraiment inquiet.

Avant qu'il se ravise et fasse demi-tour, Lartigues le prit par le bras et le tira à l'intérieur tandis que Deumier claquait la porte derrière lui et que Guiraud allumait la lumière. Compans comprit en les reconnaissant qu'il allait passer un mauvais moment et cela le dégrisa un peu.

— Vous n'avez pas le droit d'entrer chez moi, protesta-t-il.

Lartigues le poussa vers la table de la cuisine.

— Assieds-toi et tais-toi.

Comme il faisait mine de refuser, Deumier s'approcha, menaçant, et il jugea préférable d'obéir. Le docteur posa devant lui une feuille de papier, un encrier qu'il déboucha et un porte-plume.

— Écris, dit-il.

— Je n'ai rien à écrire. Qu'est-ce que vous me voulez?

Lartigues sortit son arme de service et la pointa vers lui.

— Il te dit d'écrire.

Compans, tout à fait dessoûlé, prit le porte-plume, le trempa dans l'encrier et attendit.

Guiraud commença de dicter:

— J'ai décidé de m'enlever la vie…

Compans sursauta.

— Mais ça va pas? Pourquoi je ferais ça? J'ai fait mon devoir, moi! Rien que mon devoir! Ces hommes, c'étaient des terroristes.

— Écris, on te dit, répéta Lartigues en appuyant le canon du revolver sur son front.

L'autre essaya de bluffer.

— Et si je n'écris pas?

Guiraud alla fouiller dans sa mallette de médecin et en revint avec une sorte de rasoir qui devait être un bistouri.

— Tu vas souffrir longtemps. Je vais te découper en lanières.

Compans, la main tremblante, trempa la plume dans l'encrier. Le docteur reprit :

— J'ai décidé de m'enlever la vie parce que je ne peux plus supporter l'idée que je suis responsable de la mort de ces héros qui défendaient leur patrie.

— Et maintenant, signe, ordonna Lartigues.

La plume levée, il hésitait.

— Signe !

Dès qu'il eut apposé son paraphe, Guiraut se saisit de la feuille tandis que Lartigues, qui était passé derrière Compans, lui tirait à bout portant un coup de feu dans la tempe. Guiraut reposa à côté du cadavre la feuille qu'il avait préservée des éclaboussures et y fit quelques taches de sang en prenant soin de ne pas salir le texte, puis il plaça le revolver près de la tête affalée sur la table et posa la main du mort dessus. Lartigues et Guiraud quittèrent la pièce, laissant Deumier vider le cendrier dans un fragment de *Dépêche* qu'il mit dans sa poche, éteindre la lumière et fermer la porte. Puis ils repartirent pour Fontsavès se joindre à la veillée funèbre.

Le bruit du train couvrit celui du glas qui sonnait depuis l'aube, comme il avait sonné le jour d'avant jusqu'au crépuscule. Malgré la nuit de veille, le chef de gare était au poste, vieilli, les traits tirés, le regard éteint. Il n'avait pas échangé un mot avec l'unique passager qui attendait le train de Toulouse. Bien qu'anéanti par la découverte du désastre qui avait eu lieu en son absence, le capitaine, revenu par le train du soir, avait eu un sursaut d'autorité pour exiger de l'envoyé de Londres qu'il s'en aille comme prévu : trop de gens étaient impliqués dans son plan d'évacuation pour qu'on puisse le retarder sans dommage. Jacques Bélanger ne serait plus là pour les obsèques.

Le jeune homme fit un signe de tête à Coustet. Il monta dans un compartiment vide et s'assit sur la banquette de bois, le regard tourné vers Fontsavès qui était sur le point de disparaître de son champ de vision. Il ne reconnaissait rien de ce village où il n'aurait aucune raison de revenir après la guerre. De ces quelques jours, qui avaient porté en germe tant de promesses de bonheur, seuls vivants dans sa mémoire lui resteraient les échos d'une voix.

Achevé d'imprimer au Canada
en février 2009
sur les presses de Imprimerie Lebonfon
Val-d'Or (Québec)

 GARANT DES FORÊTS
INTACTES | L'impression de cet ouvrage sur papier recyclé a
permis de sauvegarder l'équivalent de 89 arbres de
15 à 20 cm de diamètre et de 12 m de hauteur.